L'Aigle
de la
9e Légion

Du même auteur,
chez Gallimard Jeunesse

L'Honneur du centurion
(Les Trois Légions, tome 2, à paraître, hors série)

La Pourpre du guerrier (Folio junior n° 776)

La traduction de *Eagle of the Ninth*, paru pour la première fois en Grande-Bretagne
en 1954, est publiée avec l'autorisation d'Oxford University Press.

Titre original : *Eagle of the Ninth*

ROSEMARY SUTCLIFF

L'AIGLE DE LA 9e LÉGION

Traduit de l'anglais par
Bertrand Ferrier

GALLIMARD JEUNESSE

OCEANUS
ATLANTICUS

Peuples
noirs

*Avancée extrême
des Romains (84)*

CALEDONIA

MARE
GERMANICUM

Peuples
pictes

*Province abandonnée
de Valentia*

TRINOMONTIUM

*Mur d'Hadrien
(128)*

Brigantes

EBURACUM

HIBERNIA

Iceni

LONDINIUM

*Limite de l'avancée
romaine en 47*

AQUAE SULIS

CALLEVA

ISCA

0   100   200 KM

MARE BRITANNICUM

GALLIA

La Britannia aux Ier et IIe siècles après Jésus-Christ

1

LE POSTE FRONTIÈRE

Pour aller de Fosseway à Isca Dumnoniorum, à l'ouest, il fallait emprunter une petite route qui serpentait entre les collines et finissait par s'enfoncer dans des étendues sauvages. On l'avait un peu élargie, grossièrement pavée et renforcée par des rondins de bois aux endroits les plus dangereux ; mais, si on négligeait ces détails, elle était restée la même depuis sa construction.

Elle était très fréquentée. Des voyageurs de toutes sortes y passaient : marchands transportant des armes de bronze et de l'ambre jaune vif à dos de poney, paysans qui conduisaient de village en village leurs troupeaux hirsutes ou leurs porcs faméliques, guérisseurs de tout poil, chasseurs aux pieds légers suivis d'énormes chiens-loups. Parfois, des membres des tribus qui vivaient plus à l'ouest, reconnaissables à leur chevelure fauve, l'empruntaient ainsi que, de temps en temps, les conducteurs du chariot d'intendance qui faisait la navette pour ravitailler le poste frontière romain. Tous ces voyageurs suivaient la petite route, et tous devaient s'écarter lorsque les cohortes passaient, aigle[1] en tête.

---

1. L'aigle, symbole des armées romaines, désignait également l'étendard et le soldat qui le portait.

Ce jour-là, justement, la route était envahie par des soldats romains qui avançaient au pas de la légion. C'était la relève qu'attendait la garnison d'Isca Dumnoniorum. Les aigles progressaient ainsi depuis Isca Silurium, à raison de vingt lieues par jour. Que la chaussée ressemblât à un marécage détrempé, qu'elle plongeât dans une forêt profonde peuplée de sangliers, qu'elle s'élevât jusqu'à des hauteurs désolées où ne poussaient qu'ajoncs et broussailles, l'armée romaine avançait au même pas cadencé, sans jamais changer de rythme, sans jamais s'accorder une halte. Siècle après siècle, le même rituel était respecté : en tête de la colonne, le même soleil éclatant ornait l'étendard et surplombait les soldats et, derrière, le même nuage de poussière soulevé par le chariot des paquetages fermait la marche.

En tête marchait le centurion. C'était lui qui commandait la cohorte. Il étrennait son premier poste et rayonnait de fierté. Il songeait en effet qu'il avait de quoi être fier : il dirigeait six cents hommes, et pas n'importe lesquels! Ces gaillards blonds avaient été recrutés parmi les tribus de la Gaule supérieure. Ils étaient aussi aptes au combat que des lynx. Bien entraînés, bien encadrés, ils formaient ce que le jeune centurion espérait être la cohorte la plus efficace que la 2e légion eût jamais connue.

La 4e cohorte gauloise venait de rejoindre l'armée romaine. La plupart des soldats n'avaient pas encore combattu. Leur étendard était vierge de tout honneur : nulle couronne de laurier, nul emblème de victoire n'en rehaussait l'éclat. «Pas encore, songea le centurion. Peut-être bientôt! Et sous mes ordres, en plus!» Cette perspective le fit sourire.

Tout distinguait le jeune chef de ses hommes. Il était romain jusqu'au bout de ses doigts fins et distingués. Sous son casque orné d'une crête, son visage au teint olivâtre était d'une dureté marmoréenne; il aurait même été particulièrement rébarbatif si de petites rides de rire ne l'avaient pas adouci. Entre ses sourcils brun sombre, une cicatrice discrète rappelait qu'il avait été initié au culte de Mithra[1] : il avait même passé l'épreuve du Corbeau.

Le centurion Marcus Flavius Aquila était militaire depuis peu. Il avait vécu les dix premières années de sa vie dans la paisible ferme familiale des environs de Clusium[2].

Son père, militaire de carrière, avait été en poste en Judée, puis en Égypte et enfin ici, en Bretagne[3]. Marcus et sa mère devaient le rejoindre, quand les tribus du Nord s'étaient rebellées.

La 9e légion, Hispanie[4], où son père combattait, avait été envoyée dans la région pour mettre les rebelles au pas. Elle n'était jamais revenue, et personne ne savait ce qu'elle était devenue.

La mère de Marcus était morte peu après. Elle avait laissé son fils aux bons soins d'une tante pas très intelligente et de son mari, un notable replet et fier de ses deniers. Instantanément, Marcus avait détesté son oncle, qui avait détesté son neveu. Ils étaient en désaccord sur tout. Marcus était issu d'une famille de soldats qui avaient préféré rester parmi les aigles plutôt que de devenir des rapaces tels les usuriers ou les grippe-sous que sont les marchands. Certes, ils n'avaient pas fait fortune, mais du moins pouvaient-ils marcher la tête haute et la conscience tranquille. Du côté de l'oncle, en revanche, on était notable de père en fils. Les règles de conduite étaient radicalement différentes, Marcus et son oncle étaient incapables de se comprendre.

1. Dieu d'origine perse. Son culte, réservé aux hommes capables de supporter une initiation difficile, s'est répandu à Rome à la fin du Ier siècle après J.-C. et comptait de nombreux adeptes parmi les soldats.
2. Ville d'Italie réputée sous les Étrusques, aujourd'hui appelée Chiusi.
3. Nom de l'actuelle Grande-Bretagne, à l'exception de l'Écosse, appelée Calédonie.
4. Chaque légion avait un numéro mais comme beaucoup portaient le même, elles avaient un surnom qui vantait leur valeur (la Victorieuse), ou rendait hommage à un empereur (l'Auguste) ou à une région (c'est le cas d'Hispanie).

La majorité du jeune homme fut, pour les deux, un immense soulagement. En effet, ses dix-huit ans révolus, Marcus put acquérir une charge de centurion. Et c'est ainsi qu'il se retrouvait, aujourd'hui, sous le soleil de Bretagne. Un léger sourire étira de nouveau ses lèvres quand il repensa au gros bourgeois qui l'avait presque remercié de s'en aller! (Blam! blam! blam! faisaient les mille deux cents pieds des légionnaires derrière lui.)

Marcus avait demandé à être affecté en Bretagne. Il aurait pu postuler à un commandement plus prestigieux. Ici, il serait à la tête d'une simple cohorte de soutien; il aurait donc moins d'occasions de briller que s'il avait été en première ligne. Mais il tenait à cette affectation. Un peu parce que le frère aîné de son père, ancien soldat lui aussi, s'était installé dans la région après avoir pris sa retraite; beaucoup à cause de son père, qui avait disparu dans les environs. Si Marcus devait découvrir quelque chose sur le mystère de la légion fantôme, ce serait ici.

Le jeune centurion marchait sur la route d'Isca Dumnoniorum, dans la lumière dorée du crépuscule. Il pensait à son père. Il se souvenait d'un homme mince aux cheveux noirs, avec de petites rides au coin des yeux, qui revenait de temps à autre. Il lui avait appris à pêcher et à jouer aux osselets. Marcus se rappelait très bien la dernière fois qu'il l'avait vu. Son père venait de recevoir le commandement de la 1re cohorte d'Hispanie. C'était donc lui qui porterait l'étendard et ferait office de commandant en second de la légion. En apprenant la nouvelle, il était heureux comme un enfant. La mère de Marcus, en revanche, avait semblé inquiète, comme si elle avait pressenti ce qui allait se passer.

— N'importe quelle autre légion, je veux bien! s'était-elle exclamée. Mais celle-là! Toi-même, tu m'as dit que Hispanie n'était pas un beau nom.

—Je ne voudrais pas de cet honneur dans une autre légion, même pour tout l'or du monde! avait affirmé le centurion. C'est dans Hispanie que j'ai eu mon premier commandement et la première légion où un homme a servi doit toujours garder la première place dans son cœur, que son nom soit beau ou pas. Et puis, maintenant que je suis nommé à la tête de la 1re cohorte, je verrai si je peux faire quelque chose pour changer son nom!

Il s'était tourné en riant vers Marcus, alors tout jeune.

—Après, ce sera ton tour. Je pars au mauvais moment mais, ensemble, nous ferons la fierté de la légion Hispanie.

Bien des années plus tard, le jeune homme revoyait les yeux de son père. Ils brillaient comme ceux de tout homme qui s'apprête à passer à l'action. La lumière du jour se reflétait dans l'émeraude imparfaite de sa chevalière qui ne le quittait jamais. Elle avait laissé jaillir un éclair de feu vert pâle.

Étrange, cette façon qu'avait la mémoire de retenir des souvenirs de ce genre. Sans qu'on sache pourquoi, avec le temps, ces détails minuscules devenaient essentiels. (Blam! blam! blam! faisaient les mille deux cents pieds des légionnaires derrière Marcus.)

«L'oncle Aquila ressemble-t-il à mon père? se demanda Marcus. Ce serait bien!»

Le jeune homme n'avait pas encore eu l'occasion de le rencontrer. Il était arrivé en Bretagne peu après avoir appris son affectation. L'automne était déjà bien avancé, et le temps était à la neige. Cependant, il avait reçu une vague invitation à rendre visite à son oncle, à Calleva, quand il aurait quelques jours de permission. Une perspective agréable, surtout si Aquila ressemblait à son frère!

Bien sûr, Marcus et son oncle n'auraient sans doute guère d'occasions de se fréquenter. Dans quelques années, le jeune homme serait probablement amené à servir dans une autre région de l'Empire : une cohorte ne gardait pas toujours la même affectation, et le centurion placé à sa tête faisait toute sa carrière avec elle.

Marcus aspirait à atteindre le rang de son père dans la 1re cohorte. Après ? En général, il n'y avait pas d'après. Cependant, pour les rares vétérans qui allaient plus loin — et Marcus comptait bien en faire partie —, les routes divergeaient. Les uns devenaient commandants de camp, comme l'oncle Aquila ; les autres, par l'intermédiaire de la garde prétorienne[1], pouvaient espérer prendre la tête d'une légion. La plupart des commandants de légion étaient des sénateurs. Le plus souvent, ils n'avaient aucune expérience militaire, hormis leur année de service obligatoire ! Toutefois, par tradition, les deux légions égyptiennes faisaient exception. Elles étaient commandées par des soldats de métier. Occuper ce poste avait toujours été le rêve de Marcus.

Et encore après ? Eh bien, quand il en aurait fini avec les aigles, quand son nom serait honorablement connu, quand il aurait été préfet de la légion égyptienne, Marcus Flavius Aquila reviendrait vers ses collines étrusques natales. Peut-être irait-il jusqu'à racheter l'ancienne ferme familiale, que son gros oncle avait eu le toupet de vendre pour payer les dépenses du jeune homme.

Il ressentit un pincement au cœur en repensant à la cour ensoleillée où passaient, fugaces, les ombres des ailes de pigeon. Il n'avait pas oublié l'olivier sauvage qui poussait dans un méandre du ruisseau. Une des racines de l'arbre formait une excroissance qui ressemblait à un petit oiseau. Un été, Marcus avait découpé cette racine avec le couteau tout neuf que son père lui avait donné. Il avait passé une soirée à tailler et à graver les plumes de l'oiseau dans le bois, avec

---

1. Garde personnelle de l'empereur romain.

beaucoup d'amour et de soin. Il avait précieusement conservé le petit animal, et l'avait encore avec lui.

La route montait légèrement.

Soudain, Isca Dumnoniorum se dressa devant les yeux des légionnaires, surplombée par la forteresse du Mont-Rouge, forme noire dans le ciel vespéral. D'un coup, Marcus revint à la réalité. La ferme dans les collines étrusques pouvait attendre qu'il fût un vieux préfet, célèbre et fatigué. Pour le moment, il allait goûter à la gloire de son premier commandement.

La petite ville britannique était nichée sous les falaises orientales du mont. Ici, les toits de chaume et de roseau des maisons déclinaient un nuancier qui allait de l'or du miel au noir de la tourbe séchée. Là, un buisson de basilic, qui semblait étrangement privé de racines, trônait au centre d'un forum net et rectangulaire comme l'étaient tous les forums romains. Un léger rideau de fumée voilait le paysage.

La route traversait la ville en ligne droite. Plus loin, une pente dégagée conduisait à la porte prétorienne du fort. Des hommes au visage tanné s'arrêtaient pour regarder passer la cohorte. L'expression de leur regard était réservée, mais pas hostile. Dans des recoins sombres, des chiens se grattaient. Autour de monceaux d'ordures, des cochons maigrelets creusaient la terre. Sur le pas de leur hutte, des femmes aux bras très blancs, portant des bracelets d'or ou de cuivre, filaient la laine ou pilaient le blé. La fumée bleue de nombreux feux où cuisait le repas du soir s'élevait dans l'air calme et l'odeur alléchante des plats en cours de préparation se mêlait aux relents de bois brûlé et aux remugles plus pénétrants du crottin de cheval.

«Pas de doute, nous sommes en Bretagne!» pensa Marcus.

En l'état actuel, Isca Dumnoniorum n'avait pas grand-chose de romain, hormis le forum de pierre. Un jour, imaginait Marcus, des rues tracées au cordeau se croiseraient à angle droit ; un jour, on y édifierait des temples et des thermes ; on pourrait y vivre à la romaine. Mais, pour le moment, deux mondes y cohabitaient sans se mélanger. D'un côté, une ville britannique protégée par des remparts de tourbe là où, jadis, la tribu dominante avait sa place forte ; de l'autre, l'animation des routes romaines.

Tout en marchant, Marcus observa son reflet dans son casque. Il avait conscience de découvrir à cet instant ce qui serait le décor de sa vie pour les prochaines années. Il scruta les remparts et aperçut une bannière romaine qui flottait dans l'air paisible. Au loin, le sommet d'une petite colline semblait brûler dans le soleil couchant.

Descendant du ciel, une sonnerie de trompette éclata pour accueillir la cohorte que conduisait Marcus Aquila.

— Tu as amené le beau temps avec toi ! s'exclama le centurion Quintus Hilarion, qui scrutait la nuit en faisant les cent pas devant la fenêtre du quartier des officiers. Mais, par Hercule ! n'espère pas que ça dure !

— C'est si horrible que ça ? s'étonna Marcus, assis sur la table.

— Oui ! Ici, dans l'Ouest, il pleut tous les jours, sauf quand Typhon, le père de tous les malheurs, nous envoie un brouillard si dense qu'on ne peut même plus distinguer ses propres pieds ! Quand tu auras servi ici un an, des champignons auront poussé dans tes oreilles tout comme dans les miennes ! Et pas seulement à cause de l'humidité !

— À cause de quoi ? demanda Marcus avec intérêt.

— Eh bien, à cause de la solitude, je suppose. Je suis quelqu'un de très sociable, moi. J'aime bien avoir mes amis autour de moi.

Il se détourna de la fenêtre et s'assit sur une banquette recouverte de coussins, le menton sur les genoux.

— Enfin, soupira-t-il, toutes ces moisissures disparaîtront dès que j'aurai quitté Isca avec mes troupes.

—Vous nous quittez ?

Hilarion acquiesça :

—On va faire une bonne balade. Une balade très agréable, dans les lieux de plaisir de Durinum.

—Durinum ? C'est chez toi ?

—Oui. C'est là-bas que mon père a pris sa retraite et s'est installé depuis quelques années. Il y a un cirque étonnamment bon et des tas de gens — y compris de jolis brins de filles. Plutôt agréable, comme endroit, pour se reposer loin de ces sauvages !

Une idée sembla soudain lui traverser l'esprit.

—Et toi, qu'est-ce que tu feras quand tu seras en permission ? J'imagine que tu ne dois connaître personne dans le coin ?

—J'ai un oncle à Calleva, que je ne connais pas encore, répondit Marcus. Et je n'ai pas du tout envie de retourner passer mes permissions chez moi !

—Tes parents sont morts tous les deux ?

—Oui. Mon père était de la 9e légion.

—Tu veux dire la légion qui a…

—… disparu, oui, c'est ça.

—Quelle tristesse…, murmura Hilarion en secouant la tête. On a raconté des histoires horribles, à ce sujet. D'autant qu'ils ont perdu l'aigle.

Marcus s'était redressé, prêt à défendre son père et la légion à laquelle il appartenait.

—Puisque aucun homme de la 9e n'est revenu, il n'est pas étonnant que leur étendard ne soit pas revenu non plus, lança-t-il.

—Bien sûr, bien sûr…, dit Hilarion sur un ton aimable. Mais rassieds-toi, voyons, je ne voulais pas mettre en doute l'honneur de ton père, cher Marcus !

Il adressa un large sourire amical au jeune homme qui, à sa grande surprise, sentit son visage se détendre, alors qu'il était prêt, l'instant d'avant, à se quereller avec Hilarion.

Plusieurs heures s'étaient écoulées depuis que Marcus avait conduit sa cohorte sur le pont, où leurs pas, pour la première fois, avaient résonné; plusieurs heures depuis qu'il avait présenté les 4e auxiliaires gaulois de la 2e légion, venus relever la garnison.

Le repas était terminé, au mess des officiers; Marcus y avait retrouvé l'intendant, le chirurgien et les centurions au grand complet. Il avait pris possession des clefs du coffre-fort. (Dans une garnison aussi petite, il n'y avait pas de trésorier.) Durant une heure, dans le prétoire du quartier des officiers, il avait passé en revue avec Hilarion les différents aspects du travail qui l'attendait. À présent, les deux hommes avaient ôté leur casque et leur plastron de cuirasse. Ils prenaient leurs aises.

Par une ouverture, Marcus pouvait apercevoir presque entièrement une chambre minuscule : il distinguait le lit de camp étroit, les couvertures aux couleurs vives, typiques de la Bretagne, le coffre en bois de chêne poli et l'applique à flambeau sur le mur nu. Toute la décoration se bornait à cela. Il se trouvait dans l'autre pièce de ses futurs quartiers. Elle était meublée d'un bureau délabré sur lequel était assis Marcus, d'un tabouret pliant, d'une banquette garnie de coussins censée représenter le confort suprême, d'un autre coffre pour ranger les archives, et d'un piédestal en bronze particulièrement laid, qui faisait office de lampe.

Marcus examina la pièce austère baignée par la lueur jaunâtre de la lampe. À ses yeux, elle était magnifique. Demain, il y serait chez lui. Cependant, cette nuit, il n'était qu'un invité. Il s'excusa d'un sourire auprès de son hôte : il avait conscience d'avoir pris, un peu tôt, des airs de propriétaire.

—L'an prochain, tes sentiments auront changé du tout au tout, l'avertit Hilarion, amusé.

—Je ne sais pas, murmura Marcus.

Il balança son pied chaussé d'une sandale et le regarda osciller, les yeux dans le vide.

—Qu'est-ce qu'on fait, ici? s'enquit-il. À part se laisser pousser des champignons dans les oreilles, je veux dire? Est-ce que c'est un bon endroit pour chasser?

—Pas mal… pas mal du tout, reconnut Hilarion. Il faut reconnaître cette qualité à ce coin de l'Empire : on y est plutôt gâté, côté chasse. On trouve des sangliers et des loups en hiver, et les daims pullulent dans la forêt. En ville, pour le prix d'une journée de travail, tu peux trouver des chasseurs qui te guideront. Mais je te déconseille de partir seul, bien sûr.

Marcus opina.

—Et à part ça, d'autres choses à savoir? reprit-il. Je suis nouveau, ici…

Hilarion réfléchit un moment.

—Non, je ne crois pas, lâcha-t-il.

Puis il s'assit et rectifia :

—En fait, si. Au cas où personne ne t'aurait averti, il y a quelque chose dont tu dois te méfier. Quelque chose qui n'a rien à voir avec la chasse : les prêtres. Pour être précis, les druides errants. Si l'un d'eux fait son apparition dans ton district, ou si tu as le moindre soupçon de leur présence dans les parages, tiens-toi sur tes gardes. Ça, oui!

—Un druide? répéta Marcus, stupéfait. Je croyais qu'on était tranquille depuis que Suetonius Paulinus leur avait réglé leur compte, il y a soixante ans!

—En tant qu'organisation, peut-être. Mais il serait plus facile de dissiper les brouillards britanniques à coups de palme que d'en finir avec les druides en éliminant leurs chefs. Ces maudits prêtres se réveillent de temps en temps et, là où ils sont, tu peux être sûr que les aigles ont des ennuis. Ils étaient l'âme et le cœur de la résistance britannique quand l'Empire a débarqué ici et, encore aujourd'hui, dès qu'il y a le moindre signe d'agitation dans les tribus, tu peux parier tes sandales qu'il y a un homme de foi là-dessous.

Hilarion se tut. Marcus insista :

—Allez, continue ! Ne t'arrête pas au moment où ça devient intéressant !

—Eh bien, voici comment ça se passe, dit Hilarion lentement, comme s'il cherchait ses mots. Souvent, les druides prêchent la guerre sainte, la pire des guerres ! Ceux qui s'enrôlent se moquent des conséquences. Les tribus qui vivent à la frontière n'ont rien à voir avec celles du Sud. Celles-là étaient presque romanisées avant même que nous ne posions le pied sur l'île. Ici, autour du camp, vivent des peuples sauvages, fiers et courageux. Mais, en théorie, même eux ont compris que nous n'étions pas des incarnations du démon. Ils ont assez de plomb dans la cervelle pour se rendre compte que tout ce qu'ils gagneraient à détruire la garnison locale, ce serait une expédition punitive au cours de laquelle leurs maisons et leurs récoltes seraient brûlées. Après quoi, ils auraient droit à une garnison plus forte et dirigée avec plus de poigne... Pourtant, si un druide réussit à prendre de l'ascendant sur eux, ils oublieront ça sur-le-champ. Ils cesseront de réfléchir, de se demander s'ils peuvent espérer retirer quoi que ce soit de leur soulèvement. Ils s'imagineront honorer leurs dieux en mettant le feu à un nid d'infidèles. Ce qui arrivera après ? Ils s'en moquent, ils auront gagné l'Ouest par la route des guerriers. Crois-moi, quand des hommes sont prêts à tout pour leur religion, ça sent le roussi.

Dehors, dans le calme de l'obscurité, les trompettes sonnèrent pour signaler le début du deuxième quart.

Hilarion étendit les jambes et se leva.

—Nous devrions prendre notre quart, suggéra-t-il.

Il attrapa son épée et enfila son baudrier avant d'ajouter :

—Je suis né ici. C'est pour ça que je sais un peu comment les choses se passent.

—Je me disais, aussi…, répondit Marcus en se rajustant. Et vous n'avez pas vu de prêtre dans le coin, ces derniers temps, j'imagine ?

—Non, mais, juste avant mon arrivée, mon prédécesseur avait dû faire face à des troubles. L'agitateur lui a filé entre les doigts et a disparu. Pendant un mois ou deux, nous avons eu l'impression d'être sur les pentes du Vésuve, craignant une éruption… qui n'est jamais venue, heureusement.

Des bruits de pas résonnèrent au-dehors. Une lumière rougeoyante éclaira la vitre. Marcus et Hilarion sortirent à la rencontre du centurion de service qui les attendait, une torche à la main. Ils se saluèrent à la romaine, puis Marcus et Hilarion entamèrent leur tournée. Ils longèrent le chemin de ronde, de guérite en guérite, de poste de garde en poste de garde, marmonnant à voix basse les mots de passe. Tout au bout, dans une petite pièce éclairée du prétoire où se trouvaient le coffre-fort et l'étendard, le centurion de garde était assis. Son épée nue était posée sur une table, devant lui.

« Demain, ce sera à moi seul de faire ma ronde, pensa Marcus, à moi seul de vérifier que tout va bien à la frontière de l'Empire… »

Le lendemain matin, après une cérémonie d'adieu très protocolaire, la garnison relevée s'en alla. Marcus regarda les soldats franchir le fossé et descendre la colline entre les masures surpeuplées des autochtones. Le soleil dorait les toits de chaume. Les centuries défilaient le long de la route qui menait à Isca ; à leur tête brillait l'étendard or et rouge vif de la cohorte. Marcus plissa les yeux et fixa ce point brillant jusqu'à ce qu'il s'évanouisse dans la lumière vive du jour naissant. Lorsque le dernier chariot des *impedimenta*[1] eut disparu et que le blam-blam-blam régulier des sandales cessa de faire vibrer l'atmosphère ensoleillée, Marcus se retrouva seul à son premier poste de commandement.

1. Bagages encombrants d'une armée.

2

DES PLUMES DANS LE VENT

En quelques jours à peine, Marcus s'acclimata si bien à la vie du poste frontière qu'il semblait n'en avoir jamais connu d'autre. Les plans de la plupart des camps romains se ressemblaient, si bien qu'en connaître un, c'était les connaître tous – qu'il s'agisse du camp de pierre de la garde prétorienne proprement dite, de celui du Nil supérieur, aux murs de terre cuite, ou de celui d'Isca Dumnoniorum, bâti en tourbe séchée. L'étendard de la cohorte et les officiers étaient toujours abrités dans un bâtiment carré en torchis, construit autour d'une cour à colonnades. Pourtant, Marcus commença rapidement de sentir les particularités qui faisaient que, par-delà les similitudes apparentes, chaque camp était unique ; et il s'aperçut que c'était à cause de ces différences, et non grâce aux éléments qu'il reconnaissait, qu'il s'était si vite senti chez lui à Isca.

Longtemps auparavant, un artiste en garnison à Isca avait sculpté avec sa dague un splendide chat sauvage prêt à bondir sur le mur de la salle des bains. Un autre, nettement moins doué, avait griffonné la silhouette grossière d'un centurion. Une hirondelle avait fait son nid sous les tuiles de l'avant-toit de la chambre haute où était entreposé l'étendard. Une odeur bizarre et indéfinissable flottait dans le deuxième entrepôt. Dans un coin du quartier des officiers, un commandant qui devait avoir la nostalgie de la chaleur et des couleurs du Sud avait planté un rosier dans une vaste amphore de pierre. Déjà, des boutons pointaient leur tête écarlate sous les feuilles sombres.

Ce rosier donnait à Marcus l'impression d'être un maillon dans une chaîne ininterrompue. C'était un lien entre lui et ceux qui l'avaient précédé à ce poste frontière, c'en était aussi un entre lui et ceux qui lui succéderaient. Il avait sûrement été planté de longues années auparavant : l'amphore commençait à devenir trop petite. Marcus pensa que, quand l'automne viendrait, il lui trouverait un emplacement plus approprié.

Il mit davantage de temps à se sentir bien parmi les autres officiers. Le chirurgien était d'un caractère doux, satisfait de son sort, du moment qu'il se sentait protégé de la férocité des autochtones. En revanche, l'intendant était difficile à supporter. C'était un petit homme qui semblait perpétuellement rouge de colère. Il n'avait pas reçu la promotion qu'il avait espérée, ce qui lui donnait une idée hypertrophiée de son importance. Lutorius, qui commandait le seul escadron de chevaux de Dacie du fort, réservait toute son amitié aux chevaux. Avec les hommes, y compris les siens, il était d'une timidité presque maladive. Les autres centurions étaient tellement plus âgés et plus expérimentés que, les premiers temps, Marcus se demanda comment se comporter avec eux. Pas facile, après avoir passé moins d'un an parmi les aigles, de dire au centurion Paulus qu'il éprouvait une certaine gêne à boire du vin sans le partager avec ses hommes; pas facile de faire comprendre au centurion Galba que, quelle que fût la coutume, le centurion de la 4e gauloise ne se laisserait pas corrompre par les hommes des autres cohortes pour qu'il les dispense de corvées — en tout cas, pas tant qu'il serait là. Pourtant, il finit par y parvenir et, même si Galba et Paulus traitaient en secret le petit nouveau de blanc-bec et de freluquet, ils s'entendirent mieux avec le commandant de cohorte après ces mises au point.

Entre Marcus et son second, le courant passa instantanément. Ils travaillaient bien ensemble, et devinrent peu à peu de bons amis. Le centurion Drusillus, comme beaucoup, était issu du rang. C'était un vétéran qui avait fait de nombreuses campagnes. Il était plein de principes bizarres et toujours prêt à donner un bon conseil. Marcus en avait grand besoin, cet été-là.

Le jour commençait quand sonnaient les trompettes du haut des remparts. Il se terminait par la ronde du soir. Entre-temps, une longue série de tâches attendait Marcus : parades, manœuvres, corvées, patrouilles dans le camp et à l'extérieur, travail à l'écurie… Le chef de cohorte devait aussi jouer au juge : il lui revenait de trancher lorsqu'un de ses hommes se plaignait d'un autochtone qui lui avait vendu un chien qui ne valait rien, quand un autochtone affirmait qu'un soldat du fort lui avait dérobé des volailles, ou quand les Daciens et les Gaulois se tombaient dessus pour d'obscures histoires de divinités dont Marcus n'avait jamais entendu parler jusque-là.

Cet emploi du temps était épuisant, surtout au début, et le jeune homme devait une fière chandelle au centurion Drusillus. Cependant, il ne renâclait pas à la tâche, d'autant que son métier lui plaisait. Il aimait travailler. Il avait ça dans le sang, comme le goût de la terre. Mais il lui arrivait aussi de chasser. Sur ce point, Hilarion n'avait pas exagéré : la chasse était «pas mal du tout»!

Le guide qui accompagnait habituellement Marcus dans la forêt était un Breton guère plus âgé que lui, qui vendait également des chevaux. Il s'appelait Cradoc.

Un matin, alors que l'été touchait à sa fin, le jeune centurion sortit du fort, ses lances de chasse à la main, à la recherche de Cradoc. Il était très tôt. Le soleil n'avait pas encore percé le brouillard, qui formait une mer laiteuse entre les mamelons des collines. Les odeurs seraient fortes et faciles à repérer. Marcus renifla l'air comme un lévrier. Bizarrement, il ne ressentait pas de plaisir particulier à aller chasser, ce jour-là, et cette faible motivation l'inquiétait. Il n'était pas très inquiet – suffisamment, cependant, pour se demander ce qui lui gâchait son plaisir.

Au fond, il connaissait la réponse. Depuis la veille ou l'avant-veille, une rumeur courait dans le camp romain. Un druide errant aurait été repéré dans le secteur. Mais personne ne l'avait vraiment vu. C'était beaucoup plus vague que ça, beaucoup plus insidieux. Néanmoins, Marcus n'avait pas oublié l'avertissement du centurion. Il avait donc décidé de mener son enquête. En vain, bien sûr. Il n'avait pas obtenu la moindre information. Logique. Dans des cas pareils, il n'y avait rien à attendre, même des autochtones qui étaient investis de l'autorité de Rome. Soit ils étaient de fidèles serviteurs de l'Empire, et personne ne les avait mis au courant, soit ils étaient d'abord fidèles à leur tribu, et ils ne diraient rien.

La rumeur était probablement infondée. De temps à autre, des bruits couraient, flottant dans l'air comme des brises venues d'on ne savait où. En général, ils s'éteignaient d'eux-mêmes. Cependant, même si le risque était minime, Marcus s'était promis de rester en alerte. Il avait des raisons d'être vigilant : pour la troisième année consécutive, les récoltes seraient mauvaises. On le devinait aux mines creusées des hommes et des femmes autant qu'à l'état de leurs petites parcelles, où les épis de blé étaient épars et flétris. Or, comme le disait un proverbe militaire : « Mauvaise récolte, risque de révolte. »

En passant près des huttes, derrière le forum, Marcus fut frappé une fois de plus par l'aspect de l'endroit. Rome n'y avait pas imprimé son sceau. En revanche, les autochtones, eux, avaient investi le forum. Ils le trouvaient très pratique pour y tenir leurs marchés. Quelques hommes se tenaient un peu à l'écart, armés de leurs lances de chasse, à la disposition des Romains. Parfois, ils allaient jusqu'à porter une tunique romaine. L'on trouvait partout des tavernes. Les artisans proposaient des objets susceptibles de plaire aux soldats en garnison, et tous les gens du cru leur vendaient des chiens, des peaux de bête, des légumes, des coqs de combat, tandis que les gamins se pressaient dans les jambes des auxiliaires pour réclamer une pièce. Ici, à Isca Dumnoniorum, Rome s'était greffée sur une ville qui existait bien avant elle.

Et, pour le moment, la greffe n'avait pas pris.

Marcus atteignit le groupe de huttes où habitait Cradoc. Il s'avança vers la maison du Breton en sifflant quelques notes du dernier air en vogue dans la légion. C'est ainsi qu'il avait l'habitude d'annoncer son arrivée. Le rideau de cuir qui obstruait l'entrée s'écarta brusquement. Au lieu du chasseur qu'attendait le centurion apparut une jeune femme qui portait un bébé au visage grave, la peau rougie par le soleil. De haute taille, comme souvent les femmes de la région, elle avait un port de reine mais, le plus frappant, c'était son regard. Il était étrange, lointain, comme si la femme avait jeté un voile devant ses yeux pour que Marcus ne pût voir au-delà.

— Mon homme s'occupe de son char, dit-elle. Si le commandant veut se donner la peine de le chercher, il le trouvera.

Et elle laissa retomber le rideau de cuir.

Marcus suivit sa suggestion. Un hennissement discret l'aida à s'orienter. Il se faufila entre les piles de bûches et la basse-cour. Au milieu du poulailler trônait un coq attaché, dont les plumes brillaient d'un éclat métallique.

Le centurion aperçut une étable. Il entra. Cradoc se tourna vers lui et le salua poliment. Marcus, à son tour, lui souhaita le bonjour. Il avait déjà appris le celtique et le parlait couramment, même s'il conservait un accent à couper au couteau. Il scruta la pénombre de l'écurie.

—Hé! s'exclama-t-il. Je ne savais pas que tu avais un quadrige!

—Nous avons appris quelques petites choses de Rome, dit Cradoc. Le commandant n'a jamais vu mon attelage?

Marcus secoua la tête.

—Jamais. Je ne savais même pas que tu étais aurige… Mais j'aurais dû m'en douter : quel Britannique ne conduit pas son char?

—Le commandant se trompe : tous les Britanniques conduisent, mais rares sont ceux qui savent maîtriser un char.

—Toi, tu sais, j'imagine…

—On dit que je suis le meilleur de ma tribu, répondit Cradoc avec solennité.

Marcus s'était avancé de quelques pas.

—Je peux voir tes chevaux?

L'homme s'effaça sans un mot.

Les quatre chevaux noirs solidement bâtis, aux robes superbement assorties, étaient laissés en liberté dans leur écurie. Ils se précipitèrent vers Marcus. Le centurion pensa aux chevaux arabes qu'il avait menés quelquefois, à Rome. Ceux-là étaient plus petits, assurément : il estima leur taille à quatorze paumes maximum. Leur robe était moins fournie que celle des chevaux romains et ils étaient plus trapus. Cependant, à leur niveau, ils ne devaient pas avoir beaucoup de rivaux. Marcus admira leur regard doux et intelligent, leurs oreilles dressées, leurs naseaux palpitants, bordés d'une ligne rouge vif, leurs hanches et leurs épaules puissantes, bien découplées. Il passa de l'un à l'autre, les caressa, laissa glisser une main experte le long de leurs corps souples, des frémissements de la crinière aux balancements de la queue.

Avant de quitter Rome, le centurion avait été à deux doigts de devenir conducteur de char – de vrai char, comme l'aurait précisé Cradoc. À présent, ce désir s'était réveillé en lui. Pas le désir de posséder l'attelage, non ! Il n'était pas de ceux qui avaient besoin de pouvoir dire : «Ceci m'appartient» avant de profiter de quoi que ce fût. En revanche, Marcus aurait aimé harnacher ces chevaux, sentir vibrer le char contre le sol, et les rênes tendues, comme si elles étaient vivantes, entre ses mains. Il aurait aimé que ces superbes créatures galopent devant lui, que leur volonté et la sienne ne fassent plus qu'une…

Il se tourna vers Cradoc. L'un des chevaux posa ses naseaux, d'une douceur étonnante, contre son épaule.

–Tu me laisserais les essayer ?

–Ils ne sont pas à vendre, grogna l'autochtone.

–S'ils l'étaient, je n'aurais pas les moyens de les acheter. Je t'ai demandé si je pouvais les essayer. Juste les essayer.

–Le commandant aussi sait conduire un char ?

L'an dernier, aux Saturnales, Marcus avait participé à une course, avec un attelage de location. Un officier, réputé imbattable, y participait, mais c'est Marcus qui avait gagné.

–On dit que je suis le meilleur de ma légion, dit-il simplement.

Cradoc n'avait pas l'air de penser que cela répondait à sa question.

–Je ne crois pas que le commandant tienne le choc, avec mes quatre bijoux noirs.

–Tu paries ? demanda Marcus en souriant.

La passion brûlait dans son regard, habituellement froid.

–Parier quoi ?

–Que je suis capable de maîtriser ton char, sur un terrain de ton choix.

Marcus ôta une broche qui retenait son manteau. Il la montra à

Cradoc : la cornaline rouge qui y était sertie brilla faiblement dans l'obscurité.

—Je te parie cette fibule contre l'une de tes lances de chasse ! Si cela ne te convient pas, vas-y, choisis des enjeux qui te plaisent.

La fibule n'intéressait pas Cradoc. Ce fut Marcus qu'il toisa, comme si le centurion était un cheval dont il fallait estimer les qualités. Celui-ci rougit de colère. Le chasseur vit l'homme se raidir, nota son port de tête arrogant et, à son tour, il sourit. Puis, apparemment satisfait, il dit :

—Pari tenu.

—Alors, à quand l'épreuve de vérité ? s'enquit Marcus en agrafant sa broche.

—Je dois mener un troupeau de chevaux à Durinum, demain. Mais je serai de retour dans une huitaine de jours. Si cela convient au centurion, à ce moment-là…

—Très bien.

—Et maintenant, il est temps que nous partions.

—Allons-y ! lança Marcus en flattant une dernière fois l'encolure luisante d'un coursier noir avant de suivre Cradoc hors de l'écurie.

Les deux hommes sifflèrent les lévriers, allèrent chercher leurs lances de chasse, qui étaient rangées contre le mur de la maison, puis s'enfoncèrent dans la forêt.

Cradoc mit plus de temps que prévu pour revenir de Durinum. Les maigres récoltes — la faim allait durement frapper Isca Dumnoniorum, cet hiver — étaient rentrées quand l'épreuve put enfin avoir lieu. Tout en se dirigeant vers le lieu du rendez-vous, Marcus tournait et retournait dans sa tête la question de l'approvisionnement : où trouver du grain pour remplir les réserves ?

Il trouva Cradoc sur une large langue de terre située dans un méandre du fleuve. En l'apercevant à l'orée du bois, le Breton leva un bras dans sa direction. Sautant sur son char, il fit virer son attelage et galopa à travers les fougères vers le centurion, dans un bruit de tonnerre. Le soleil étincelait sur les ornements de bronze qui couvraient le poitrail et la tête des chevaux. La longue chevelure de l'aurige flottait au vent.

Marcus ne bougea pas, malgré la boule qui lui montait dans la gorge. Au dernier moment, Cradoc fit ralentir les chevaux, qui pilèrent juste devant le Romain. L'aurige le regarda, poissé de sueur sous le ciel sans nuages.

—Jolie manœuvre! reconnut Marcus en souriant. On m'en avait parlé mais, jusqu'ici, je n'avais jamais vu personne la réussir.

L'autre éclata de rire, remonta sur son char et se recula pour laisser Marcus grimper derrière lui. Les rênes et le fouet aux multiples lanières changèrent de mains.

—Tu n'as qu'à les amener vers l'arbre mort, là-bas, pour commencer, dit Cradoc.

—Chaque chose en son temps, objecta Marcus. Je ne suis pas tout à fait prêt.

Les chevaux étaient harnachés à la manière romaine, qui convenait évidemment au centurion; mais le char, c'était une autre histoire! Il était habitué au modèle de course romain, simple coque de noix où le conducteur pouvait à peine trouver place. Celui-là était deux fois plus gros, bien qu'il demeurât très léger. Une fois dessus, on avait l'impression de dominer l'attelage, ce qui était nouveau pour Marcus.

Pour obtenir le meilleur du char et de l'attelage, il fallait y aller petit à petit. En veillant à garder les rênes hautes et bien séparées, les pieds solidement plantés sur le plancher, il fit avancer les chevaux. Au pas, d'abord, pour bien les sentir, puis au trot et enfin au petit galop. Après avoir atteint l'arbre mort, il orienta son attelage vers la direction que lui montrait Cradoc. Celui-ci avait dessiné une courbe avec des jave-lots qu'il avait plantés avant l'arrivée du centurion. Marcus retrouva les sensations qu'il avait savourées en guidant les chevaux arabes blancs, sur le champ de Mars. Il passa au galop, attentif à ne pas se laisser déséquilibrer par un cahot malencontreux, surtout dans le virage serré qui longeait l'orée du bois.

Marcus avait l'impression de naître à une vie nouvelle. Il pensait qu'une flèche devait éprouver les mêmes sensations en filant de l'arc vers sa cible. L'atmosphère lourde et poisseuse de son existence passée avait disparu.

À présent, la fraîcheur de la brise l'enveloppait comme une eau pure, plaquant sa fine tunique écarlate contre son corps, chantant à ses oreilles par-dessus le grondement de tonnerre que faisaient les sabots. Les pieds très écartés, Marcus s'accroupit un peu plus pour équilibrer le char dont le plancher vibrait. Ses reins vivaient au rythme des rênes, transmettant ses ordres aux chevaux qui lui répon-daient par le même canal, si bien qu'ils n'étaient plus cinq êtres vivants, mais un seul. Marcus les haranguait en langue celtique :

— Allez, mes braves! En avant! Soyez superbes et magnifiques! Que vos juments soient fières de vous, que les tribus chantent vos prouesses à leurs enfants! En avant! En avant, mes frères!

Pour la première fois, il fit claquer son fouet dans les airs, le laissant filer comme une lumière noire sans même toucher les chevaux. Il lon-geait l'orée de la forêt à toute vitesse. Les fougères se couchaient sous les sabots trépidants et les roues tourbillonnantes. Avec son attelage, il fusait comme une comète éclatante dans le ciel, tel un faucon défiant le soleil…

Soudain, sur un ordre de Cradoc, il affermit sa prise sur les rênes et ralentit son attelage. Le vent disparut; la chaleur revint. Alentour, l'air était très calme. À la lumière aveuglante du soleil, le paysage semblait palpiter sous les yeux de Marcus. Avant même que le char fût complètement arrêté, Cradoc avait sauté à terre et flattait l'encolure des chevaux. Un instant plus tard, ils étaient apaisés. Leurs flancs se soulevaient avec rapidité, mais sans excès.

—Alors? Le verdict? s'enquit Marcus en passant le dos de sa main sur son front trempé de sueur.

Cradoc le fixa, le visage impénétrable.

—Le commandant a quelques notions, dit-il.

Marcus laissa aller les rênes et le fouet. Il mit pied à terre et s'avança vers le chasseur.

—C'est le meilleur attelage que j'aie jamais conduit, dit-il.

Il caressa un cheval et demanda :

—Ai-je gagné ma lance?

—Choisis-la toi-même avant de rentrer au fort, répondit l'autre.

Cradoc avait apporté des croûtons de pain avec lui. Il les mit sur ses paumes tendues et les offrit aux chevaux, qui avançaient leurs lèvres.

—Ces quatre-là sont le joyau de mon cœur, expliqua le Breton. Ils sont issus des écuries royales et il n'y a pas beaucoup d'hommes qui savent les mener aussi bien que toi.

Il y avait une légère nuance de regret dans sa voix, sans que rien la justifiât *a priori*. Mais Marcus ne s'en rendit compte que plus tard…

Ils rentrèrent lentement, laissant les chevaux marcher au pas dans le soir tombant. Cradoc guidait le char à travers le labyrinthe des ruelles. Il s'arrêta devant chez lui et estima que les chevaux étaient revenus au calme et pourraient donc patienter un peu. Il les débarrassa de leur harnachement avant de crier vers l'embrasure sombre de sa hutte, où se tenait la grande fille que Marcus avait aperçue à sa première visite :

—Guinhumara, apporte-moi mes lances!

On avait écarté le rideau de cuir pour laisser passer le peu d'air qui soufflait. L'âtre rougeoyait au centre de la pièce.

Guinhumara se leva sans un mot. Elle laissa là les gâteaux de froment qu'elle préparait pour le repas de son mari et s'effaça dans la pénombre pour chercher dans la maison ce qu'exigeait Cradoc. Les chiens étaient allongés sur un matelas de fougères. Au milieu d'eux dormait un bébé brun. Ils se levèrent d'un bond et se dirigèrent vers leur maître en agitant la queue, pour fêter son retour. Imperturbable, le petit enfant continua son somme en suçant son pouce.

Quelques instants plus tard, la femme les rejoignit sur le pas de la porte. Des langues de feu semblaient danser sur les lames polies des lances qu'elle apportait.

— Le commandant et moi avons fait un pari, expliqua Cradoc. Sa fibule contre l'une de mes lances de chasse. Il a gagné, et il vient prendre possession de son dû. À lui de choisir.

Le Breton s'empara d'une lance et s'appuya dessus. Le message était clair : «Prends celle que tu veux, mais pas celle-là!»

Les armes restantes étaient très belles. Mieux que belles : splendides, comme l'étaient toujours les armes celtes. C'étaient des javelots parfaitement équilibrés et idéaux pour tuer. Certains, plus légers, étaient destinés au lancer; d'autres, à la lame plus solide, étaient conçus pour la guerre; une troisième sorte servait à la chasse. La femme les tendit une par une à Marcus. Il les prit en main, les observa, les soupesa, et finit par se décider pour une lance acérée, avec une croix gravée sur le haut du manche.

— Je veux celle-là, elle devrait m'être utile pour chasser le sanglier avec votre mari, cet hiver, expliqua-t-il en souriant.

La femme ne lui rendit pas son sourire. Son regard distant et voilé ne l'avait pas quitté. Toujours muette, elle rapporta les autres lances dans la maison. Marcus s'était déjà tourné vers le chasseur : la lance que celui-ci avait gardée avait éveillé son intérêt. C'est à elle qu'il avait pensé pendant qu'il choisissait sa prime de victoire.

C'était sans aucun doute la pièce maîtresse de la collection de Cradoc — ce que le roi est à son garde du corps, pensa Marcus. Le manche était noirci à force d'avoir été pris en main ; et la lame de fer d'une forme sans défaut qui rappelait celle d'une feuille de laurier. Sur la lame, un motif étrange et imposant était gravé. Il tournoyait comme les remous d'un torrent. Pour compenser le poids de la lame, une boule de bronze émaillé avait été placée à l'opposé. Un collier neuf de plumes de héron bleu-gris ornait le bas du manche.

— Je n'avais jamais vu d'arme semblable, avoua Marcus. C'est une lance de guerre, n'est-ce pas ?

— C'était la lance de guerre de mon père, confirma Cradoc en caressant l'acier poli de l'arme. Il l'avait en main quand il est mort, quelque part en haut de nos anciens remparts, là où s'élèvent les murs du fort, à présent. Regarde : là, on voit encore la marque de son sang… et du sang de son ennemi.

Et il releva les plumes de héron pour montrer la tache sombre qu'elles dissimulaient.

Peu de temps après, Marcus regagna la porte prétorienne, sa nouvelle lance à la main. Enfants et lévriers jouaient dans le soleil couchant, des femmes lui souhaitaient le bonsoir sur le pas de leur hutte. L'atmosphère était paisible. Pas un nuage à l'horizon. Et pourtant, le centurion avait l'impression que cette paix n'était qu'un faux-semblant, un voile semblable à celui que Guinhumara avait tiré sur son visage pour protéger ses yeux.

Derrière ce rideau trompeur, quelque chose de très différent se tramait. L'avertissement d'Hilarion lui revint en mémoire. Il pensa aussi au collier de la vieille lance de guerre : il était neuf. Les plumes du héron étaient encore lustrées, comme celles d'un oiseau vivant. Selon toute probabilité, Cradoc avait fourbi sa lance maintes et maintes fois en souvenir de son père. Rien d'étonnant. Mais le collier était neuf ; et qui pouvait savoir combien ces masures cachaient de vieilles lances prêtes pour un nouveau combat ?

Marcus se secoua, agacé par sa propre méfiance. Peut-être se faisait-il du mauvais sang pour rien. Tout ça à cause de quelques plumes. Mais une seule plume pouvait suffire à montrer d'où soufflait le vent. Si seulement la récolte avait été bonne…

3
ALERTE !

Deux nuits plus tard, dans les heures sombres qui précèdent le lever du jour…

Ce fut le centurion de garde qui réveilla Marcus. Une lampe brûlait en permanence dans la cellule où il dormait. Elle était utile dans les cas d'urgence : à peine alerté, Marcus était complètement réveillé.

— Que se passe-t-il, centurion ? demanda-t-il.

— Les sentinelles postées sur le rempart Sud ont signalé des mouvements entre la ville et le fort.

Marcus avait déjà bondi hors de son lit et revêtu son lourd uniforme militaire par-dessus la tunique qu'il portait pour dormir.

— Avez-vous vu quelque chose ? s'enquit-il.

— Non, centurion. Mais il y a quelque chose de louche là-dessous, ça ne fait aucun doute.

Les deux hommes traversèrent l'allée principale du fort. Ils passèrent devant une rangée d'ateliers silencieux, puis gravirent les marches qui menaient au chemin de ronde, sur les remparts. Dans les ténèbres, au-dessus du parapet, l'ombre noire du casque de la sentinelle se détachait. Il reposa bruyamment son pilum sur le sol pour saluer son supérieur.

Marcus s'approcha du parapet, qui lui arrivait à la poitrine. Le ciel s'était couvert et les étoiles avaient disparu. Hormis les pâles éclats de la rivière qui sinuait en bas, on ne distinguait rien qu'une masse noire informe. Pas un souffle d'air ne rafraîchissait l'atmosphère. Tous ses sens aux aguets, Marcus écouta. Rien. Pas le moindre son, sinon le murmure de son propre sang dans ses oreilles — bien plus faible que le grondement de la mer dans un coquillage.

Il bloqua sa respiration et attendit. Soudain, quelque part en bas des remparts, le cri d'une chouette en chasse retentit. Un instant plus tard, il perçut un bruit léger et imprécis — un mouvement, peut-être. Mais le silence retomba aussitôt, si bien que Marcus était incapable de savoir s'il avait vraiment entendu quelque chose ou si son imagination lui avait joué un tour. Il sentait le centurion de garde se tendre comme un arc derrière lui.

L'attente reprit, éprouvante. Le silence était oppressant. Puis des sons lui parvinrent de nouveau. Et, avec eux, des formes apparurent, bougeant subrepticement en terrain découvert, devant les remparts. La sentinelle jura dans sa barbe, et le centurion de garde éclata de rire :

—C'est juste quelqu'un qui commence sa journée aux aurores pour retrouver une bête égarée…

—Une bête égarée… c'est donc ça ?

Marcus essayait de se convaincre que son compagnon avait raison. Pourtant, la méfiance n'avait pas laissé place au soulagement. Peut-être, s'il n'avait pas vu les plumes de héron toutes neuves sur une vieille lance… peut-être, alors, Marcus aurait-il pu se laisser aller. Mais il les avait vues. Et, au plus profond de lui, un pressentiment de danger persistait.

Brusquement, il s'écarta du parapet et déclara :

—Bête égarée ou pas, cet animal n'est peut-être qu'un prétexte ou une diversion. Centurion, ceci est mon premier commandement, si vous me trouvez ridicule, j'invoque mon inexpérience comme excuse. Mais je veux en avoir le cœur net. Je rentre m'habiller un peu mieux. Pendant ce temps, réveillez la cohorte, qu'elle se prépare en faisant le moins de bruit possible.

Sans attendre de réponse, il se détourna et, filant le long du chemin de ronde, il descendit quatre à quatre les escaliers pour rejoindre ses quartiers.

Un instant plus tard, il était de retour, habillé de pied en cap, romain de la semelle de ses sandales au cimier de son casque. En chemin, il ceignit son écharpe écarlate autour de son armure. Les hommes émergeaient des baraquements faiblement éclairés. Ils bouclaient leur ceinturon ou les lanières de leur casque en chemin, et s'avançaient dans l'obscurité en courant.

«De deux choses l'une, pensa Marcus. Ou bien je me comporte comme un idiot dont toutes les légions riront tant qu'on se souviendra de mon nom — Marcus Aquila, l'homme qui a doublé la garde pendant deux jours à cause d'un collier de plumes, et qui a poussé le ridicule jusqu'à demander à sa cohorte de se lancer à la poursuite d'un troupeau de vaches en perdition — ou bien j'ai raison. Quoi qu'il en soit, désormais, il est trop tard pour faire machine arrière.»

Il retourna sur les remparts où les hommes, à présent, se pressaient. Les renforts étaient massés derrière. Le centurion Drusillus l'attendait.

—J'ai dû devenir fou, centurion, murmura-t-il d'une voix précipitée et mal assurée. J'ai peur d'avoir commis l'erreur de ma vie.

—Mieux vaut qu'on te trouve ridicule plutôt que de perdre le fort par peur de le paraître, répliqua Drusillus. On ne peut pas se permettre de laisser quoi que ce soit au hasard à la frontière. Surtout le lendemain de la pleine lune.

Marcus se retourna et donna un ordre. L'attente et l'inaction lui pesaient. Il avait les paumes moites et la gorge sèche.

Drusillus avait donc les mêmes craintes qu'Hilarion. Dans ce monde, les dieux apparaissaient à la nouvelle lune, à l'époque des semences et des récoltes, ainsi qu'aux solstices d'été et d'hiver. Si une attaque devait venir, elle viendrait juste après la pleine lune. Ce serait le cas si une guerre sainte, si bien décrite par Hilarion, se déclarait.

L'attaque vint. Une nuée silencieuse d'ombres s'abattit sur le fort, venant de nulle part et de partout à la fois, partant à l'assaut des remparts de tourbe avec une célérité et une rage qui, fossé ou pas, auraient permis aux assaillants de pénétrer dans le camp si seules les sentinelles leur avaient barré le passage.

Les Britanniques comblaient le fossé avec des tas de broussailles pour se faire un passage. Leur masse grouillante franchissait les douves, puis se servait de perches pour escalader les remparts. Cependant, dans l'obscurité, tout cela restait presque invisible. On aurait dit une vague fantomatique qui allait et venait. Durant quelques instants, un silence à donner la chair de poule rendit l'attaque encore plus angoissante. Puis les renforts s'avancèrent comme un seul homme à la rencontre des assaillants et le silence laissa place, non à un rugissement, mais à un bruit étouffé, perceptible partout sur le rempart, le bruit d'hommes qui, engagés dans un combat féroce, ne jugeaient pas utile de parler.

Puis, de la nuit, monta le braiment strident d'un cor de guerre britannique. Venant des hauteurs, une trompette romaine répondit, relevant le défi. Dans la pénombre, de nouvelles vagues d'ombres passèrent à l'action, et ce qu'il restait du silence vola en éclats. Il avait fait son temps. À présent, les hommes combattaient à grands cris. Une flamme rouge s'éleva devant la porte prétorienne. Aussitôt allumée, aussitôt éteinte. Les remparts formaient une ligne de combat continue. Les épées faisaient des moulinets, les hommes rugissaient. Les autochtones franchissaient le parapet, derrière lequel les attendaient les défenseurs sur le pied de guerre.

Combien de temps dura ce premier assaut ? Marcus aurait été incapable de le dire. Quand les autochtones furent repoussés et que le calme revint sur le fort, le premier rayon de lumière grise pointait à l'horizon. L'aube, drapée dans sa robe de bruine, se levait sur le fort.

—Pourrons-nous tenir longtemps ? demanda Marcus à son second.

—Disons plusieurs jours, avec un peu de chance, murmura Drusillus en feignant de rajuster la poignée de son bouclier.

—Les renforts pourraient arriver de Durinum dans trois jours, peut-être même deux. À condition toutefois qu'ils soient au courant… Ils n'ont pas encore réagi.

—Pas étonnant, lâcha le second. La première précaution que prennent les assaillants, c'est de détruire le poste de guet le plus proche. Et, dans cette purée de pois, on ne verrait pas une flamme à deux lieues à la ronde !

—Fasse Mithra que le brouillard se dissipe, pour qu'une colonne de fumée puisse s'élever et être décelée !

Sur le visage des deux centurions, nulle trace d'inquiétude.

Ils se séparèrent peu après cet échange. Le plus âgé des deux clopina le long du rempart, devenu un capharnaüm sanglant ; le plus jeune dévala les marches, son manteau écarlate dansant autour de lui. Hilare, il leva les pouces pour féliciter ses troupes.

—Bravo, les gars ! Vous avez fait du beau travail ! Et maintenant, profitez du répit pour vous restaurer avant qu'ils remettent ça !

Les «gars» lui rendirent son salut et, çà et là, des voix s'élevèrent pour lui répondre avec chaleur, tandis qu'il s'éloignait vers le prétoire en compagnie du centurion Paulus.

Le répit durerait le temps qu'il durerait – combien de temps, personne n'en avait la moindre idée. Du moins en profiterait-on pour ramener les blessés à couvert et offrir aux troupes des raisins et du pain dur.

Pour sa part, Marcus ne déjeuna pas : il devait réfléchir à la suite des événements. Ses pensées allaient vers la patrouille constituée d'une demi-centurie, qui était sortie sous les ordres du centurion Galba. On l'attendait sur le coup de midi. Si les insurgés les avaient repérés et s'en étaient chargés, on ne pouvait plus rien faire pour eux : c'était trop tard. Mais il existait une autre éventualité : que les Britanniques les aient laissés partir en se promettant de les couper en morceaux à leur retour, juste sous les murs du fort.

Marcus donna des ordres : le signal de fumée devait être entretenu en permanence. C'était le seul moyen dont il disposait pour avertir les patrouilleurs que quelque chose de grave était survenu en leur absence. Le jeune centurion exigea qu'on guettât leur retour et envoya chercher Lutorius, le chef de la cavalerie. Il lui exposa la situation et conclut :

— S'ils reviennent, nous devrons évidemment tenter une sortie pour leur ouvrir le chemin. Armez votre escadron et tenez-vous prêts à intervenir à partir de maintenant. C'est tout.

Lutorius s'inclina. Sa maussaderie l'avait quitté, il semblait ravi de transmettre un tel ordre à ses hommes.

Le centurion, lui, eut le sentiment d'avoir fait tout ce qui était en son pouvoir pour la sauvegarde de la patrouille en danger. Aussitôt, il se consacra à ses autres tâches. Il n'en manquait pas.

Il faisait grand jour quand survint la deuxième attaque.

Quelque part, le brame d'un cor de guerre s'éleva. Avant même que la dernière note se fût éteinte, des Britanniques se lançaient à découvert. Ils hurlaient comme des monstres jaillis du Tartare[1]. Bondissant au-dessus des fougères, ils avaient cette fois décidé de s'attaquer aux portes du fort. Ils s'étaient armés de troncs d'arbre en guise de béliers. Les brandons qu'ils brandissaient rougeoyaient malgré la bruine, lâchant des braises qui se reflétaient sur l'acier des épées et des lances de guerre parées de plumes de héron. Les guerriers fondaient sur le fort, indifférents au déluge de flèches qui s'abattait sur eux et ouvrait des brèches dans leurs rangs à mesure qu'ils avançaient.

Marcus s'était placé dans la tourelle des archers, près de la porte prétorienne. Il aperçut soudain une silhouette singulière. Un homme, vêtu d'une longue robe flottante, portait un casque que surmontait un croissant de lune. Rien à voir avec les guerriers qui chargeaient torse nu derrière lui. Des étincelles voletaient autour du brandon qu'il agitait dans les airs. Grâce à elles, la lune qui ornait le front de l'homme paraissait radieuse de clarté.

—Tue-moi cet illuminé! ordonna le centurion à l'archer qui se trouvait derrière lui.

D'un seul mouvement parfait, le Romain encocha une flèche dans son arc, banda et tira. Les auxiliaires gaulois étaient de bons archers — aussi doués que les Britanniques. Pourtant, la flèche ne fit que frôler les cheveux du fou bondissant. Et il était trop tard pour retenter sa chance, des coups sourds ébranlaient déjà les portes du fort. Les attaquants couraient sur les morts étalés dans la poussière. Un courage

---

1. Dans la mythologie grecque, le Tartare désigne le fond de l'univers. Devenu synonyme des Enfers, c'est le lieu où l'on châtie ceux qui désobéissent à Zeus.

démentiel les animait. Ils ne prenaient pas garde à leurs pertes. Dans les tourelles, les archers arrosaient sans pitié la horde qui se pressait contre les portes.

Une odeur de fumée monta de la porte dextre[1], à laquelle les assaillants avaient tenté de mettre le feu. Un va-et-vient perpétuel approvisionnait les remparts en munitions et ramenait les blessés à l'abri. Pour les morts, on verrait plus tard. Un soldat était chargé de les dégager du chemin de ronde, sur le rempart, afin d'éviter qu'aucun vivant ne trébuchât sur un cadavre. Ensuite, il les abandonnait dans un coin, eux qui avaient peut-être été ses meilleurs amis. Pour les hommages, on attendrait des heures plus calmes.

La seconde attaque s'épuisa elle aussi. Des morts jonchaient le tapis de fougères piétinées. La garnison était au bord du désespoir, mais elle allait de nouveau pouvoir souffler un peu.

La matinée touchait à sa fin. Les archers britanniques s'accroupirent derrière les masses sombres des troncs de prunellier déracinés pour l'occasion. Au moindre signe d'activité sur le rempart, ils tiraient. La trêve serait de courte durée.

Marcus fit le compte. Plus de quatre-vingt-dix hommes étaient hors de combat – morts ou blessés. Il faudrait tenir au moins deux jours avant que les renforts n'arrivassent de Durinum. À condition que le voile de bruine se dissipât, même un bref moment, le temps qu'un signal de fumée fût envoyé et reçu…

Hélas, le crachin ne semblait pas vouloir s'arrêter. Marcus monta sur le toit plat du prétoire, d'où les signaux étaient émis. Il sentit l'odeur du brasero, le goût salé de la fumée se déposa sur ses lèvres ; des cendres grisâtres se dispersaient sur les collines les plus proches. Ce qui restait du foyer s'éteignait peu à peu.

1. La porte dextre est située à droite du fort ; la porte sénestre, à gauche.

—C'est sans espoir, centurion, expliqua l'auxiliaire qui, appuyé contre le parapet, essayait d'empêcher le feu de mourir tout à fait.

Marcus hocha la tête. Était-ce ainsi qu'avait disparu la 9ᵉ légion? Son père et ses hommes avaient-ils scruté l'horizon, comme Marcus à présent, dans l'espoir que le rideau de pluie livre le passage à un signal? Soudain, le jeune homme s'aperçut qu'il priait. Il priait comme jamais il n'avait prié auparavant. La force de sa conviction frayait un chemin à sa supplique à travers la grisaille, jusqu'aux cieux dégagés que cachaient les nuages :

«Mithra, ô grand dieu, toi qui vainquis le Taureau! Toi, le seigneur des âges, ouvre les cieux devant toi, que ta gloire éclate au grand jour! Renvoie le brouillard d'où il vient! Balaye l'obscurité! Que les ténèbres ne nous engloutissent pas! Dieu des légions, entends le cri de tes enfants! Envoie-nous ta lumière, à nous, fils de la 4ᵉ cohorte gauloise de la 9ᵉ légion!»

Il se tourna vers l'auxiliaire. L'homme avait simplement vu le commandant se tenir debout en silence quelques instants, la tête en arrière comme s'il cherchait quelque chose dans le ciel paisible et pluvieux. De sa prière, il ne saurait rien.

—Nous n'avons plus qu'à attendre, conclut Marcus. Attendre et espérer. Tiens-toi prêt à rallumer le feu à tout moment.

Et, pivotant sur ses talons, il contourna le gros fagot d'herbe fraîche et de fougères, qui attendait d'être brûlé près du brasier fumant, puis s'engagea dans l'étroit escalier qui descendait du toit.

Au pied des marches l'attendait le centurion Fulvius. Le temps que Marcus réglât la question urgente qu'il lui soumettait, le ciel semblait s'être dégagé. Oh, rien de bien spectaculaire, mais il sembla au jeune homme qu'on voyait un peu plus loin, à présent. Il toucha l'épaule de Drusillus, qui était à ses côtés, et lui demanda :

—Est-ce que je me fais des idées, ou est-ce que le temps s'éclaircit vraiment?

Drusillus ne répondit pas tout de suite. Le visage calme, il regarda vers l'est avant d'acquiescer:

—Si tu te fais des idées, moi aussi…

Leurs regards se croisèrent. Une lueur d'espoir perçait sous l'inquiétude, mais ni l'un ni l'autre n'osa en dire plus et ils se séparèrent pour vaquer chacun à ses occupations.

Cependant, d'autres hommes de la garnison ne tardèrent pas à montrer du doigt le ciel. La luminosité augmentait. Le brouillard reculait, reculait… et, bientôt, crête après crête, les collines environnantes réapparurent.

Une colonne de fumée noire s'éleva haut dans le ciel, au-dessus du toit du prétoire. Elle ondulait et s'étendait, formant un voile sombre qui s'abattit sur le rempart du nord. Les hommes qui y patrouillaient sentirent leurs yeux les picoter. Ils se mirent à tousser. Mais le rideau de fumée s'éleva de nouveau dans les airs, droit, noir, pressant. L'instant d'après, tous les yeux étaient rivés, avec une intensité presque douloureuse, sur les collines du lointain. L'attente parut longue. Interminable. Le cri des guetteurs résonna comme une libération: à un jour de marche à l'est, une petite fumée noire montait vers le ciel. L'appel au secours avait été entendu. Dans deux jours, trois dans le pire des cas, les renforts seraient sur place. Chaque membre de la garnison sentit son moral remonter en flèche. Désormais, il n'y avait plus qu'à tenir. Ils tiendraient.

Une heure à peine s'était écoulée quand on annonça à Marcus que la patrouille était en vue, au nord, sur le chemin qui menait à la porte sénestre. Il était dans le prétoire quand il apprit la nouvelle. Sans perdre une seconde, il vola jusqu'à la porte en question. De là, il adressa un signe aux cavaliers qui attendaient, leurs montures sellées. Une fois de plus, Drusillus se trouvait à ses côtés.

—Les ennemis sont à découvert, lui signala le centurion.

Marcus hocha la tête.

—Mobilisez une demi-centurie de réservistes. Nous n'avons plus les moyens de les ménager. Qu'une trompette les accompagne, et que tous les hommes disponibles soient massés devant la porte. Qu'ils se tiennent prêts à intervenir au cas où les Britanniques tenteraient d'envahir le camp lorsque nous ouvrirons les portes.

—Il vaut mieux que je m'en occupe, dit Drusillus après avoir transmis l'ordre.

Mais Marcus avait déjà ôté la fibule qui retenait son manteau. Il enlevait tout ce qui risquait de l'alourdir ou d'entraver ses mouvements.

—Ce n'est pas la première fois que nous devons affronter ce genre de situation, rétorqua-t-il. Cela dit, je veux bien que vous me prêtiez votre bouclier.

L'autre le lui tendit. Marcus s'en empara et se dirigea vers les réservistes, qui se pressaient devant la porte.

—Préparez-vous à former la tortue ! lança-t-il. Et faites-moi une place, la tortue ne doit pas laisser sa tête à l'intérieur pour partir au combat.

Cette mauvaise plaisanterie suffit à déclencher l'hilarité de la petite troupe en plein désarroi. Marcus se glissa dans l'avant-garde. Il savait que ses hommes étaient avec lui, corps et âme. Il aurait pu les emmener affronter les feux de l'enfer, s'il l'avait fallu.

On ôta les lourdes barres qui bloquaient la porte. Les hommes se préparèrent à ouvrir en grand les battants massifs. Marcus eut la vision confuse de rangées d'hommes, d'ores et déjà prêts à leur rouvrir la porte s'ils revenaient victorieux.

—Maintenant! cria-t-il.

Les battants pivotèrent sur leurs gonds en fer.

—Formez la tortue!

Marcus dégaina son épée. Il sentit que ses hommes l'imitaient. Il entendit le léger cliquetis du métal cognant contre le métal, quand chaque soldat joignit son bouclier à celui de son voisin pour constituer les murs et le toit protecteurs qui avaient donné son nom à cette formation.

—En avant!

Les portes étaient à présent grandes ouvertes. Les Romains se mirent en marche. Ils ressemblaient davantage à un monstrueux cafard, étrange et gigantesque, qu'à une tortue. Postée de chaque côté, la cavalerie, réduite mais vaillante, tenait lieu d'ailes à l'insecte aux mille pattes.

Les portes se refermèrent derrière eux. Sur les remparts et dans les tourelles de la porte sénestre, des centaines d'yeux anxieux suivaient les soldats. L'opération avait été menée tambour battant. Quand les Britanniques, surpris, attaquèrent leurs ennemis en hurlant, ceux-ci avaient déjà dévalé la colline.

La tortue n'était pas une formation de combat. Cependant, elle n'avait pas d'égale quand il s'agissait de tenter une sortie. D'autant que son aspect étrange et terrifiant jouait en sa faveur. Son apparition inattendue, son avancée tout en balancements, et l'élan qu'elle avait pris en dévalant la côte surprirent les autochtones. Un instant, leurs rangs désordonnés se désunirent, comme s'ils ne savaient plus ce qu'ils devaient faire. La patrouille romaine, elle, à sa vue, se jeta sur les Britanniques en rugissant.

Marcus et sa demi-centurie luttaient sous leur carapace de boucliers. Ils tentaient de fendre la masse de leurs ennemis. Ceux-ci parvinrent à les ralentir, sans toutefois les arrêter véritablement. Une fois seulement, ils réussirent à pratiquer une brèche dans la formation romaine, qui se reforma peu après.

La tortue s'enfonçait donc parmi les Britanniques, toutefois vint un moment où son efficacité n'était plus aussi évidente. Marcus ordonna de sonner « Rompez les rangs ». Les notes aiguës percèrent le brouhaha. Les Romains abaissèrent leurs boucliers, et une forêt de pilums s'enfonça dans la horde de leurs ennemis, semant la mort et la confusion partout où les pointes d'acier frappaient. Puis le sonneur joua : « Épées au clair », et la charge se poursuivit dans un concert de « Cé-sar ! Cé-sar ! »

À l'arrière, une poignée de cavaliers valeureux se battaient de toutes leurs forces pour protéger la retraite de l'infanterie. Devant, la patrouille romaine luttait avec férocité pour rejoindre ses camarades. Mais, entre elle et la demi-centurie partie à sa rencontre, se dressait encore un rempart vivant de guerriers survoltés, parmi lesquels Marcus aperçut de nouveau la silhouette du fou au casque orné d'un croissant de lune. Il éclata de rire et repartit à l'assaut. Ses hommes se précipitèrent à sa suite.

Les troupes romaines finirent par opérer leur jonction. Les soldats commencèrent de reculer, formant une sorte de diamant en losange, prêts à riposter de tous côtés aux attaques. Ainsi rassemblés, ils étaient aussi difficiles à saisir qu'un caillou mouillé. Les Britanniques les harcelaient sur chaque front. En vain. Lentement, mais sûrement, les Romains reculaient, leurs épées dressées autour d'eux comme une carapace d'acier vivant. La cavalerie leur ouvrait le passage par vagues d'assaut sauvages. Ils se rapprochaient des portes du fort… du moins ceux qui avaient survécu.

Les Romains reculaient. Encore. Toujours. Et les attaques étaient moins nombreuses. Marcus, sur le côté, jeta un regard par-dessus son épaule. Il vit les tourelles de la porte, très proches. Une nuée de défenseurs s'apprêtaient à couvrir leur retour.

C'est alors qu'une sonnerie retentit. Puis un tonnerre de sabots et de roues éclata. Au bas de la colline apparut une colonne de chars. Pas étonnant que les attaques aient presque cessé, les Britanniques attendaient du renfort. Et quel renfort!

Depuis longtemps, les tribus n'avaient plus le droit de posséder de grands chariots de combat. Ceux qui arrivaient étaient des chars légers, comme celui que Marcus avait conduit deux jours plus tôt. Sur chacun d'entre eux, un homme armé d'une lance se tenait près de l'aurige. Cependant, il suffisait de jeter un coup d'œil aux chars qui arrivaient à toute vitesse pour constater avec horreur qu'ils avaient une particularité. Sur les moyeux de leurs roues avaient été montées des lames de faux.

Sans pilum à lancer, il n'y avait rien à faire, face à une telle charge. Les trompettes sonnèrent un ordre, et les Romains rompirent les rangs. Ils s'enfuirent en courant vers les portes. Ils n'atteindraient pas le fort avant les chars, ils le savaient, mais ils voulaient absolument avoir au moins l'avantage du terrain.

Marcus courut comme les autres. Il avait l'impression que son corps était léger, libéré de tout poids. Seule l'habitait la sensation aiguë d'être en vie — et c'est à ce bonheur d'être vivant qu'il s'accrochait, comme les enfants serrent dans leurs mains les balles étincelantes avec lesquelles ils jouent dans les rues de Rome. Au dernier moment, alors que les chars étaient presque sur eux, Marcus se plaça à l'écart de ses hommes, jeta son épée et se tint debout, face aux ennemis. Il ne lui restait plus qu'un bref instant avant le choc. Pourtant, ses pensées étaient froides et claires, ce qui lui permit d'évaluer la situation comme si le temps ne lui était pas compté.

S'il s'accrochait aux rênes du char de tête, il avait de fortes chances de passer sous les roues avant d'avoir pu freiner d'aucune manière le galop infernal de l'attelage. Le mieux qu'il pouvait faire était encore de s'attaquer à l'aurige. S'il parvenait à le jeter à terre, il n'y aurait plus personne pour maîtriser le véhicule. Or, sur ce chemin escarpé et à ce rythme trépidant, les attelages suivants auraient le plus grand mal à éviter le char fou.

Marcus savait que ses chances étaient minuscules, mais il pouvait offrir à ses hommes ce bref laps de temps qui séparait la mort de la vie. Pour sa part, c'était la mort presque assurée. Il en était conscient.

Les chariots étaient là. Le tonnerre des sabots semblait avoir envahi l'espace. Des crinières noires apparurent au milieu du ciel. Il les reconnut. Il allait affronter les chevaux qu'il avait appelés ses frères, deux jours plus tôt. Il brandit son bouclier devant eux et fixa le visage gris de Cradoc, l'aurige. Pendant un instant infime, leurs yeux se rencontrèrent et échangèrent une sorte de salutation, un au revoir entre deux hommes qui auraient pu être amis, puis Marcus passa à l'action. Il bondit derrière le guerrier qui portait les lances. L'homme tenta de le pousser hors du char. Marcus s'accrocha aux rênes qui étaient nouées, à la mode britannique, autour de la taille de l'aurige.

Immédiatement, l'attelage fut déséquilibré. Le centurion étreignit furieusement Cradoc et les deux hommes tombèrent ensemble. Un cri horrible retentit aux oreilles de Marcus, suivi d'un hennissement déchirant. Sous ses yeux, la terre remplaça le ciel et il passa, sans avoir relâché sa prise, sous les sabots des chevaux, sous les roues faucheuses, sous le char en perdition, et la bouche dentelée de l'obscurité s'ouvrit sur lui et l'avala.

4

LA CHUTE DE
LA DERNIÈRE ROSE

Dans l'obscurité était la douleur. Et la douleur, pendant un long moment, fut tout ce dont le jeune centurion eut conscience.

Au début, elle était blanche, presque aveuglante. Puis elle vira au rouge, et c'est baigné d'un halo rouge que le monde, encore imprécis, réapparut à Marcus. Autour de lui, des formes bougeaient. Il percevait la lueur d'une lampe et la lumière du jour, il sentait que des mains le touchaient. Mais un goût amer, dans sa bouche, le ramenait toujours vers l'obscurité. Le monde extérieur semblait diffus, irréel, pareil à un rêve en train de s'estomper, et cela dura jusqu'au matin où Marcus entendit les trompettes sonner le réveil.

Ce son familier fit disparaître l'impression d'irréalité qu'il ressentait, comme une lame d'épée eût tranché une balle de coton. D'autres sensations connues et bien réelles s'immiscèrent dans la brèche : la caresse froide de l'aube sur son visage, le chant lointain d'un vrai coq, l'odeur d'une torche crépitante.

Marcus ouvrit les yeux.

Il était couché sur le dos, dans le lit étroit de sa propre cellule. Au-dessus de lui, toute proche, la fenêtre dessinait un carré de bleu très pâle, près de l'or sombre du flambeau accroché au mur. Un pigeon semblait dormir en face, perché sur le toit de la cantine des officiers. L'oiseau se découpait de manière nette et exquise sur le ciel matinal, de sorte que Marcus avait l'impression qu'il pouvait distinguer la pointe de chacune de ses plumes. Normal, il les avait sculptées lui-même dans la racine de l'olivier qui poussait dans les méandres du ruisseau. À moins que… Non, cet oiseau-là était bel et bien différent des autres oiseaux. Quand Marcus en fut certain, les dernières sensations confuses disparurent.

Donc il n'était pas mort, après tout. Cela le surprenait un peu, sans le passionner pour autant. Il n'était pas mort, mais il était blessé. La douleur — celle qu'il avait connue blanche, puis rouge — était toujours là. Elle n'envahissait plus l'univers entier, désormais, elle se contentait de sa jambe droite. Des étincelles de souffrance sillonnaient le membre blessé. Il n'avait jamais eu aussi mal, sauf quand Mithra avait apposé sa marque sur lui, entre ses sourcils. Pourtant, cette douleur ne l'intéressait pas davantage que le fait d'être en vie.

Il se souvenait parfaitement de ce qui s'était passé, mais tout cela était arrivé il y a très longtemps, avant qu'il ne fût avalé par le trou noir. Il n'éprouvait aucune inquiétude, si les trompettes romaines sonnaient toujours du haut des remparts, cela ne pouvait signifier qu'une chose : le fort était encore aux mains de la légion.

Un instant plus tard, quelqu'un bougea dans la pièce voisine et s'approcha.

Marcus tourna la tête vers le bruit — lentement, très lentement, elle était si lourde ! Il reconnut le chirurgien de la garnison, vêtu d'une tunique maculée, les yeux rouges et les joues salies par une barbe de trois jours.

— Ah, Aulus ! s'exclama Marcus, bien que sa langue aussi parût peser des tonnes. On dirait que vous n'avez pas dormi depuis un mois !

—Presque, mais pas tout à fait, rectifia le chirurgien.

En entendant parler Marcus, il s'était approché en toute hâte et s'était penché sur lui.

—Bien…, murmura-t-il en guise d'encouragement. Très bien…

—Combien de temps ai-je perdu connaissance ? voulut savoir le jeune homme.

—Six jours. Oui. Je crois. C'est ça, six jours. Ou sept. Sept, peut-être…

—J'aurais dit des années !

Aulus avait soulevé les couvertures rayées, à la mode locale, pour poser une main sur le cœur de Marcus. Il parut compter, puis hocha la tête.

Soudain, l'inquiétude du jeune homme fut à son comble.

—Les renforts ? lança-t-il d'une voix pressante. Ils sont arrivés à temps, je suppose ?

De nouveau, Aulus se mit à compter, avec une lenteur exaspérante, avant de rabattre les couvertures sur le convalescent.

—Oui, oui, confirma-t-il. Une grosse partie d'une cohorte de Durinum est venue nous prêter main-forte.

—Je dois voir le centurion Drusillus… et le… et le commandant des renforts…

—Tout à l'heure, peut-être, si vous vous êtes bien reposé d'ici là, lâcha Aulus en s'occupant de la lampe qui fumait.

—Non, pas tout à l'heure ! À l'instant même ! Aulus, ceci est un ordre ! Je suis encore le commandant de ce…

Marcus s'interrompit. Il avait essayé de se soulever sur un coude, et il n'avait pas pu achever sa phrase. Les mots s'étaient mélangés dans sa bouche. Il resta allongé, immobile, le regard fixé sur le chirurgien. De petites gouttes de sueur perlaient à son front.

—Tsss, tsss…, siffla l'homme, légèrement agacé. Là, vous avez réussi à vous rendre malade! Et pourquoi? Parce que vous n'êtes pas resté tranquillement couché, comme je vous l'ai conseillé.

Il s'empara d'un bol samien sur la table de chevet, et passa un bras sous la tête de Marcus pour l'aider à la soulever.

—Tenez, buvez ça! Tsss, tsss… Ça vous fera du bien.

Marcus était trop faible pour discuter. Il sentait le rebord du bol cogner contre ses dents et but. C'était du lait. En déglutissant, il retrouva le goût amer qui le renvoyait sans cesse dans le gouffre obscur.

—C'est bien, dit Aulus lorsque Marcus eut vidé son bol. Maintenant, reposez-vous, tsss, tsss… Soyez sage… Dormez…

Et il laissa retomber la tête du blessé sur la couverture.

Le lendemain, Drusillus rendit visite à Marcus. Les mains sur les genoux, il s'assit à contre-jour dans l'ombre que projetait le cimier de son casque bleu et fit au jeune homme un compte rendu détaillé des derniers événements.

Marcus l'écouta très attentivement. Il avait remarqué que, s'il ne se concentrait pas de toutes ses forces sur ce que disait son interlocuteur, il ne l'écoutait plus. Un rien le distrayait : une solive du toit qui craquait, un oiseau qui voletait devant sa fenêtre, ses blessures qui se rappelaient à lui, les poils noirs qui émergeaient des narines du centurion… Pourtant, quand Drusillus eut terminé, Marcus éprouva le besoin d'éclaircir quelques points :

—Et le prêtre, qu'est-ce qu'il est devenu ?

—On l'a expédié chez les dieux qui l'avaient envoyé.

—Mort?

—Pris entre les renforts et nous. Beaucoup d'autochtones l'ont suivi.

—Et l'aurige — mon aurige?

Drusillus pointa le pouce vers le bas.

—Mort, lui aussi. Quand on vous a sorti de sous les roues du char, on pensait que vous étiez morts tous les deux!

—Qui m'a ramené ici? demanda Marcus après un silence.

—Hum, ça, pas facile à dire exactement... On était un paquet à donner un coup de main...

—J'espérais gagner du temps, expliqua le jeune homme en passant une main sur son front. Que s'est-il passé?

—Eh bien, euh... C'est arrivé si vite... Galba a foncé à votre secours, les autres l'ont suivi. On a mis toutes nos forces dans cette bataille. On a puisé dans nos réserves — elles n'étaient pas fameuses, mais un seul javelot bien manié peut provoquer des dégâts... et on vous a sorti de là.

—Et vous n'avez pas été massacrés par les chariots qui arrivaient, pendant ce temps?

—Pas autant qu'on pouvait le craindre. Vous avez brisé leur élan.

—Je veux voir Galba, exigea Marcus.

—Il est à l'infirmerie. Il s'est fait une entaille profonde au bras avec lequel il tient son épée.

—Grave?

—Non, la blessure est nette. Elle guérit.

Marcus hocha la tête.

—Vous allez le voir, j'imagine? Saluez-le de ma part, centurion. Dites-lui que je viendrai comparer mes cicatrices avec les siennes si je suis sur pied avant lui. Et dites aux troupes que j'ai toujours cru et proclamé qu'il n'y avait pas de meilleure cohorte que la 4e cohorte gauloise.

—Je n'y manquerai pas, promit Drusillus. Les hommes étaient très inquiets, ces derniers temps...

Il se remit debout et salua le blessé en levant un bras lourd de médailles en argent. Puis il sortit, de nombreuses tâches l'attendaient.

Marcus resta seul, son avant-bras sur les yeux. Dans l'obscurité de ses paupières closes, il voyait, image après image, ce que Drusillus lui avait relaté. Il distinguait les renforts en train de monter la route pour leur porter secours. Il entendait résonner le blam-blam-blam de leurs pas. Il voyait s'élever la poussière derrière eux. Et le dernier sursaut des autochtones, il le voyait aussi, comme il voyait tomber le fou furieux au casque de lune, et fumer les ruines de la petite ville, et saler les champs minuscules sur l'ordre du commandant des renforts.

Saccager une ville ou un champ n'avait rien de dramatique. Les huttes en clayonnage enduit de torchis étaient faciles à reconstruire, et les champs salés pourraient de nouveau être cultivés dans trois ans. Les pertes humaines, c'était plus grave ; il n'était pas si aisé de retrouver des hommes jeunes, pensa Marcus, surpris de s'en inquiéter.

Il n'avait aucun mal à se représenter les morts jonchant le champ de bataille. Parmi eux, Lutorius. Le jeune homme espérait que le cavalier trouverait des chevaux aux Champs Élysées[1].

Parmi les disparus, surtout, Cradoc, dont le corps rompu, sur les pentes de la colline, hantait l'esprit de Marcus. Cradoc, que le centurion avait apprécié. Cradoc, dont il avait cru se faire un ami, et qui l'avait pourtant trahi.

Qu'importait. Une page était tournée. Et Cradoc n'avait brisé aucun serment. Il avait dû honorer un autre engagement, plus ancien, plus fort. Marcus le comprenait, à présent.

Par la suite, le commandant des renforts vint rendre visite au centurion. L'entrevue ne fut pas des plus chaleureuses. Le centurion Clodius Maximus était un soldat aguerri, aux manières froides et au

1. Bien avant d'être une célèbre avenue de Paris, les Champs Élysées désignaient l'endroit où vont les âmes des héros et des sages après leur mort, dans la mythologie grecque et latine.

visage glacial. Il resta dans l'embrasure de la porte et annonça que, comme tout était désormais sous contrôle, il comptait reprendre sa marche interrompue vers le Nord dès le lendemain. Il emmenait des troupes à Isca quand le signal de détresse du fort avait été aperçu à Durinum et avait été désigné pour répondre à cet appel au secours.

—Je laisse deux centuries sur place, pour renforcer momentanément votre garnison. Le centurion Herpinius prendra le commandement, le temps que des troupes fraîches vous soient envoyées depuis Isca, de nouveaux auxiliaires ne devraient pas tarder à arriver.

C'était un plan logique, et Marcus en avait conscience. Les renforts étaient des légionnaires redoutables, des troupes de combat. Il était naturel qu'un centurion légionnaire occupât un rang supérieur à celui d'un centurion auxiliaire. De surcroît, si Marcus était immobilisé encore quelque temps, un officier devait diriger le fort jusqu'à ce qu'il fût plus à même de tenir son rang.

Mais les manières distantes de l'homme l'agaçaient. Le compte rendu de Drusillus aussi l'avait agacé. Lui-même se trouvait agaçant. Il se raidit et prit un air fier. Durant la suite de l'entretien, qui fut bref et formel, il traita son interlocuteur avec une politesse glaciale, presque insultante.

Les jours se suivaient, tour à tour éclairés par la lueur des flambeaux, puis la lumière du jour ; les repas se succédaient, mais Marcus n'avait aucun appétit ; des ombres mouvantes passaient dans la cour sur laquelle donnait la fenêtre de sa chambre. De temps en temps, Aulus lui rendait visite. Il était accompagné d'un assistant, chargé de changer le pansement de son épaule, là où une lance s'était enfoncée. Marcus n'avait pas senti la morsure du fer quand le guerrier avait tenté de le désarçonner. Sa cuisse droite était littéralement déchiquetée.

Il fallut quelque temps avant que les renforts arrivent d'Isca. Plusieurs cohortes étaient hors d'état de faire le voyage : une épidémie de paludisme frappait les soldats. La lune était pleine au moment où les tribus avaient attaqué ; depuis, elle avait fondu et s'était effacée. Quand un pâle croissant s'éleva de nouveau dans le ciel, toutes les blessures de Marcus étaient guéries, sauf les plus profondes et les plus largement ouvertes.

S'il était patient, sa jambe finirait par se remettre à peu près. Aulus le lui avait assuré. Quand ? Impossible à dire avec certitude. Une chose était sûre, il ne devait pas être pressé. Le chirurgien le lui avait expliqué sur un ton raisonnable et plaintif : Marcus devait comprendre qu'une jambe cassée, aux muscles lacérés, ne pouvait pas se rétablir en quelques jours.

C'est alors qu'il apprit qu'il n'appartenait plus aux aigles romaines. Il le craignait depuis son entrevue avec le centurion Maximus. Maintenant que le verdict était tombé, il n'avait plus rien à craindre. Il prit la nouvelle avec calme. Pourtant, elle signifiait purement et simplement la perte de tout ce à quoi il aspirait. La vie parmi les aigles était la seule existence qu'il eût jamais envisagée, la seule pour laquelle il était préparé et, à présent, tous ses espoirs s'effondraient. Il ne serait pas préfet d'une légion égyptienne, il ne rachèterait pas la ferme dans les collines étrusques. La légion s'éloignait inéluctablement de lui et, avec elle, s'éloignait sa propre terre. Quant à son avenir, avec une patte folle, sans argent ni relations, il était fortement compromis. Presque anéanti.

Peut-être le centurion Drusillus l'avait-il senti, bien que Marcus ne lui en eût rien dit. Il semblait tout à coup estimer que les quartiers du commandant étaient un endroit idéal pour y passer chacun de ses moments de loisir. Marcus, lui, n'aspirait qu'à être seul, comme un animal blessé. Pourtant, par la suite, il fut reconnaissant au centurion pour la compagnie qu'il lui avait procurée en ces temps difficiles.

Quelques jours plus tard, Marcus entendit de loin les bruits avant-coureurs de l'arrivée du nouveau commandant. Il était encore dans ses anciens quartiers. Il avait proposé de loger à l'infirmerie pour libérer les deux pièces du prétoire. Ainsi, le nouveau locataire pourrait en prendre possession dès son arrivée. Mais on lui avait répondu que d'autres quartiers avaient été préparés pour le nouveau commandant. Il était invité à rester là où il était jusqu'à ce qu'il se sentît la force de voyager – c'est-à-dire, de rejoindre son oncle Aquila. Il avait au moins la chance d'avoir un parent chez qui aller, songea-t-il sans en être vraiment convaincu. Et il ne tarderait pas à savoir si son oncle ressemblait à son père.

À présent, il pouvait s'asseoir et regarder, dans la cour, le rosier planté juste devant sa fenêtre. Au milieu des feuilles noircies persistait une rose écarlate. Cependant, alors qu'il l'observait, un pétale se détacha de la corolle et tomba lentement sur le sol, comme une grosse goutte de sang. Les autres pétales ne tarderaient pas à suivre. Il avait conservé son premier commandement à peine aussi longtemps que durent les roses.

Comme lors de son arrivée, Marcus songea que l'arbuste devait décidément se trouver à l'étroit dans la jarre. Peut-être son successeur pourrait-il faire quelque chose pour la plante.

De son lit, le jeune homme ne voyait pas l'entrée de la cour, mais il entendit des bruits de pas précipités le long de la colonnade, puis dans l'autre pièce. Un instant plus tard, le nouveau commandant se tenait dans l'embrasure de la chambre.

C'était un jeune homme distingué, aux habits couverts de poussière. Il tenait son casque dans une main. Marcus reconnut le propriétaire de l'attelage qu'il avait conduit aux Saturnales.

—Cassius! s'exclama-t-il. Je me demandais si je connaîtrais le nouvel arrivant.

—Mon cher Marcus! répondit Cassius en s'approchant. Comment va ta jambe?

—Mieux… autant que possible!

—Voilà une bonne nouvelle — enfin!

—Qu'as-tu fait de tes chevaux? s'empressa de demander Marcus. Tu ne les as pas emmenés avec toi, j'imagine?

Cassius plia son manteau sur sa poitrine et s'assit avec élégance.

—Grands dieux, non! Je les ai laissés à Dexion. Mon palefrenier est chargé de veiller sur eux… et sur leur nouveau maître.

—Dexion devrait bien les traiter… Quelles troupes as-tu amenées avec toi?

—Deux centuries de la 3e. Des Gaulois, comme les autres. Ce sont de bons gars, et des soldats expérimentés. Ils ont consolidé le mur, échangé quelques flèches de temps à autre avec les sauvages…

Cassius décocha un clin d'œil à son ami avant de poursuivre :

—Mais, s'ils doivent être sollicités un peu plus, comme tu as sollicité tes hommes de la 4e, ils ne se feront pas prier.

—Je crois que vous allez être tranquilles quelque temps, maintenant, avança Marcus. Le centurion Maximus y a veillé.

—Ah! Tu veux parler de l'incendie des villages et du salage des champs? Une expédition punitive n'est jamais belle à voir. Mais, si j'en crois ton amertume, tu ne t'es pas très bien entendu avec le centurion Maximus.

—On peut dire ça.

—Un officier d'une grande efficacité, lança Cassius comme l'aurait fait un vieux légat aux cheveux gris.

—C'est joliment dit!

—Si tu avais lu le rapport qu'il a envoyé au haut commandement, tu serais mieux disposé à son égard…

—Il était positif? s'étonna Marcus.

Le centurion Maximus ne lui avait pas semblé du genre à signer des rapports enthousiastes. Pourtant, Cassius confirma sa supposition :

—Plus que positif! Tiens, pour te donner une idée, avant que nous ne partions vers le sud, il était question de remettre une décoration – une couronne de laurier doré – pour que l'étendard de la 4ᵉ gauloise brille à la parade.

—Nous l'avons – je veux dire, les hommes l'ont amplement mérité, dit Marcus après un bref silence. Écoute, Cassius, si cela se confirmait, avertis-moi. Je te dirai où m'écrire. J'aimerais savoir que la cohorte a gagné ses premiers lauriers sous mon commandement.

—Tes hommes aussi, je crois, lança son ami d'un ton bourru.

Il se releva.

—Je vais aux bains. Je suis sale de la tête aux pieds !

Il se tut un moment et baissa les yeux vers Marcus. Son petit air las mais distingué avait presque disparu.

—Ne t'inquiète pas, je ne laisserai pas ta cohorte tomber en ruine, affirma-t-il.

Marcus éclata de rire, mais sa gorge s'était brusquement serrée.

—Veille à tenir ta promesse, déclara le jeune homme, ou je jure que je trouverai un moyen d'empoisonner ton vin. La 4ᵉ est une belle cohorte, la meilleure de la légion. Bonne chance avec elle.

Dehors, devant la fenêtre, comme une ultime et frêle rafale de lumière, le dernier pétale cramoisi tomba dans la vieille jarre de vin où le rosier poussait à l'étroit.

5

LES SATURNALES

L'oncle Aquila habitait aux confins de Calleva. Pour atteindre sa maison, il fallait descendre une rue étroite qui débouchait non loin de la porte orientale de la ville. On laissait derrière soi le forum et les temples, et on arrivait dans un quartier calme où s'élevaient de vieilles constructions britanniques, témoignage de l'époque où Calleva n'était pas encore une cité romaine. Çà et là poussaient encore des aubépines et des noisetiers et des oiseaux des bois venaient parfois s'y reposer.

De loin, la demeure d'Aquila ressemblait aux autres maisons de Calleva. C'était une vaste bâtisse en bois, au toit rouge, qui donnait sur un petit jardin où l'on voyait un gazon impeccable, des roses d'importation et un gommier. Cependant, la maison avait une particularité : dans un coin s'élevait une tour ramassée, au toit plat, de forme carrée. Après avoir passé l'essentiel de sa vie à l'ombre des tours de garde, de Memphis à Segedunum, l'oncle Aquila ne se serait pas senti à l'aise dans une demeure qui en eût été dépourvue.

Ici, à l'ombre de sa tour de garde personnelle (dont il avait fait son bureau), il était bien. Très bien, même. Il avait la compagnie de Procyon, son chien-loup, et de son *Histoire de l'utilisation du siège à la guerre*, œuvre à laquelle il s'était attelé depuis une dizaine d'années.

Octobre touchait à sa fin. Il faisait sombre. Aquila avait accueilli Marcus et mis à sa disposition une chambre donnant sur la colonnade du jardin. La pièce avait été blanchie à la chaux et était meublée d'un lit étroit, recouvert de couvertures rustiques aux couleurs vives. Une table de chevet en bois de citronnier poli et une applique placée haut sur le mur complétaient la décoration. Hormis l'emplacement de la porte, légèrement différent, Marcus aurait pu se croire dans ses anciens quartiers du fort, à sept jours de marche de là.

Il passait l'essentiel de ses journées dans le grand atrium, la pièce centrale de la maison. De temps en temps, son oncle lui tenait compagnie mais, la plupart du temps, il était seul, sauf quand Stephanos ou Sassticca venaient lui rendre visite. Stephanos ne le dérangeait pas : l'esclave grec de son oncle s'occupait de lui comme de son maître, avec dévouement. Sassticca, c'était autre chose ! Cette vieille femme de haute taille, à la mine sévère, était capable de se battre comme un homme et elle ne s'en privait pas lorsqu'une autre esclave l'ennuyait. Hélas, elle s'était prise d'affection pour Marcus. Elle le traitait comme un petit enfant malade. Quand elle passait aux cuisines, elle lui apportait de petits gâteaux chauds qu'elle avait cuits spécialement pour lui et du lait tiède, car elle le trouvait trop maigre. Elle fourrait son nez dans ses affaires, de sorte que Marcus avait l'impression d'être surveillé en permanence par un tyran. Au point qu'il vit approcher le moment où il allait la haïr. À cette époque-là, la tendresse lui faisait très, très peur.

Cet automne fut pour Marcus une période difficile. Il se sentait malade et faible pour la première fois de sa vie. La douleur le tenaillait presque en permanence et il devait faire face au naufrage de tout ce qu'il connaissait, de tout ce qui l'avait intéressé. Il se réveillait au petit matin pour entendre le clairon du réveil venant du camp de transit, situé juste derrière les murs de la ville. Cela ne lui facilitait pas la tâche. La légion lui manquait. Sa maison natale lui manquait. Les collines où il espérait tant prendre sa retraite un jour lui manquaient terriblement, depuis qu'il avait perdu tout espoir d'y retourner. Il se rappelait dans le moindre détail leurs formes, leurs odeurs. Dans son souvenir, elles palpitaient comme un diamant vivant.

Ici, en Bretagne, le vent mugissait dans les bois désolés. La pluie tombait. Poussées par les rafales, les feuilles détrempées frappaient aux carreaux et y restaient collées, petites formes ridicules sur la vitre embuée. Le mauvais temps, Marcus l'avait connu jadis, chez lui, mais du moins était-il chez lui! Ici, le vent, la pluie et les feuilles détrempées avaient le goût de l'exil.

Sans doute aurait-il mieux supporté sa condition s'il avait eu quelqu'un de son âge pour lui tenir compagnie. Hélas, dans la maison d'Aquila, hormis Marcus, seule la vieillesse avait droit de cité. Même Procyon avait des poils grisonnants sur le museau. Aussi le jeune homme se renfermait-il sur lui-même. Il ne s'en rendait pas compte, mais la solitude l'aigrissait et le rendait amer.

Un seul rayon de lumière vint percer la noirceur de ce triste automne. Peu après que Marcus fut arrivé à Calleva, il reçut un mot de Cassius qui lui signalait que la 4e cohorte gauloise pourrait bientôt parader avec un étendard orné d'une couronne de laurier doré! Marcus lui-même ne tarda pas à recevoir un bracelet de distinction militaire. Il ne s'y attendait pas le moins du monde. Contrairement aux autres décorations, le bracelet n'était pas un simple accessoire. Il était donné aux soldats ayant fait preuve des qualités qui avaient valu à la 2e légion sa devise : *Pia fidelis.* Ces devises étaient gravées profondément dans le lourd bracelet en or, sous le capricorne qui symbolisait la légion. À partir du jour où il le reçut, Marcus le garda constamment à son poignet mais, à ses yeux, le plus important était que «sa» cohorte eût gagné ses premiers lauriers sous son commandement.

Les jours raccourcirent, les nuits rallongèrent. Le solstice d'hiver arriva. Il faisait un temps idéal pour cette période, la plus sombre de l'année, pensait Marcus avec amertume. Le vent, toujours lui, rugissait dans la forêt d'épineux, plantée sous les vieux remparts britanniques. Les bourrasques projetaient leurs paquets de feuilles mortes contre les vitres. Dans l'atrium, il faisait bon. La maison de l'oncle Aquila était peut-être spéciale, sous certains aspects, mais l'hypocauste[1] marchait à merveille. De surcroît, un feu de bûches de cerisier sauvage y brûlait sur un lit de charbon, emplissant la grande pièce d'une légère fragrance aromatique. Une cascade de lumière tombait de l'unique lampe en bronze. Elle formait un lac doré qui clapotait devant la cheminée, baignait les murs blanchis à la chaux et laissait dans les ténèbres l'extrémité de la pièce, faiblement éclairée toutefois par l'éclat du foyer toujours vif devant la demeure des dieux.

Allongé sur sa couche habituelle, Marcus était appuyé sur un coude. Face à lui, Aquila était assis dans son grand fauteuil. Procyon, le chien-loup, était couché sur le sol tiède couvert de mosaïques.

Aquila était énorme. Marcus en avait été frappé au premier coup d'œil. Encore aujourd'hui, il ne pouvait s'empêcher de le remarquer. Les articulations de son oncle semblaient assez lâches, comme si elles avaient été liées avec du cuir humide. Sa tête, au front chauve constellé de taches de rousseur, et ses belles mains osseuses étaient gigantesques, même si on les rapportait à l'immense silhouette. L'autorité lui allait comme un gant, elle épousait ses formes massives aussi aisément que les plis de sa toge. Les vingt ans de différence ne changeaient rien : il ne ressemblait pas du tout, mais alors pas du tout, à son frère.

Mais Marcus avait cessé depuis longtemps de le comparer avec qui

1. Chauffage souterrain utilisé pour les bains et les chambres.

que ce soit — c'eût été absurde. L'homme qui lui faisait face était juste l'oncle Aquila.

Le dîner était fini. Avant de s'éclipser, le vieux Stephanos avait installé un jeu de dames sur la table placée entre Marcus et son oncle. Dans la lumière, les carrés d'ivoire et d'ébène jetaient des éclats vifs. Les pions d'Aquila étaient déjà en position. Marcus n'avait pas encore placé les siens. Il pensait à autre chose.

Au moment où il posa son dernier pion avec un petit clic, il annonça :

—Ulpius est passé, ce matin.

—Ah! Ce gros médecin! s'exclama Aquila.

Alors qu'il s'apprêtait à avancer son premier pion, il ouvrit le battoir qui lui servait de main et reposa son bras sur sa chaise.

—A-t-il dit quelque chose qui vaille la peine qu'on l'écoute? demanda-t-il.

—Non, c'est toujours la même chanson : je dois attendre, et encore attendre.

Soudain, le mélange de tristesse et de dérision qui grondait en Marcus explosa :

—Il m'a expliqué qu'il fallait que je sois patient. Il m'a appelé son « cher jeune homme » en agitant son doigt boudiné sous mon nez. Beurk! J'avais l'impression de voir une de ces espèces de vers blanchâtres qu'on trouve sous les pierres!

—Hum… N'empêche qu'il a raison. Tu dois attendre. Il n'y a rien de mieux à faire.

—Mais combien de temps puis-je attendre? gronda Marcus en levant les yeux du damier.

Son oncle le regarda sans comprendre.

—Voilà deux mois que je suis ici, et nous avons soigneusement évité de parler de l'avenir, expliqua-t-il. J'ai remis la question à plus tard, d'une visite de la grosse sangsue à l'autre. Tout ça parce que je n'avais pas imaginé ma vie autrement que parmi les aigles… Résultat, je ne sais pas par où commencer et pourtant, il va bien falloir qu'on finisse par en discuter un jour, non ?

Il adressa un sourire d'excuse à Aquila, qui confirma :

—Si, un jour, mais pas maintenant. Il faut attendre que tu sois de nouveau en état de marcher.

—Mais Mithra sait le temps que cela prendra ! Tu ne comprends pas, cher oncle, que je ne peux pas vivre indéfiniment à tes crochets ?

—Hé là, jeune homme ! Voilà une sotte remarque ! rétorqua l'oncle.

Dans ses yeux, une lueur compréhensive atténuait sa brusquerie. Il continua :

—Je ne suis pas riche, mais j'ai assez de bien au soleil pour nourrir une bouche de plus. Tu ne me déranges pas. Pour être honnête, je dois reconnaître que, la moitié du temps, j'oublie jusqu'à ton existence ; en plus, tu n'es pas trop mauvais aux dames. Tu es le bienvenu ici… à moins, bien sûr, que tu ne préfères rentrer chez toi.

—Chez moi ?

—Oui. J'imagine que tu as encore un chez-toi là où vit mon imbécile de sœur ?

—Avec mon oncle par alliance, Tullus Lepidus ?

Marcus releva la tête. Il fronça les sourcils au point qu'ils se rencontrèrent presque au-dessus de son nez soudain plissé comme s'il venait de déceler une mauvaise odeur.

—Plutôt m'asseoir sur les bords du Tibre et mendier mon pain aux femmes qui viennent y vider leurs pots de chambre ! s'écria-t-il.

—Tu vois ! conclut l'oncle Aquila en hochant sa tête monumentale. Bon, et maintenant que cette question est réglée, on joue ?

Il avança le premier pion. À son tour, Marcus joua. La partie continua en silence. Le murmure du flambeau – qui rappelait la rumeur que l'on entend lorsque l'on applique un coquillage contre son oreille – était une mer de tranquillité au milieu des hurlements de la tempête. Les flammes couleur safran murmuraient dans le foyer. Une bûche de cerisier à demi consumée émit un craquement en s'effondrant dans les charbons ardents. À intervalles réguliers, un petit clic clair signalait que Marcus ou son oncle avait avancé un pion sur le damier. Mais le jeune homme n'entendait pas vraiment ces bruits ténus et doux. Il ne voyait pas non plus l'homme qui lui faisait face. Des pensées qu'il avait essayé d'éviter toute la journée lui revenaient.

On était le 21 décembre, au soir du solstice d'hiver – donc de la naissance de Mithra. Bientôt, dans les camps et les forts où nichaient les aigles, des hommes se réuniraient pour vénérer leur dieu. Dans les avant-postes et les petits forts de la frontière, les soldats ne seraient qu'une poignée à adorer Mithra. En revanche, dans les camps les plus importants de la légion, ils seraient des centaines à le louer dans les grottes.

Marcus souffrait. Il aurait tant aimé vivre une deuxième fois l'an-née qu'il venait de vivre ! Il aurait tant aimé goûter de nouveau à son existence passée et à la camaraderie des camps ! Il avança un pion d'ivoire au hasard, presque à l'aveuglette, sans regarder le dallage noir et blanc du plateau. Devant ses yeux se rejouait la cérémonie de l'an dernier en l'honneur de Mithra.

Ils étaient sortis par la porte prétorienne et avaient descendu la colline, vers la grotte. Il se souvenait de la crête qui surmontait le casque du centurion : sa forme noire se découpait contre les feux palpitants d'Orion. Il se souvenait aussi de l'attente, dans le noir de la grotte. Soudain, les trompettes avaient résonné depuis les remparts, dans le lointain. Le troisième quart de veille avait commencé. Les flammes des flambeaux avaient jailli, vacillé, dégagé une lueur bleutée avant de retrouver leur brillant. Et la lumière de Mithra était à nouveau née de ses cendres, en cette nuit la plus longue de l'année…

Une rafale de vent plus puissante que les autres s'acharna contre la maison. On aurait cru un animal sauvage se débattant pour retrouver son chemin. La torche fut secouée, sa flamme vacilla, des ombres coururent sur le damier, et les fantômes de l'an passé retournèrent d'où ils étaient venus.

Marcus leva les yeux vers son oncle et dit – plus pour faire taire ses propres pensées que par réelle curiosité :

–Qu'est-ce qui t'a poussé à venir t'installer en Bretagne, oncle Aquila ? Pourquoi n'es-tu pas rentré chez toi ?

Aquila avança un pion avec un soin méticuleux. Puis il demanda :

–Tu trouves ça très étrange que, étant libre de rentrer chez lui, quelqu'un décide d'établir ses racines dans ce pays barbare ?

–Une nuit comme celle-là, je trouve ça plus que très étrange… J'ai vraiment du mal à le comprendre.

–Où veux-tu que j'aille ? rétorqua Aquila. J'ai passé presque toutes mes années de service ici, même si c'est en Judée que le temps est venu pour moi de me séparer des aigles. Le Sud et moi, on n'a pas grand-chose en commun. Quelques souvenirs, tout au plus. Très peu. J'étais jeune quand j'ai vu les premières falaises de Dubris[1], depuis la proue du navire qui transportait les troupes. J'ai beaucoup plus de souvenirs d'ici, du Nord… À toi de jouer.

Marcus avança un pion d'une case. Son oncle joua à son tour.

–Si je m'étais installé dans le Sud, les ciels d'ici m'auraient manqué. Tu as déjà remarqué comme le ciel de Bretagne était changeant ? Et puis, j'ai des amis, ici. Quelques-uns. Et la seule femme qui a compté pour moi a été enterrée à Glevum.

1. Douvres.

—Je ne savais pas que…

—Pourquoi aurais-tu été au courant? Tu sais, je n'ai pas toujours été le vieil oncle Aquila, avec sa tête chauve.

—Non… Bien sûr que non… Et elle? Comment était-elle?

—Magnifique. C'était la fille de mon vieux commandant de camp. Lui avait une face de chameau. Elle, par contre… Elle était belle. Très, très belle. Elle avait des cheveux bruns. De longs cheveux bruns d'une douceur sans pareille. Elle est morte à dix-huit ans. J'en avais vingt-deux.

Marcus resta silencieux. Il n'y avait rien à dire. Mais, quand son oncle croisa son regard, il se mit à rire.

—Non, non… Tu as tout faux! Je suis un vieux type égoïste, et je suis parfaitement heureux de ma vie telle qu'elle est.

Il se tut puis, faisant un retour sur lui-même, il dit :

—J'ai tué mon premier sanglier en Silurie. J'ai fait le pacte du sang avec un Britannique couvert de peintures, juste à l'endroit où on a construit le mur d'Hadrien, j'ai une chienne enterrée à Luguvallium — elle s'appelait Margarita —, j'ai aimé une fille à Glevum; j'ai marché avec les aigles d'un bout à l'autre de cette île, dans des conditions climatiques bien pires que celles que nous avons ce soir… cela suffit pour qu'un homme décide de planter ses racines ici, crois-moi.

—Je pense que je commence à comprendre, murmura Marcus après un moment.

—Tant mieux. Joue.

Ils jouèrent quelques coups en silence, puis Aquila fixa son neveu. Ses belles rides s'accentuèrent au coin de ses yeux.

—On est d'une humeur bien automnale, ce soir, toi et moi! Il faut qu'on retrouve le moral, et plus vite que ça!

—Et comment? s'enquit Marcus, souriant à son tour.

—Je te propose d'aller aux Saturnales, demain, à Calleva. Oh, ça n'a rien de comparable avec ce que tu connais. Mais des bêtes sauvages qui s'affrontent, une démonstration de combat — peut-être même un peu de sang... Allez, c'est décidé : on ira !

Le lendemain, Marcus, écœuré de se déplacer comme un magistrat ou une belle dame, fut transporté en litière jusqu'à Calleva. Aquila et lui arrivèrent largement en avance.

Pourtant, avant de prendre place dans la rangée garnie de coussins qu'on réservait aux magistrats et à leur famille (Aquila était un magistrat, même s'il n'était pas venu en litière, lui), ils aperçurent la file d'attente à la porte Est de l'amphithéâtre.

Déjà, de très nombreux spectateurs piaffaient d'impatience en pensant au spectacle qui les attendait. Le vent était tombé, mais la température restait froide et une forte odeur, vaguement inquiétante, flottait dans l'air.

Curieux, Marcus renifla en serrant contre lui les pans de son manteau militaire. Il avait passé tant de temps entre quatre murs que l'étendue sableuse de l'arène lui paraissait immense. Autour de ce grand vide, les gradins commençaient à se remplir.

De Rome, les Britanniques n'avaient pas adopté toutes les coutumes. Les jeux faisaient partie de celles dont ils raffolaient — «et avec quelle rage!» pensa Marcus en voyant les citadins, les villageois, des tribus entières (hommes, femmes, enfants) envahir l'amphithéâtre, s'invectiver et se battre pour s'emparer des meilleures places! Parmi les spectateurs, le jeune homme repéra quelques légionnaires du camp de transit et de jeunes Britanniques qui essayaient de paraître aussi blasés et aussi romains que les Romains les plus blasés. Il se souvint des foules du Colisée, du brouhaha, des cris, des bagarres, des paris, des bonbons collants qu'on suçait avec délices... Les Britanniques étaient sans doute un peu moins expansifs que les Romains, mais leurs regards exprimaient le même désir, la même avidité que ceux des foules du Colisée.

Un mouvement attira l'attention de Marcus. Une famille venait de prendre place dans les rangs des magistrats, légèrement sur la droite du jeune homme. Rien de plus romain que cette famille britannique ! Le père était un homme de large carrure, d'allure sympathique. Il était trop gros, à la manière des gens qui ont découvert les joies de la vie facile après avoir mené une existence pénible. Sa femme avait un visage régulier et insouciant. Elle était habillée d'un fin manteau qui avait dû être à la mode deux ou trois ans auparavant à Rome. « Elle doit être gelée ! » songea Marcus. Une jeune fille les accompagnait. Elle avait douze ou treize ans. Son visage ovale, bien découpé, frappait par les yeux dorés qui scintillaient sous une capuche sombre.

L'homme bedonnant et Aquila se saluèrent au-dessus des spectateurs qui les séparaient. La femme s'inclina – et dans ce geste se concentrait toute la civilisation romaine. Mais les yeux de la fille, eux, restaient rivés sur l'arène, impatients et horrifiés.

– Un magistrat de mes amis, expliqua Aquila. Il s'appelle Kaeso. Sa femme se nomme Valaria. Et, soit dit en passant, ils habitent juste à côté de chez nous.

– Vraiment ? Et la petite ? Ce n'est pas le fruit de leur union… si ?

Marcus n'obtint pas de réponse à sa question : un tonnerre de cymbales et une fanfare de trompettes annoncèrent que les jeux allaient commencer. L'amphithéâtre était bondé. Tout autour de l'arène, les spectateurs firent silence. De nouveau, les trompettes résonnèrent. Les doubles portes donnant sur l'étendue sableuse s'ouvrirent d'un coup, et les gladiateurs sortirent de leurs cellules souterraines, en rang par deux. Chacun brandissait l'arme qu'il utiliserait plus tard. Des vagues de cris déferlèrent pour saluer leur apparition.

«Ils ont l'air bien, pour un cirque de province!» jugea Marcus en les regardant parader. Trop bien, peut-être, même s'ils n'étaient que des esclaves. En matière de jeux, Marcus se sentait l'âme d'un hérétique. Certes, il ne détestait pas voir les fauves se battre entre eux ; il appréciait les démonstrations de combat, quand elles étaient bien faites. Mais, à ses yeux, obliger des êtres humains — libres citoyens ou simples esclaves — à combattre à mort pour amuser une foule, c'était du gâchis.

Les gladiateurs vinrent se planter devant les magistrats. Ils ne restèrent là qu'un moment. L'attention de Marcus se concentra sur l'un d'entre eux. L'homme devait avoir à peu près son âge. Armé d'une épée et d'un bouclier, il était plutôt petit, pour un Breton, mais sa carrure était impressionnante et son port de tête fier. Ses longs cheveux bruns, tirant vers le roux des feuilles d'automne, étaient rejetés en arrière. Ils dévoilaient ainsi l'oreille découpée qui rappelait son état d'esclave. Il avait dû être fait prisonnier à la guerre. Son torse nu était décoré de motifs guerriers bleus.

Mais Marcus ne vit rien de tout cela. Il ne vit que le visage maussade du jeune gladiateur, ses yeux gris grands ouverts et son regard anxieux. «Il a peur!» dit une voix en Marcus. Son estomac se serra, la voix répétait en écho : «Peur, peur, peur…»

En hurlant, les gladiateurs lancèrent leurs armes dans la lumière hivernale et les rattrapèrent au vol. Puis ils firent demi-tour et regagnèrent leur point de départ. Cependant, Marcus pensait encore au regard du Breton à l'épée…

Le programme débuta avec un combat de bêtes sauvages. Des loups contre un ours brun. L'ours ne voulait pas se battre, on fut obligé de le pousser à l'aide de fouets à longues lanières. Une clameur formidable s'éleva lorsqu'il expira, peu de temps après. On traîna son corps hors de l'arène, avec les cadavres des deux loups qu'il avait tués.

Presque par réflexe, Marcus regarda derrière lui la fille à la capuche noire. Elle était comme pétrifiée. Ses yeux écarquillés paraissaient immenses dans son visage cendreux.

Encore marqué par le regard paniqué du jeune gladiateur, Marcus se sentit soudain envahi par une colère insensée contre Kaeso et sa femme. Pourquoi obliger cette enfant à assister à un tel spectacle ? Pourquoi lui montrer tous ces gens qui piaffaient d'impatience et réclamaient à cor et à cri les pires atrocités — jusqu'à la mort d'un ours !

Le spectacle continua avec un combat simulé qui se solda par quelques blessures sans gravité. (Les propriétaires du cirque ne pouvaient pas se permettre de perdre trop de gladiateurs d'un coup !) Un pugilat suivit, qui fit couler beaucoup plus de sang que les épées. Après quoi, il y eut un entracte au cours duquel on nettoya l'arène que l'on recouvrit de sable propre. Puis un long murmure d'excitation monta de la foule. Dans leur tribune, même les jeunes gens qui feignaient de s'ennuyer manifestèrent de l'intérêt quand, au son des trompettes, la double porte s'ouvrit de nouveau en grand.

Deux silhouettes apparurent côte à côte dans l'immensité vide de l'arène. C'était l'attraction vedette : un combat à mort.

À première vue, les chances de chacun des combattants ne paraissaient pas égales. D'un côté, un gladiateur armé d'une épée puissante et d'un bouclier, de l'autre, un homme maigre au teint mat, dont le visage et la constitution avaient quelque chose de grec, et qui n'était armé que d'un trident et d'un filet lesté par des disques d'acier.

Pourtant, Marcus savait que celui qui avait le plus de chance de l'emporter, c'était le rétiaire, celui qui combattait avec le filet, aussi appelé le pêcheur. D'autant que son adversaire n'était autre que le jeune homme dont il avait croisé le regard effrayé.

— Je n'ai jamais aimé le filet, grommela Aquila. Ce n'est pas propre !

Quelques instants plus tôt, Marcus avait ressenti des tiraillements très douloureux dans sa jambe. Il avait changé de position – une fois, deux fois… –, essayant d'en trouver une meilleure sans alerter son oncle. À présent que les deux hommes étaient entrés dans l'arène, il ne pensait plus à sa souffrance.

Le rugissement qui avait accueilli les deux combattants avait décru. Ce n'était plus qu'un bourdonnement sans fin. Les deux hommes avaient pris position au milieu de l'arène, suivant les consignes du capitaine des gladiateurs. Celui-ci les avait placés avec beaucoup de soin. Il les avait séparés de dix pas, et avait veillé à ce que ni l'un ni l'autre ne fussent avantagés par la lumière ou le vent. Cette formalité accomplie avec rapidité et compétence, l'homme recula derrière les barrières.

Pendant un long moment – du moins ce fut l'impression des spectateurs –, il ne se passa rien. Les minutes s'égrenaient sans qu'aucun combattant ne prît l'initiative. Ils restaient impassibles, immobiles, cernés par tous les regards. Les spectateurs n'avaient d'yeux que pour eux.

Très lentement, le jeune homme à l'épée se mit en mouvement. Il avançait, un pas après l'autre, sans quitter des yeux un instant son adversaire. Il s'était légèrement penché et veillait à protéger son corps avec son bouclier rond. Il avançait, les muscles bandés.

Le pêcheur, lui, n'avait pas bougé d'un pouce. Bien campé sur ses deux pieds, il serrait son trident de la main gauche, la main droite tenait fermement les lests du filet. Juste avant d'arriver à sa portée, le jeune homme à l'épée s'immobilisa pour jauger la situation. L'attente était insoutenable.

Puis il bondit.

Son attaque fut si prompte que le pêcheur projeta le filet trop haut – bien trop haut pour inquiéter son agresseur. Le rétiaire recula précipitamment, sauta de côté, esquiva et courut pour sauver sa vie. Il réussit à récupérer son filet dans la foulée, mais son poursuivant ne le lâchait pas d'une semelle. Le Breton n'avait ni la force ni la vitesse naturelles de son adversaire. Cependant, il avait pour lui l'endurance des chasseurs – peut-être avait-il l'habitude de courir après les daims, à la chasse, avant que son oreille ne fût arrachée – et, peu à peu, il regagnait du terrain.

Les deux ennemis se firent face devant le rang des magistrats. Ce fut ce moment que choisit le pêcheur pour lancer une deuxième fois son filet. L'arme s'éleva dans les airs comme une flamme noire et cerna le jeune homme à l'épée comme un incendie. Trop concentré sur son offensive, le Breton avait baissé la garde. Le poids des disques entraîna le filet vers le sol, et un hurlement monta de la foule quand le jeune homme s'écroula de tout son long en se débattant aussi inutilement qu'une mouche prise dans une toile d'araignée.

Marcus se pencha en avant. Il avait du mal à respirer. Le jeune homme était allongé si près de lui qu'ils auraient pu se parler à mi-voix. Le pêcheur était debout à côté de son adversaire, le trident prêt à frapper. Un petit sourire éclairait son visage, bien qu'il eût le souffle court. Il quêta le verdict de la foule. Le jeune homme à terre esquissa le geste de lever son bras entravé : c'était ainsi qu'un gladiateur pouvait réclamer la grâce.

Mais il n'alla pas au bout de son geste et, fièrement, rabattit son bras le long de son corps. À travers les mailles du filet qui recouvrait son visage, il regarda Marcus droit dans les yeux. Son regard était direct, comme si les deux hommes avaient été seuls dans le vaste amphithéâtre.

Marcus était debout. D'une main, il s'accrochait à la barrière pour ne pas tomber, de l'autre, il réclamait la grâce, pouce en l'air. Il répéta son signe encore et encore, toute sa volonté tendue pour emporter la conviction de la foule. Il jeta un regard de défi aux autres rangées, où beaucoup de pouces étaient dirigés vers le bas. «Cette populace indécrottablement stupide, cette populace avide de mort ne reculerait devant rien pour apaiser sa soif de sang!» enrageait Marcus. Il n'abandonnerait pas. Il retrouvait les sensations extraordinaires qu'il avait éprouvées sur le champ de bataille. Elles n'auraient pas été plus fortes s'il était descendu lui-même pour défendre le gladiateur vaincu, épée en main.

«En l'air, les pouces! En l'air!» clamait-il en silence.

D'abord, il n'y eut que le pouce de son oncle pour désigner le ciel. Il s'aperçut que quelques autres imitaient son geste, puis d'autres suivirent. Pendant de longues minutes, le sort du jeune gladiateur fut en suspens.

Mais les pouces levés continuèrent de fleurir dans les rangs des spectateurs, et le verdict finit par tomber : la grâce était accordée. Lentement, le pêcheur rabaissa son trident.

Après quoi, il adressa un salut moqueur au vaincu et recula d'un pas.

Marcus poussa un soupir de soulagement. Pendant qu'on venait libérer le jeune homme et l'aider à se relever, la crampe qui lui tenaillait la jambe se rappela d'un coup à son attention. Le jeune homme ne regarda pas le gladiateur, celui-ci avait certainement honte de sa défaite, et Marcus estimait qu'il n'avait aucun droit de voir ça.

Ce soir-là, pendant la traditionnelle partie de dames, Marcus demanda à son oncle :

—Qu'est-ce qu'il va devenir, maintenant?

—Qui ça? Le blanc-bec à l'épée? On va le vendre, selon toute vraisemblance. Personne n'a envie de payer pour voir combattre un homme qui a déjà perdu un combat, et à qui on a accordé sa grâce!

—C'est bien ce que je me disais…, murmura Marcus.

—Il ne vaut pas plus de mille cinq cents sesterces, n'est-ce pas? s'enquit-il.

—Ça m'étonnerait. Pourquoi?

—Parce que c'est ce qui me reste de ma paye et d'une partie d'un don que m'a fait Tullus Lepidus. Je n'ai pas eu beaucoup d'occasions de dépenser mon argent à Isca Dumnoniorum…

Aquila fronça les sourcils, étonné.

—Tu penses l'acheter toi-même ?

—Pourrais-tu le loger sous ton toit ?

—Hum… J'imagine ! Même si j'ai du mal à comprendre ce que tu peux trouver d'intéressant à ce gladiateur falot. Tu ne préférerais pas un loup, à la place ?

—Je n'ai pas besoin d'un garde du corps, dit Marcus en riant. C'est juste que je ne peux pas éternellement continuer à surcharger de travail ce pauvre vieux Stephanos !

Aquila se pencha au-dessus du damier.

—Et qu'est-ce qui te permet de penser qu'un ex-gladiateur ferait un bon esclave ?

—Pour tout te dire, je n'y ai pas réfléchi, avoua Marcus. Comment me conseilles-tu de procéder, pour l'acquérir ?

—Va voir le propriétaire du cirque. Offre-lui la moitié de ce que tu es prêt à payer. Et ne dors jamais sans placer un couteau sous ton oreiller…

6
ESCA

Le marché fut conclu sans grande difficulté, bien que Marcus n'eût pas proposé un prix très élevé. Beppo, le maître des esclaves du cirque, savait fort bien qu'il ne tirerait pas davantage d'un gladiateur vaincu. Il marchanda un peu avant de céder.

Cette nuit-là, après le dîner, Stephanos alla chercher le nouvel esclave. Marcus attendit son retour dans l'atrium. Il était seul, l'oncle Aquila s'était retiré dans sa tour de garde afin d'étudier un point capital pour son étude des sièges. Son neveu avait essayé de lire un exemplaire des *Géorgiques*, mais il avait du mal à se concentrer sur l'œuvre de Virgile. D'autres pensées le détournaient sans cesse de sa lecture. Il se demandait pour la première fois pourquoi il se souciait du destin d'un gladiateur, esclave de surcroît — car il s'en souciait vraiment, ce qui ne l'avait pas étonné jusqu'à présent. Peut-être s'était-il reconnu dans ce jeune homme… Pourtant qu'avait-il en commun avec ce barbare ? Il finit par entendre des bruits venant du quartier des esclaves. Il reposa le papyrus et se tourna vers l'entrée de la pièce. Des pas longèrent la colonnade et deux silhouettes apparurent dans l'embrasure.

— Centurion Marcus, je vous ai amené le nouvel esclave, dit Stephanos.

Puis, discret, il recula et disparut dans l'obscurité.

L'esclave s'avança jusqu'à la banquette où Marcus était allongé. Les deux jeunes gens se regardèrent longuement. Ils étaient seuls dans l'atrium qu'éclairait une torche, seuls comme ils l'avaient été dans l'amphithéâtre bondé.

—C'est donc toi…, murmura finalement l'esclave.

—Oui, c'est moi.

Le silence retomba. Et, de nouveau, l'esclave le rompit :

—Pourquoi as-tu incité les gens à changer d'avis, hier ? Je n'ai rien réclamé.

—Justement, répondit Marcus. C'est peut-être cela qui m'a décidé.

L'esclave hésita, avant de lancer sur un ton de défi :

—J'avais peur, hier. Moi qui fus un guerrier, j'ai eu peur. Peur de perdre ma vie dans le filet du pêcheur.

—Je sais. Et, malgré cela, tu n'as pas demandé grâce.

Les yeux de l'esclave, visiblement quelque peu surpris, fixaient le centurion.

—Pourquoi m'as-tu acheté ?

—J'avais besoin d'un esclave.

—Ce n'est pas commun de choisir son esclave dans une arène !

—Logique, je voulais un serviteur hors du commun, dit Marcus.

Un petit sourire au coin des lèvres, il soutint le regard gris de son interlocuteur, qui ne baissa pas le sien.

—Je ne voulais pas d'un serviteur qui ressemble à Stephanos ; il a été esclave toute sa vie et n'est rien de plus, désormais.

(Curieuse conversation, sans doute, entre un maître et son esclave, mais ni l'un ni l'autre ne s'en rendaient compte.)

—Je ne suis esclave que depuis deux ans.

—Et avant, tu étais un guerrier… Comment t'appelles-tu ?

—Esca, fils de Cunoval, de la tribu des Brigantes aux boucliers de guerre bleus.

—Et moi, je suis… enfin, j'étais centurion des auxiliaires dans la 2e légion, annonça Marcus, sans savoir très bien pourquoi il précisait cela, sinon parce qu'il en ressentait la nécessité.

Le Romain et le Breton se faisaient face sous la lueur de la lampe, ils semblaient se défier. Puis Esca étendit le bras comme par réflexe, et toucha la banquette sur laquelle Marcus était étendu.

—Je suis au courant. La vieille bique, là, Stephanos, me l'a dit. Il m'a aussi appris que mon maître avait été blessé. J'en suis navré.

—Merci.

Esca regarda sa main, puis Marcus.

—J'aurais pu m'échapper, en venant ici, affirma-t-il. La vieille bique n'aurait pas pu me ramener si j'avais voulu prendre la poudre d'escampette. Cependant, j'ai choisi de l'accompagner parce que, dans mon cœur, je pensais que ce serait peut-être vers toi qu'il me conduisait.

—Et si ce n'avait pas été le cas ?

—Je me serais évadé plus tard. Je me serais réfugié dans la forêt, où mon oreille ne m'aurait pas trahi. Il reste encore des tribus libres, de l'autre côté de la frontière.

Tout en parlant, il sortit de sous sa tunique grossière un petit couteau affilé, qu'il tenait avec tendresse, presque avec vénération, comme s'il s'agissait d'un être vivant.

—Ceci m'aurait aidé, expliqua-t-il.

—Et maintenant ? demanda Marcus en évitant de regarder l'arme mortelle, pourtant si proche.

Un instant, le visage d'Esca s'adoucit. Il s'avança et laissa tomber sa dague sur la table basse située près de Marcus.

—J'appartiens au centurion, dit Esca. Ma place est à ses pieds.

Esca rejoignit donc les serviteurs de la maison. Il portait la lance de Marcus. Celle-ci le désignait comme un serviteur personnel, ce qui le plaçait, dans la hiérarchie des domestiques, au-dessus des simples esclaves. Il se plaçait près de Marcus pendant les repas pour lui servir du vin, il allait chercher les affaires de son maître quand celui-ci les réclamait, les portait et les surveillait et, toutes les nuits, il dormait sur un matelas, devant sa porte. C'était un serviteur remarquable, au point que Marcus le soupçonnait d'avoir été au service de quelqu'un d'autre, avant que son oreille ne fût arrachée. Peut-être avait-il servi son père, ou un frère aîné, comme le voulait la coutume dans certaines tribus. Mais Marcus ne posait aucune question sur cette époque, il ne lui demanda pas non plus comment il avait abouti dans l'arène de Calleva. Quelque chose chez son esclave – sa réserve, sans doute – lui donnait l'impression qu'une interrogation de sa part serait ressentie comme une intrusion, et il ne voulait pas franchir la ligne rouge. Un jour, s'il le jugeait bon, Esca lui raconterait cette histoire de son propre chef. Pas dans l'immédiat.

Les semaines passèrent et, soudain, les bourgeons qui constellaient les rosiers du jardin se mirent à grossir. La vie sembla s'accélérer – premier signe avant-coureur du printemps. Lentement, très lentement, la jambe de Marcus se remettait. La douleur ne le réveillait plus la nuit chaque fois qu'il se retournait, et il pouvait clopiner à travers la maison avec une aisance accrue.

À mesure que le temps s'écoulait, il prit l'habitude de laisser sa canne de côté. À la place, il préférait s'appuyer sur l'épaule d'Esca. Il n'y avait rien que de très naturel à cela, aussi Marcus ne s'en rendit presque pas compte. Il se comportait de moins en moins comme un maître et de plus en plus comme un ami.

Cet hiver-là, les loups causèrent de vives inquiétudes dans la région. La faim qui tenaillait ces bêtes sauvages les avait chassées jusque sous les murs de Calleva. Souvent, la nuit, Marcus entendait leur long hurlement plaintif. Aussitôt, tous les chiens de la ville étaient pris d'une frénésie d'aboiements où la colère et l'attente se mêlaient à parts égales. Leurs cris tenaient autant de l'intimidation à l'égard d'un ennemi que de la réponse à l'appel d'un semblable.

Dans les fermes situées aux abords de la forêt, des troupeaux de moutons furent attaqués. À la suite de ces incidents, les hommes montèrent la garde toutes les nuits. Dans un village situé à quelques jets de pierre, un cheval fut tué, dans un autre, un bébé fut emporté.

Un jour, Marcus envoya Esca en ville. L'esclave en revint avec des nouvelles fraîches. Une grande battue au loup serait organisée le lendemain. C'étaient les fermiers qui, au début, avaient pris l'initiative : ils voulaient sauver leurs troupeaux. Des chasseurs professionnels les avaient rejoints. Quelques jeunes officiers du camp de transit, qui avaient un jour de permission, avaient suivi le mouvement. À présent, il semblait que la moitié de la ville fût prête à agir pour en finir avec cette menace. Esca rapporta en détail les faits à son maître et lui indiqua le lieu où les chasseurs s'étaient donné rendez-vous, deux heures avant le lever du soleil. Il lui apprit même où les hommes placeraient les pièges, avec les chiens et les torches. Marcus reposa la ceinture qu'il était en train de raccommoder pour mieux écouter son esclave : il était aussi avide d'entendre ces précisions que le jeune homme de les donner.

Plus Marcus écoutait, plus il avait envie de participer à la chasse et de sentir de nouveau la sève couler dans ses jambes, et il savait que son esclave partageait le même désir. Il savait aussi qu'il n'était pas question qu'il allât chasser. Il n'était pas en état de le faire, mais pourquoi en aurait-il privé le Breton ?

— Esca, dit-il tout à trac, quand l'esclave eut achevé son récit, je pense que ce serait une bonne chose si tu te joignais à la battue.

Un espoir fou illumina le visage du jeune Breton. Mais il répondit :

— Cela voudrait dire que le centurion passerait un jour et une nuit sans moi.

—Je me débrouillerai, affirma Marcus. Je demanderai à mon oncle de me prêter Stephanos. Par contre, pour les lances, comment vas-tu faire ? J'ai laissé les miennes à mon successeur, à Isca ; sinon, j'aurais pu te les prêter…

—Si mon maître est sûr — absolument sûr — qu'il peut se passer de moi, je sais où je pourrai en emprunter.

—Très bien. Alors vas-y maintenant.

Esca alla donc emprunter les lances dont il avait besoin et, quelques heures plus tard, dans la pénombre de la nuit, Marcus l'entendit les reprendre dans le coin où il les avait déposées. Il se releva sur son coude et, s'adressant à l'obscurité, il demanda :

—Tu t'en vas ?

Un bruit de pas furtifs et un léger mouvement lui signalèrent que le jeune homme était debout à ses côtés.

—Oui, si le centurion est toujours certain — absolument certain que…

—Je suis absolument certain. Va et tue ton loup.

—J'aimerais de tout mon cœur que le centurion soit des nôtres, dit Esca avec chaleur.

—Peut-être une autre année…, murmura Marcus d'une voix ensommeillée. Bonne chasse, Esca.

Pendant un bref instant, une forme sombre apparut dans l'obs - curité moins dense de l'embrasure de la porte. Puis elle disparut, et Marcus l'entendit s'éloigner. Il n'était plus le moins du monde endormi, et il suivit les bruits de pas discrets le long de la colonnade, jusqu'à ce qu'ils s'éteignent tout à fait.

Le lendemain, dans la grisaille de l'aube, Marcus entendit de nou- veau un bruit de pas. Il lui sembla qu'il était moins léger que la veille. Sans doute la fatigue… Soudain, une forme sombre se détacha à l'en- trée de la chambre.

—Esca! Comment ça s'est passé?

—La chasse a été bonne, annonça le Breton.

Il reposa ses lances, qui émirent un petit cliquetis en heurtant le mur. Puis il s'approcha du lit de Marcus, et le jeune homme vit une forme lovée dans le creux des bras de l'esclave, sous le manteau rêche.

—J'ai ramené les fruits de ma chasse au centurion, déclara Esca.

Il déposa son cadeau sur la couverture. Le cadeau était vivant. Dérangé, il geignit. Doucement, la main de Marcus s'aventura dans la fourrure chaude et palpitante.

—Un louveteau! C'est ça, Esca?

Le jeune homme sentit que l'animal, sans lui faire mal, le griffait et lui donnait de petits coups de museau. Esca s'était écarté pour se débarrasser de ses armes. Il approcha le flambeau. La petite flamme vacilla, s'éleva de nouveau, puis se stabilisa. Et, dans ce halo de lumière jaune, Marcus vit un bébé loup au pelage gris. Surpris par l'éclairage inattendu, l'animal essaya de se mettre debout. Il avança le museau comme n'importe quel jeune animal, intrigué par la main de Marcus.

Esca revint vers le lit et y posa un genou. C'est alors que son maître surprit dans ses yeux un regard d'une vivacité et d'un éclat qu'il n'avait jamais vus auparavant. Il se demanda, étonné d'en être blessé, si c'était le retour à la servitude après un jour et une nuit de liberté qui expliquait cette émotion.

—Dans ma tribu, quand une louve qui vient de mettre bas est tuée, il arrive qu'on prenne ses petits et qu'on les mêle aux chiens, expliqua Esca. À condition qu'ils soient comme celui-ci, tout petits car ils n'ont pas encore de souvenirs à cet âge. Il faut que ce soit leur maître qui leur donne leur premier morceau de viande.

—Il a faim, là? demanda Marcus en sentant l'animal qui reniflait et mordillait sa paume.

—Non, non, il vient de se gaver de lait et de restes. Sassticca ne s'apercevra de rien. Regarde, il dort déjà à moitié. C'est pour ça qu'il est aussi calme.

Les deux hommes se regardèrent. Ils riaient presque, mais une expression étrange s'attardait dans les yeux d'Esca. Le louveteau se lova en grognant dans le creux chaud de l'épaule de Marcus, et il ne bougea plus. Son haleine sentait l'oignon, comme celle d'un chiot.

—Comment l'as-tu trouvé ? demanda le centurion.

—Nous avons tué une femelle. Ses mamelles étaient gonflées. Deux chasseurs et moi sommes donc partis à la recherche des louveteaux. Ils ont tué le·reste de la portée, ces crétins du Sud. Mais, celui-ci, je l'ai sauvé. Son père est venu. Ce sont de bons pères, les loups, toujours prêts à défendre leurs petits. Et le combat fut rude — oh, oui ! très rude !

—Tu as pris un risque énorme, protesta Marcus.

Il était à la fois touché et furieux qu'Esca ait risqué sa vie. Le jeune homme savait pertinemment le danger qu'il courait en dérobant un louveteau dont le père était toujours vivant…

—Tu n'aurais pas dû ! insista le Romain.

Le Breton se raidit d'un coup.

—J'oubliais que je risquais le bien de mon maître, dit-il d'une voix aussi pesante et dure que la pierre.

—Ne sois pas idiot, rétorqua aussitôt Marcus. Tu sais très bien que ce n'est pas ce que je voulais dire.

Un long silence s'ensuivit. Les deux hommes se fixèrent. Toute trace de gaieté avait disparu de leurs visages.

—Dis-moi ce qui s'est passé, Esca, exigea Marcus.

—Il ne s'est rien passé.

—Tu mens. Quelqu'un t'a blessé ou…

Marcus laissa sa phrase en suspens. L'autre garda le silence, buté.

—Esca, je veux une réponse.

L'esclave bougea légèrement et sa méfiance sembla se dissiper quelque peu.

—C'était ma faute, finit-il par lâcher, comme si chaque mot lui plongeait un poignard dans le cœur. Parmi les chasseurs, il y avait un jeune tribun, Placidus, qui venait du camp de transit, où sont en garnison les futures troupes d'Eburacum. C'est un très beau jeune homme et un redoutable chasseur, bien qu'il soit frêle comme une fille. Il faisait partie de ceux qui ont attaqué la tanière. Quand tout a été fini — je nettoyais ma lance — il a éclaté de rire et m'a lancé : «Joli coup...» Puis, il a vu mon oreille et il a ajouté : «... pour un esclave.» J'étais énervé, ma langue s'est agitée sans que je le veuille, et j'ai dit : «Je suis le serviteur du centurion Marcus Flavius Aquila. Y a-t-il une raison pour que je sois moins bon chasseur que le tribun?»

Esca s'interrompit un instant, le temps de reprendre son souffle.

—«Aucune, m'a répondu le tribun. Mais du moins puis-je risquer ma vie comme je l'entends. Toi, ton maître t'a acheté, et il ne te remerciera pas quand tu ne seras plus qu'une carcasse qu'il ne pourra même pas revendre à un équarrisseur. Souviens-toi de ça, la prochaine fois que tu te jetteras dans la gueule du loup!» Et il s'est mis à sourire — encore maintenant, son sourire me fait des nœuds dans l'estomac...

Esca avait parlé sur un ton monocorde et désespéré. Il semblait réciter une leçon pénible, apprise par cœur. En l'écoutant, Marcus se sentit plein de colère contre le tribun inconnu, et cette colère lui permit de comprendre certaines choses.

Brusquement, il étendit son bras libre et agrippa la main de son interlocuteur.

—Esca, t'ai-je jamais laissé croire, par mes paroles ou par mes actes, que je partageais le mépris qu'a ce soldat encore vert pour les esclaves?

Le Breton secoua la tête. La méfiance l'avait quitté, la colère et la dureté, sinon la conscience de l'offense qui lui avait été faite, avaient disparu de son visage.

—Oh, non! Le centurion est bien différent du tribun Placidus, dit-il avec fougue. Il ne sort pas son fouet sans nécessité pour frapper son chien.

Marcus accusa le choc. Il était vexé et furieux, et il sentit qu'il perdait son calme.

—Assez, avec ce tribun Placidus! s'exclama-t-il. Son nom est-il tellement plus important à tes yeux que le mien? Est-ce qu'à cause de lui, tu dois te mettre à me parler de chien et de fouet? Au nom de la Lumière! Dois-je t'expliquer en long, en large et en travers que, à mes yeux, une oreille découpée ne marque pas la frontière entre les humains et les animaux? Ne te l'ai-je pas montré assez clairement, depuis le temps? Quand je te parle, je ne me demande pas si tu es un esclave ou un homme libre, un semblable ou un inférieur. Mais toi, tu es trop fier pour m'imiter! Trop fier, tu m'entends? Et maintenant…

Emporté par son exaspération, il s'était agité, oubliant le louveteau qui dormait près de lui. Soudain, sa colère s'évanouit telle une bulle de savon qui éclate, et il porta son pouce qui saignait à sa bouche.

—Et maintenant, reprit-il, encore furieux mais riant presque, ton cadeau m'a mordu. Par Mithra! Sa bouche est pleine de dagues!

—Alors je valais bien quelques sesterces…, conclut Esca.

Les deux hommes éclatèrent de rire, sans que rien ne justifiât vraiment cet accès de gaieté, sinon le soulagement de faire fondre, à la chaleur de cette complicité retrouvée, la glace qui les avait un moment séparés.

Et, pendant ce temps, le petit louveteau gris, sauvage, étonné et très ensommeillé, profita de l'accalmie pour se pelotonner sur la couverture bigarrée.

L'apparition soudaine d'un louveteau dans la maisonnée suscita des réactions variées. Lors de leur première rencontre, Procyon fut circonspect. Le louveteau sentait le loup, les terres lointaines, et le grand chien rôda autour de lui, très raide, les poils du cou légèrement hérissés, alors que le nouveau venu se tenait sur ses pattes de derrière comme un crapaud poilu et agressif, les oreilles couchées, le museau plissé pour sa première tentative de grondement féroce.

C'est à peine si l'oncle Aquila remarqua l'arrivée de l'animal. Pour le moment, toute son attention était tournée vers le siège de Jérusalem. Marcipor, l'esclave chargé du ménage, et Stephanos observèrent l'intrus de biais. À quoi bon s'embarrasser d'un loup qui finirait par s'en aller errer loin de la maison ?

Sassticca, contre toute attente, se révéla une alliée de premier ordre. Dans la cuisine, les mains sur les hanches, elle interpella les esclaves d'une voix vibrante : pour qui se prenaient-ils, non mais ? De quel droit osaient-ils donner des leçons au jeune maître ? Il pouvait bien avoir une meute de louveteaux, si cela lui chantait, c'était son droit le plus absolu ! Elle repartit cuisiner, au comble de l'indignation, et apporta peu après à Marcus trois gâteaux au miel dans une serviette, et une tasse ébréchée, décorée d'une scène de chasse, pour servir d'écuelle au petit loup.

Le jeune homme avait entendu sa diatribe – Sassticca avait une voix qui portait ! Il accepta donc ses présents avec gratitude et, dès qu'elle eut tourné le dos, il partagea les gâteaux avec Esca. La grande servante l'agaçait beaucoup moins qu'au début de son séjour à Calleva !

Quelques jours plus tard, Esca se confia enfin à Marcus.

Les jeunes gens étaient aux thermes, en train de se sécher après un bain froid. Les moments que Marcus passait là-bas chaque jour comptaient parmi les meilleurs de sa journée. Le bassin était assez grand pour pouvoir barboter et même nager un peu. Tant qu'il était dans l'eau, Marcus oubliait sa jambe blessée. Il avait l'impression de renaître à une vie nouvelle, ce qui lui rappelait l'époque où il conduisait des chars.

Mais cette similitude était trompeuse. En réalité, les deux sensations étaient aussi proches l'une de l'autre que l'objet véritable l'est de l'ombre qu'il projette et, ce matin-là, alors qu'il se séchait, assis sur la banquette de bronze, il en eut soudain plus qu'assez de regretter les beaux jours d'antan. Il aurait voulu une fois, rien qu'une fois, retrouver l'émotion que lui procurait la vitesse de l'attelage en action, l'impression de puissance qu'il éprouvait quand il fendait l'air et que le vent chantait à ses oreilles…

À ce moment précis, comme appelé par l'intensité de ces souvenirs, un char passa derrière les thermes. Marcus se leva d'un bond.

— Ce n'est pas souvent qu'on entend passer autre chose qu'un chariot à légumes, remarqua-t-il en enfilant la tunique que lui tendait Esca.

— C'est sûrement Lucius Urbanus, le fils du commerçant, dit le Breton. Un chemin part de ses écuries et passe derrière le temple de Minerve[1].

Le char passait devant les thermes, à présent. À l'évidence, son conducteur avait des problèmes : un craquement se fit entendre, suivi d'une bordée de jurons retentissants que les jeunes gens entendirent distinctement à travers le mur.

— Il mériterait de conduire un chariot de marchandises tiré par un bœuf ! s'exclama Esca avec une mine de dégoût. Écoute-le ! Il n'est pas digne de mener des chevaux !

1. Déesse latine, équivalent de la puissante Athéna chez les Grecs.

Marcus finit de passer le beau vêtement de laine et s'empara de sa ceinture.

—Donc tu sais aussi conduire un char…, murmura-t-il.

—J'étais l'aurige de mon père, expliqua Esca. Mais c'était il y a bien longtemps…

Soudain, Marcus se rendit compte qu'il pouvait demander à Esca de lui parler de cette époque-là, quand il n'était pas esclave. Entre eux, la ligne rouge s'était déplacée. Il se rassit et désigna d'un geste rapide l'autre bout de la banquette pour inviter le Breton à s'asseoir lui aussi. Puis il demanda :

—Comment l'aurige de son père a-t-il pu se retrouver gladiateur dans l'arène de Calleva ?

Esca prit le temps de boucler soigneusement sa propre ceinture. Ensuite, il s'assit, les bras autour d'un de ses genoux relevé, les yeux baissés. Enfin, il parla :

—Mon père était le chef du clan des Brigantes. Il avait cinq cents lanciers sous ses ordres. J'étais son porte-bouclier avant d'être un véritable guerrier moi-même. Dans ma tribu, les hommes le deviennent lors de leur seizième été. Environ un an après que je suis devenu un homme parmi les hommes — et l'aurige de mon père —, le clan s'est soulevé pour défendre sa liberté contre ceux qui voulaient nous museler. Nous avons été la bête noire des légions dès qu'elles ont commencé à marcher vers le nord — nous, les hommes aux boucliers de guerre bleus. Nous nous sommes révoltés, nous avons été vaincus, submergés par le nombre dans notre place forte. Les hommes qui avaient survécu — ils n'étaient pas nombreux —, on les a vendus comme esclaves.

Il se tut et tourna sa tête vers Marcus.

—Mais je jure devant les dieux de mon peuple et devant Lugh, la Lumière du Soleil, que j'étais pratiquement mort, effondré dans la poussière, quand ils m'ont pris. Sans cela, ils ne m'auraient jamais mis la main dessus. Ils m'ont vendu à un marchand du Sud, qui m'a revendu à Beppo, ici, à Calleva… tu connais la suite.

—Tu es le seul à avoir survécu ? demanda Marcus, après un silence.

—Mon père et mes deux frères ont péri. Ma mère aussi. Mon père l'a tuée avant que les légionnaires envahissent le village. C'est elle qui le souhaitait.

Les deux hommes restèrent un long moment sans parler, avant que Marcus ne soufflât :

—Quelle histoire terrible !

—Terrible, et pourtant assez banale. Crois-tu que les choses se soient passées autrement à Isca Dumnoniorum ?

Marcus n'eut pas le temps de répondre. Esca enchaînait déjà :

—Quoi qu'il en soit, il n'est pas bon de se souvenir de tout cela. Du passé – de tout le passé –, il faut se rappeler les bons moments, et rien que ça.

Et, dans la lumière douce du soleil de mars qui tombait de la fenêtre, sans presque s'en apercevoir, Esca se mit à parler du passé à Marcus. Il lui décrivit l'entraînement des guerriers, les baignades dans la rivière, l'été, quand les moucherons tournoyaient dans l'air doré, l'énorme taureau blanc de son père, paré de coquelicots et de marguerites pour les fêtes, sa première chasse, la loutre qu'il avait apprivoisée avec son grand frère… Une anecdote en entraînait une autre, et le jeune homme en vint ainsi à raconter comment, dix ans plus tôt, alors que toute la région était à feu et à sang, il s'était caché derrière un gros rocher pour voir passer une légion qui se dirigeait vers le nord… et qui ne revint jamais.

—Je n'avais jamais rien vu de pareil, avant, expliqua-t-il. On aurait dit un serpent humain, luisant, qui sinuait entre les collines, un serpent gris, hérissé de capes et de cimiers écarlates. On rapportait des histoires bizarres sur cette légion. D'après certains, elle était sous le coup d'une malédiction. Mais elle me semblait bien plus puissante qu'une malédiction – bien plus puissante et bien plus dangereuse, aussi. Je me souviens que l'aigle de l'étendard brillait au soleil tandis qu'ils avançaient. C'était une aigle dorée, les ailes en arrière comme lorsqu'il poursuit un lièvre paniqué dans les fougères. Cependant, le brouillard cachait déjà les cimes de la lande, et l'aigle de la légion s'y est enfoncée tête la première.

Bientôt, le brouillard a entouré les soldats et s'est étendu derrière eux. Ils ont disparu, comme s'ils avaient quitté un monde pour un autre. Oui, on racontait des choses vraiment bizarres, sur cette légion…

—J'en ai entendu quelques-unes, confirma Marcus. Mon père était soldat dans cette légion. Le cimier écarlate sous l'aigle dorée, c'était lui.

7

LA RENCONTRE
DE DEUX MONDES

Deux petites marches flanquées d'un buisson de romarin et deux lauriers élancés conduisaient au jardin de l'oncle Aquila. Il était presque retourné à l'état sauvage. Aquila n'avait pas d'esclave jardinier à plein temps. Cependant, l'endroit était très joli, car il donnait sur les ruines britanniques de Calleva. Çà et là, on apercevait les pans d'une belle muraille en pierre en cours de construction. Un jour, les nouvelles fortifications atteindraient le jardin mais, pour le moment, c'étaient les vieilles parois en tourbe qui tenaient lieu de remparts. Elles étaient recouvertes en partie par les branches des arbres fruitiers. Par endroits, elles étaient même si basses qu'elles laissaient voir des hectares et des hectares de forêt. Au loin, dans le bleu-gris de l'horizon, la forêt de Spinaii laissait la place à celle d'Anderida et, encore plus loin, la forêt d'Anderida se jetait presque dans la mer.

Marcus était resté tout l'hiver enfermé entre quatre murs. Le jardin lui apparut donc comme un lieu merveilleux, gigantesque, lumineux, quand il s'y rendit pour la première fois. Esca s'était absenté pour faire une course, le jeune Romain s'allongea sur le banc de marbre gris de Purbeck, sous les arbres fruitiers sauvages, les bras sous la tête, les yeux plissés sous l'éblouissante clarté, fixant les hauteurs azurées des cieux qui paraissaient incroyablement hautes après des mois passés sous les solives du toit. Quelque part dans la forêt, située en contrebas, des oiseaux chantaient, avec une ardeur neuve et printanière. Marcus se laissa emporter par cette vague de sensations : l'immensité, la lumière et le chant des oiseaux.

Le louveteau était roulé en boule tout près de lui. Marcus l'observa. Il était difficile de réaliser quel petit enragé il pouvait être, malgré ses dents de lait, quand on le voyait ainsi couché près de son écuelle, les oreilles basses… Il se remit au travail. Le jeune soldat était de ces gens qui sont incapables de rester ne fût-ce qu'un moment sans rien faire de leurs mains — même réduire un bout de bois en copeaux. D'autant que l'artisan qui vivait en lui éprouvait le besoin de s'exprimer. S'il n'avait pas été blessé, il aurait consacré son goût du travail à faire de sa cohorte une cohorte efficace, où les soldats se sentaient bien. En l'état actuel des choses, il avait dû se tourner vers le nettoyage et la rénovation des armes celtiques, seuls ornements que son oncle tolérât sur les murs de sa maison.

Aujourd'hui, il avait apporté avec lui le joyau de la petite collection : un bouclier léger de cavalerie, en cuir de taureau recouvert de bronze. Au milieu, le renflement était finement émaillé de rouge. Mais les lanières de cuir devaient déjà être dans un état lamentable quand Aquila avait acquis l'objet. À présent, elles étaient aussi minces que du papyrus, et prêtes à se déchirer. Il disposa à côté de lui ses outils et les nouvelles lanières de cuir qu'il avait découpées.

Puis il entreprit d'ôter les vieilles. C'était une tâche délicate. Il ne leva pas le nez tant qu'il ne l'eut pas achevée.

Quand il se retourna pour déposer les lanières usées à côté de lui, il s'aperçut qu'il n'était plus seul avec le louveteau.

Au milieu des arbres fruitiers, là où une branche s'abaissait jusqu'aux vieux remparts britanniques, se tenait une jeune fille. La nouvelle venue le fixait avec curiosité. Elle était vêtue d'une tunique délavée, couleur safran, et semblait, ainsi vêtue, droite et brillante comme la flamme d'une bougie. D'une main, elle retenait sa chevelure abondante, rouge comme l'ambre de la Baltique, que la brise légère faisait danser autour de son visage.

Ils se regardèrent un moment en silence. Ce fut la fille qui parla la première, dans un latin clair et appliqué :

—J'attends depuis des siècles que tu lèves les yeux.

—Désolé, dit Marcus d'un ton sec. J'étais occupé avec ce bouclier.

La jeune Britannique s'avança d'un pas :

—Je peux voir ton louveteau ? Je n'ai encore jamais vu de louveteau apprivoisé…

Cela fit sourire Marcus, qui abaissa aussitôt toutes ses défenses — ainsi que le bouclier sur lequel il travaillait.

—Bien sûr. Tiens, le voilà.

Posant un pied à terre, il se pencha et attrapa le louveteau endormi par la peau du cou au moment où la fille le rejoignait. Le petit loup n'était pas plus féroce que la plupart des chiots, sauf quand on le harcelait, mais il était grand et fort pour son âge, et Marcus ne voulait prendre aucun risque. Il déposa le petit animal à ses pieds, une main sur son poitrail encore maigre.

—Fais attention, il n'a pas l'habitude des gens qu'il ne connaît pas.

La jeune fille lui sourit à son tour et s'assit sur ses talons. Elle approcha lentement ses mains de l'animal.

—Je ne veux pas qu'il prenne peur, souffla-t-elle.

Le louveteau commença par reculer contre Marcus, les oreilles basses, le poil frémissant.

Puis, peu à peu, il parut changer d'avis. Sur le qui-vive, prêt à bondir en arrière ou à mordre au moindre signe de danger, il entreprit de renifler les doigts de l'inconnue.

La jeune fille ne bougea pas, pour qu'il pût sentir ses mains à sa guise.

—Comment s'appelle-t-il? demanda-t-elle.

—Loupiot, répondit Marcus.

—Loupiot…, appela-t-elle. Ouh ouh, Loupiot…

Il gronda et se pressa contre la main de Marcus. La jeune fille le caressa juste en dessous du menton, avec un doigt.

—Tu vois, on est amis, toi et moi…

Le centurion la regarda jouer avec Loupiot. Elle devait avoir treize ans. Elle était grande et mince. Son visage anguleux était large au niveau des tempes et se rétrécissait vers le menton. La forme de ce visage, associée à la couleur de ses yeux et de ses cheveux, lui donnait un petit air de renarde. Il savait qu'il l'avait déjà vue auparavant, mais il n'arrivait pas à se souvenir quand.

—Comment savais-tu que Loupiot était ici?

La jeune fille leva les yeux vers Marcus.

—C'est Narcissa, ma gouvernante, qui me l'a dit, il y a une bonne lune de ça! Au début, je ne le croyais pas. Narcissa raconte si souvent des histoires à dormir debout… Mais hier, j'ai entendu un esclave crier, de ce côté-ci du mur : «Oh, bon à rien! Voilà que tu as enfoncé tes dents de loup dans mon orteil!» Et un autre a répondu : «Fassent les dieux qu'il ne tombe pas malade…» C'est comme ça que j'ai compris que Narcissa avait dit vrai.

Son imitation d'Esca et Marcipor était parfaite, si bien que Marcus éclata de rire.

—Et j'avais raison! s'exclama la jeune fille en riant à son tour, dévoilant de petites dents pointues, aussi blanches et aiguisées que celles du louveteau. Enfin une histoire de Narcissa qui était vraie! Je ne croyais pas que ça arriverait un jour…

Leur rire sembla ouvrir une porte : Marcus se rappela soudain où il l'avait déjà vue. Il n'avait jamais éprouvé un grand intérêt pour Kaeso et Valaria – au point d'oublier qu'ils habitaient la porte à côté. Et, bien que la vue de la jeune fille au cirque l'eût marqué, il l'avait effacée de sa mémoire, car Esca avait fait immédiatement après son entrée dans l'arène. À présent, cet épisode lui revenait.

— Je t'ai vue aux Saturnales, dit-il. Mais tes cheveux étaient cachés sous ton manteau. Voilà pourquoi je ne t'ai pas reconnue tout de suite !

— Moi, je t'ai reconnu tout de suite, rétorqua la jeune fille.

Loupiot était parti poursuivre un scarabée. Elle l'avait laissé filer, s'était assise par terre et avait posé ses mains sur ses genoux.

— Nissa m'a appris que tu avais acheté le gladiateur, souffla-t-elle. J'aurais bien aimé que tu aies acheté l'ours, aussi.

— Tu as beaucoup souffert de ce qui lui est arrivé, n'est-ce pas ?

— C'était tellement cruel ! Tuer un animal à la chasse, c'est une chose ; mais lui ôter la liberté, le mettre en cage et le tuer…

— Tu le plaignais parce qu'il était en cage ? Ou parce qu'il était condamné à mort ?

— Je n'aime pas les cages, reconnut la jeune fille d'une petite voix tranchante. Ni les filets. Je suis très contente que tu aies acheté ce gladiateur.

Un petit vent frais s'était levé, faisant frissonner les hautes herbes, caressant les boutons sur les poiriers et les cerisiers sauvages. La jeune fille frissonna. Marcus s'aperçut que sa tunique jaune était faite d'une laine très fine. Même ici, à l'abri des vieilles murailles, on sentait que le printemps n'en était qu'à ses débuts.

— Tu as froid, constata-t-il en prenant le vieux manteau militaire qu'il avait étendu sur le banc. Mets ça.

— Tu n'en as pas besoin ?

— Non. J'ai une tunique un peu plus épaisse que le papyrus qui te sert de vêtement ! Bien. Et maintenant, viens t'asseoir sur le banc.

Elle lui obéit aussitôt et passa le manteau autour de ses épaules. Ce faisant, elle observa les plis brillants, puis regarda Marcus.

—C'est ton manteau de soldat. Il ressemble à ceux que portent les centurions du camp de transit.

Le jeune homme lui adressa un salut moqueur :

—Centurion Marcus Flavius Aquila, ex-centurion de la 4ᵉ cohorte des auxiliaires gaulois affectée à la 2ᵉ légion... Pour vous servir !

La fille le regarda en silence un moment. Puis elle dit :

—Je suis au courant. Tu as encore mal à la jambe ?

—Parfois. C'est Nissa qui t'a raconté ça aussi ?

Elle acquiesça.

—Elle en sait des choses !

—Oh, les esclaves..., lâcha la jeune Britannique avec une moue de dédain. Ils passent leur temps sur le pas de la porte et papotent comme des pies. À ce petit jeu-là, Nissa est imbattable !

Marcus rit. Un bref silence retomba.

—Je t'ai dit mon nom, mais tu ne m'as pas dit le tien, fit observer Marcus.

—Ma tante et mon oncle m'appellent Camilla, mais mon vrai nom est Cottia. Ils aiment que tout soit très romain, tu comprends...

Donc, comme il l'avait imaginé, la jeune fille n'était pas la fille de Kaeso.

—Et toi, tu n'es pas très romaine ? reprit-il.

—Moi ? Je suis d'Iceni ! Ma tante Valaria aussi, même si elle aimerait l'oublier.

—Un jour, j'ai conduit un attelage de char qui venait des écuries royales d'Iceni, dit Marcus, pensant que Valaria n'était peut-être pas un sujet de conversation très sûr.

Le visage de Cottia s'éclaira d'une vive lueur d'intérêt.

—C'est vrai ? Les chevaux étaient à toi ? C'étaient des pur-sang ?

—Les chevaux ne m'appartenaient pas, et j'ignore s'il s'agissait de pur-sang. Je n'ai eu la chance de les conduire qu'une fois. Mais quelle joie…

—Le grand étalon de mon père descend de Prydfirth, le cheval qu'adorait notre roi Prasutogus, dit Cottia. Nous autres, d'Iceni, nous étions éleveurs de chevaux, par décret du roi… à l'époque où nous avions un roi.

Elle hésita avant d'ajouter, d'une voix plus douce :

—Mon père est mort en dressant un jeune cheval. Voilà pourquoi je vis avec ma tante Valaria, maintenant.

—Je suis désolé… Et ta mère ?

—Oh, j'imagine que tout va bien pour elle, lâcha-t-elle comme si cela n'avait pas d'importance. Un chasseur voulait l'avoir depuis toujours. Malheureusement pour lui, les parents de ma mère l'ont accordée à mon père. Lorsqu'il est passé à l'ouest du soleil couchant, elle s'est jetée dans les bras de son soupirant. Il n'y avait pas de place pour moi dans sa maison. Il y en avait pour mon frère, bien sûr — il y a toujours de la place pour les garçons. Donc ma mère m'a donnée à tante Valaria, qui n'avait pas d'enfants.

—Pauvre Cottia, souffla Marcus avec douceur.

—Oh, non, pas pauvre Cottia ! J'ai eu de la chance, dans un sens. Je ne voulais pas habiter dans la maison du chasseur. Ce n'était pas mon père. Mais…

—Oui ?

Le visage de Cottia, très mobile, n'avait jamais autant ressemblé à un museau de renard.

—Mais je déteste aussi vivre avec ma tante, acheva-t-elle. Je déteste vivre dans cette ville pleine de lignes droites. Je déteste être enfermée entre quatre murs de brique. Je déteste qu'on m'appelle Camilla. Et je déteste — j'exècre — je ne supporte pas quand ils essaient de me faire ressembler à une petite Romaine, en oubliant qui je suis, de quelle tribu je viens, et qui était mon père!

Marcus sentait qu'il n'allait pas apprécier Valaria…

—Si ça peut te consoler, je t'assure qu'ils sont loin d'avoir réussi leur coup, jusqu'à présent!

—Aucun risque : je ne les laisserai pas faire. Je fais semblant. Je leur donne l'illusion. Je leur réponds quand ils m'appellent Camilla. Je leur parle en latin. Mais, même dans ma tunique, je sais que je suis d'Iceni et, quand je me déshabille, le soir, je me dis : «Ah! Ça y est! Je suis débarrassée de Rome jusqu'à demain matin!» Et je me couche, et je pense encore et encore à ma maison, aux mésanges des marais qui descendaient du Nord à l'automne, aux juments avec leurs poulains qui couraient dans les prés de mon père… Je me rappelle tout ce que je suis censée oublier et, en moi-même, je me parle dans ma langue.

Soudain, elle s'arrêta, stupéfaite.

—Mais… mais nous parlons dans ma langue! Depuis quand?

—Depuis que tu m'as dit que ton vrai nom était Cottia.

La jeune fille hocha la tête. Elle ne trouvait pas étrange qu'un Romain comprenne et parle son dialecte — Marcus non plus, d'ailleurs. Pour le moment, il ne pensait qu'à une chose : comme lui, Cottia était en exil. Elle aussi s'aperçut de cette similitude qui les rapprochait. Et, avec délicatesse et timidité — était-ce pour rendre palpable cette émotion? –, elle serra un peu plus les pans écarlates de la cape de Marcus autour d'elle.

—J'aime bien être dans ton manteau, dit-elle. J'y suis au chaud, et j'ai l'impression d'y être en sécurité. J'imagine que c'est ce que ressent un oiseau blotti dans ses ailes.

De l'autre côté du mur, une voix s'éleva, stridente comme un cri d'oiseau juste avant la pluie.

—Camilla! Petite coccinelle! Ouh-ouh, mademoiselle Camilla!

Cottia soupira, agacée :

—C'est Nissa. Il faut que j'y aille.

Mais elle ne bougea pas.

De nouveau, la voix s'éleva, plus proche cette fois :

—Camilla !

—Hum, je crois que c'est encore la douce voix de Nissa, suggéra Marcus.

—Oui, oui… Il faut vraiment que j'y aille.

Elle se leva à regret et ôta le lourd manteau. Pourtant, elle ne s'en alla pas tout de suite.

—Laisse-moi revenir. S'il te plaît. Tu n'es pas obligé de me parler ni de t'occuper de moi. Tu pourras faire comme si je n'étais pas là, et…

—Ouh ouh ! s'impatientait Nissa. Où êtes-vous donc passée, enfant de Typhon[1] ?

—Reviens quand tu veux, dit Marcus. J'en serai ravi.

—Je reviendrai demain, promit Cottia avant de bondir sur les vieux remparts, droite et fière comme une reine.

«La plupart des femmes britanniques ont cette dignité-là», songea Marcus en regardant partir sa petite voisine. Il repensait à Guinhumara qu'il avait vue sur le pas de sa hutte, à Isca Dumnoniorum. Que lui était-il arrivé, à elle et à son bébé brun, après la mort de Cradoc, quand les huttes avaient été brûlées et les champs salés ? Il ne le saurait jamais.

Marcus entendit des pas s'approcher de lui dans l'herbe. Il tourna la tête et vit Esca se diriger vers lui.

—Mon maître a eu de la compagnie, dit l'esclave en posant sa lance pour s'incliner devant Marcus.

---

1. Monstre de la mythologie grecque au corps ailé recouvert d'écailles.

—Oui, confirma-t-il. Une compagnie bien informée : il semblerait que sa gouvernante lui ait fait un récit circonstancié — et exact — de ma vie…

Il écouta les cris de Nissa s'éloigner.

—Si j'en crois mes oreilles, la demoiselle semble insensible à la réprimande, observa Esca. Autant gourmander une lance en plein vol !

Marcus s'allongea, les mains sous la nuque, et regarda son esclave.

Il pensait encore à Guinhumara et à son enfant, en même temps qu'à Cottia.

—Esca, pourquoi toutes les tribus de la frontière nous en veulent-elles tant ? Les tribus du Sud se sont habituées à notre présence plus facilement…

—Nous avons nos coutumes, expliqua le Breton en appuyant un genou sur le banc. Les tribus du Sud ont perdu leurs traditions avant même que les aigles ne viennent envahir notre île. Elles les ont vendues contre ce que les Romains leur proposaient. Les Romains leur ont graissé la patte et le cœur, et leurs âmes sont devenues paresseuses.

—Pourtant, ce que Rome a apporté n'était pas si mauvais que cela ! s'étonna Marcus. La justice et l'ordre, de belles routes… ce n'est pas négligeable !

—Ce sont de belles choses, reconnut Esca. Mais le prix à payer était trop élevé.

—Le prix ? Tu veux dire la liberté ?

—Oui. Entre autres. Pas seulement.

—Quelles autres choses ? Dis-le-moi, Esca. Je veux savoir. Je veux comprendre.

Esca réfléchit un instant, regardant droit devant lui. Puis il se décida :

—Tu as vu le dessin, sur le fourreau de ta dague ? Il y a une spirale ; en face, il y en a une autre dans l'autre sens, pour équilibrer. Entre les deux, il y a une petite fleur ronde. Ce motif est répété partout, là, là, et encore là. C'est magnifique, d'accord mais, pour moi, c'est aussi obscur qu'une nuit sans lune.

Marcus acquiesça quand l'autre lui jeta un coup d'œil interrogateur.

—Continue, dit-il.

Esca prit le bouclier que Marcus avait reposé à l'arrivée de Cottia.

—Maintenant, observe ce bouclier. Là, les spirales sont larges, généreuses, elles se mêlent les unes aux autres, comme l'eau se mêle à l'eau, et le vent au vent. Elles sont prises dans un mouvement perpétuel, comme les étoiles qui tournent dans les cieux et le vent qui court sur la dune. Ce sont les spirales de la vie. L'homme qui les a tracées savait des secrets dont les tiens ont perdu la clef — si jamais ils l'ont eue…

L'esclave fixa de nouveau Marcus avec franchise.

—Tu ne peux pas t'attendre à ce que l'homme qui a fabriqué ce bouclier se soumette sans difficulté à l'homme qui a dessiné ce fourreau.

—Le fourreau a été fait par un artisan britannique, objecta Marcus. Je l'ai acheté à Anderida en débarquant.

—Il a peut-être été fait par un artisan britannique, mais ce motif est romain. Ton artisan a vécu si longtemps à l'ombre de l'Empire — lui et ses ancêtres avant lui — qu'il a oublié les coutumes et l'esprit de son propre peuple.

Esca reposa le bouclier et poursuivit :

—Vous édifiez des murs de pierre ; vous construisez des routes bien droites ; vous rendez la justice, et vos troupes sont disciplinées. Nous le savons. Nous ne le savons que trop bien. Nous savons que votre justice est plus fiable que la nôtre. Nous savons que, lorsque nous nous soulevons contre vous, nos assauts se brisent contre vos troupes parfaitement organisées, comme la mer se brise contre un rocher. Et nous ne le comprenons pas, parce que tout ce que vous apportez tient dans des motifs à angle droit; or, pour nous, seules les courbes libres et enchevêtrées du bouclier sont réelles. Non, nous ne vous comprenons pas. Et, quand enfin nous parvenons à comprendre votre manière de vivre et de penser, trop souvent nous oublions la nôtre…

Ils restèrent silencieux un moment, regardant Loupiot chasser les scarabées. Puis Marcus dit :

— Quand je suis parti de chez moi, il y a un an et demi, tout me paraissait si simple…

Son regard s'arrêta sur le bouclier posé sur le banc à côté de lui. Il admira ses motifs avec des yeux neufs. Esca avait eu raison de choisir ce symbole. Entre le motif net et précis de son fourreau et le foisonnement puissant et beau du bouclier était concentré tout ce qui séparait les deux mondes. Et pourtant, parfois, entre certains individus – entre Esca et Marcus, et entre Marcus et Cottia, par exemple –, la fracture se réduisait. De sorte qu'on pouvait franchir le fossé pour aller vers l'autre, et la ligne de démarcation était oubliée.

8
LE GUÉRISSEUR AU COUTEAU

Marcus avait dit : « Reviens quand tu veux », et Cottia avait répondu : « Je viendrai demain. » Mais les choses, en réalité, s'étaient révélées plus compliquées.

Kaeso n'avait pas fait de grandes difficultés. C'était un homme agréable et facile à vivre, qui aspirait à avoir d'excellentes relations avec le neveu d'un magistrat romain. Mais Valaria était obsédée par les convenances. Elle voulait se tenir en tout point aux us et coutumes de ce qu'elle appelait la société civilisée. Or, elle en était sûre et certaine, il n'était point de mise que les vraies jeunes filles romaines pénétrassent dans les jardins d'autrui, ni qu'elles nouassent des liens d'amitié avec les parfaits inconnus (ou presque) qu'elles rencontraient à cette occasion. D'autant qu'Aquila ne s'était jamais montré particulièrement amical à son égard…

Marcus ignorait le fin mot de cette affaire. Ce qu'il savait, en revanche, c'est que Cottia ne vint pas le lendemain et que, le jour suivant, elle ne vint pas non plus.

Et il la comprenait. Du moins le croyait-il. Elle était venue voir Loupiot. Elle l'avait vu. Pourquoi serait-elle revenue ? Il s'était imaginé qu'elle voulait être son amie. Apparemment, il s'était trompé.

Ce n'était pas si grave que ça… Il se promit donc de ne plus l'attendre.

Aussi fut-il stupéfait, le surlendemain, de l'entendre appeler, d'une voix douce et pressante à la fois. Il leva la tête de la lance qu'il était en train de polir et il la vit, comme la fois précédente, au milieu des arbres fruitiers.

—Marcus! Je suis désolée, Marcus…, débita-t-elle, le souffle court. Je n'ai pas pu échapper à Nissa avant… Je n'ai plus le droit de revenir.

—Mais pourquoi? demanda le jeune homme en reposant sa lance.

—Parce que…

Elle jeta un coup d'œil derrière elle, vers le jardin de Kaeso.

—Parce que tante Valaria dit qu'une vraie jeune fille romaine n'aurait pas fait ce que j'ai fait. Normal, je ne suis pas une vraie jeune fille romaine. Et… oh, Marcus, je t'en prie, arrange-toi pour qu'elle me laisse revenir! S'il te plaît!

Tout en parlant, elle dansait sur place, prête à reprendre son vol. Le jeune homme sentit que ce n'était pas le moment d'entrer dans de longues explications.

—Je m'en charge, promit-il en lui adressant un geste comique d'obéissance, la paume contre le front. Ta tante finira par céder. Mais cela prendra peut-être du temps… Pour le moment, file avant qu'ils ne t'attrapent!

Cottia tourna le dos et disparut. Marcus reprit son polissage. L'incident n'avait duré que le temps d'un battement d'aile et, pourtant, le jeune homme se sentait soudain plus heureux qu'il n'avait été durant trois jours.

Ce soir-là, après en avoir parlé avec Esca, il résuma toute l'histoire à Aquila.

—Et que voudrais-tu que je fasse pour t'aider? demanda celui-ci.

—Tu pourrais adresser quelques salutations de bon voisinage, la prochaine fois que tu croiseras Valaria. Je crois que ça résoudrait le problème.

—Par Jupiter! Je ne connais presque pas cette bonne femme! Pour moi, c'est l'épouse de Kaeso, donc je lui dis bonjour, mais c'est tout…

—Voilà pourquoi quelques mots aimables me semblent tout indiqués.

—Et si… si elle se mettait en tête de me rendre la politesse? s'inquiéta Aquila.

—Quoi qu'il arrive, elle ne pourra jamais venir chez toi, tu n'as pas de femme pour l'accueillir.

—C'est juste, c'est juste… Mais toi, pourquoi veux-tu que la gamine revienne?

—Oh, parce que Loupiot et elle s'entendent bien, voilà pourquoi.

—Et tu n'hésites pas à jeter ton vieil oncle aux lions pour que Loupiot ait quelqu'un avec qui jouer?

Marcus se mit à rire.

—Tu n'as qu'un lion à affronter, ou plutôt une lionne.

—C'est pire!

—J'ai besoin que tu m'aides, reprit Marcus plus sérieusement. J'irais bien plaider ma cause moi-même mais, dans les circonstances actuelles, je serais un bien piètre Persée, incapable de secourir Andromède[1]. Pour cette mission, le chef de famille est le plus indiqué.

L'oncle Aquila soupira:

—Pfff… Cette demeure était un havre de paix avant que tu ne débarques. Tu chamboules toutes mes habitudes, mais j'imagine que tu ne me laisses pas le choix…

Marcus ne sut jamais dans le détail comment son oncle se débrouilla. Aquila ne parut guère se mobiliser pour libérer Cottia. Pourtant, peu

---

1. Princesse d'Éthiopie de la mythologie qui fut sauvée par Persée d'un monstre marin.

à peu, les relations entre les deux maisons se réchauffèrent et, avant même que les bois en contrebas des remparts ne fussent totalement recouverts de vertes frondaisons, la jeune voisine était devenue une habituée de la maison d'Aquila. Elle allait et venait comme bon lui semblait – à elle et à Marcus.

Esca, d'ordinaire taciturne et réservé – sauf avec Marcus –, commença par se draper dans sa dignité d'esclave.

Mais, petit à petit, il s'amadoua autant qu'il en était capable avec d'autres humains que Marcus. Le jeune homme, entre deux éclats de rire, tyrannisait volontiers son amie. Il était ravi de sa compagnie. Il lui apprit à jouer à des jeux qu'adoraient légionnaires et gladiateurs. Il lui parlait longuement des collines étrusques qu'il aimait tant. Il s'attachait à ressusciter les décors, les sons et les odeurs et, ce faisant, il avait l'impression de s'en rapprocher, ce qui adoucissait la douleur de l'exil.

À mesure que son récit se déroulait, il pouvait presque voir la ferme étrusque depuis le faîte de la colline de Calleva où poussaient les cerisiers sauvages.

—Il y avait toujours des nuées de pigeons qui voletaient et se pavanaient dans la cour et sur les toits, expliqua-t-il. La lumière du soleil se reflétait dans les plumes de leur cou. Elle oscillait entre le vert chatoyant et le pourpre. Il y avait aussi des colombes blanches avec des pattes roses comme du corail. Quand quelqu'un entrait dans la cour, elles s'envolaient à tire-d'aile – quel remue-ménage! –, puis revenaient se poser autour de moi. À ce moment-là, notre chien, le vieil Argos, se décidait alors à surgir de sa niche en aboyant et en agitant la queue. En arrivant, on sentait toujours le délicieux fumet du dîner en train de cuire : truite de rivière grillée, poulet frit pour certaines occasions spéciales… Lorsque je revenais à la maison, le soir, après avoir été dehors toute la journée, ma mère m'attendait sur le pas de la porte, alertée par les aboiements d'Argos…

Cottia n'en avait jamais assez d'écouter Marcus raconter l'histoire de la ferme des collines étrusques. Et Marcus, qui avait toujours le mal du pays, ne se lassait pas non plus de partager avec elle ses souvenirs. Un jour, même, il lui montra son oiseau en bois d'olivier…

Quand l'été toucha à sa fin, sa jambe blessée se rappela au mauvais souvenir de Marcus. Le jeune homme s'était habitué à la douleur lancinante qui le tenaillait, de sorte qu'il ne la remarquait presque plus. Cependant, sa souffrance, par crises, se ravivait. Il ne pouvait plus l'ignorer. Ses cicatrices devenaient brûlantes, rouges et assez vilaines à voir.

Les choses allèrent en empirant jusqu'à un soir d'août particulièrement chaud. Marcus et son oncle disputaient leur partie de dames habituelle. L'atmosphère était étouffante. Il n'y avait pas un souffle d'air, même dans la cour. La journée caniculaire qui s'était écoulée avait laissé des couleurs bigarrées dans le ciel. C'était un grand ciel pur, écrasé de soleil. Les lourds parfums des roses et des cistes, plantées dans des jarres, flottaient, immobiles comme une fumée happée par le brouillard.

Marcus avait souffert toute la journée. Il avait l'impression que les fragrances entêtantes des fleurs le suffoquaient. Il avait très mal joué aux dames et en était conscient. Il n'était plus en état de faire semblant.

Il essaya de trouver une position moins pénible, puis il changea de nouveau de posture en feignant de jeter un œil sur Loupiot. L'animal, qui avait bien grandi, était allongé sur le sol, à côté de Procyon, devenu son ami.

Profitant de ce qu'Aquila observait un hochequeue sur le toit des bains, Marcus s'agita de nouveau, le plus discrètement possible.

— Tu as mal, ce soir? demanda son oncle, les yeux toujours fixés sur l'oiseau jaune qui sautillait sur les tuiles brûlantes, à la poursuite de moucherons.

—Non, ça va, mentit Marcus. Pourquoi ?

—Juste une question comme ça. Tu es sûr ?

—Sûr et certain.

Aquila détacha ses yeux de la bergeronnette et les posa sur Marcus.

—Quel menteur ! lâcha-t-il sur le ton de la conversation.

Puis, comme son neveu serrait les dents, il s'avança et abattit une main gigantesque sur le damier. Les pions s'éparpillèrent sous le choc.

—Cela n'a que trop duré ! s'exclama-t-il. Puisque ce gros imbécile d'Ulpius ne connaît pas son métier, j'ai un vieil ami qui exerce à Durinum. Lui sait y faire. Il s'appelle Rufrius Galarius. Il était chirurgien dans ma garnison. Il pourrait venir examiner ta jambe.

—Ça m'étonnerait, dit Marcus. Calleva est très loin de Durinum.

—Il viendra, rétorqua Aquila. Lui et moi, nous allions à la chasse au sanglier ensemble. Je t'assure qu'il viendra !

Et il vint, en effet, quelques jours plus tard.

Rufrius Galarius, ex-chirurgien de la 2e légion, était un Espagnol à la mâchoire bleuie par une barbe toujours naissante, à l'œil vif et au torse puissant. Ses cheveux noirs, presque bouclés, grisonnaient par endroits. Ses mains de lutteur étaient étonnamment précises et douces, comme Marcus ne tarda pas à le constater. Allongé sur son lit étroit, il laissa l'ami de son oncle examiner ses vieilles blessures.

Galarius prit tout son temps. Après quoi, il rabattit la couverture, se redressa et se mit à marcher de long en large dans la petite chambre.

—Au nom de Typhon, qui s'est occupé de toi ?

—Le chirurgien du camp d'Isca Dumnoniorum, répondit Marcus.

—Ça ne m'étonne pas ! C'est le genre de vieil incapable qui n'est pas sorti de son trou depuis vingt ans. Je suis sûr qu'il est ivre comme un muletier chaque soir depuis qu'il est en poste ! Je les connais, ces vieux praticiens décatis… Ce sont des bouchers et des assassins — tous, tous, tous !

Il émit un bruit indescriptible mais assurément très vulgaire.

—Il n'était pas toujours ivre, corrigea Marcus, essayant de son mieux de défendre le vieux bonhomme un peu ridicule dont il se souvenait avec amitié. Et il ne rechignait pas à la besogne…

—Pouah ! grogna Galarius. C'est bien dommage.

Soudain, ses manières changèrent. Il s'assit sur le bord du lit et annonça :

—Tu sais quel est le problème ? Il n'a pas fini son travail.

Marcus passa sa langue sur ses lèvres sèches.

—Vous voulez dire qu'il faut… qu'il faut tout recommencer au début ?

Son interlocuteur acquiesça :

—Tu ne seras pas soulagé tant qu'on n'aura pas rouvert la blessure pour la soigner.

—Quand… ? commença-t-il.

Il s'arrêta de lui-même, tâchant d'effacer la grimace inquiète qui, à sa grande honte, déformait son visage.

—Demain matin, trancha le médecin. Puisqu'il faut y passer, le plus tôt sera le mieux.

Il posa sa main sur l'épaule de Marcus et l'y laissa. Le jeune homme se raidit sous la poigne puissante mais amicale. Puis il poussa un profond soupir et sentit qu'il se détendait. Une esquisse de sourire éclaira son visage.

—Je m'excuse, dit-il. Je… je suis un peu fatigué.

—Pas étonnant, répondit le praticien. Tu as dû souffrir le martyre, ces derniers temps. Oh, oui ! Je m'en doute… Mais, bientôt, cette histoire sera derrière toi et ton avenir te sourira. C'est une promesse que je te fais.

Galarius resta un long moment assis sur le lit, discutant de choses et d'autres, à mille lieues de ce qui se passerait demain matin. Il évoqua le goût des huîtres de la région, les iniquités des collecteurs d'impôts de province, ses jeunes années à la frontière silurienne et ses lointaines chasses au sanglier avec Aquila.

—On était de sacrés chasseurs, ton oncle et moi. Maintenant, nous avons vieilli, nous nous sommes enfoncés dans nos habitudes… Parfois, je me dis que je devrais faire mes bagages et partir revoir du pays avant qu'il soit trop tard et que je ne sois plus capable de bouger un orteil. Malheureusement, je n'ai pas choisi le bon métier. Quand on est chirurgien, il n'est pas facile de mettre le sac au dos et de parcourir le monde. Un oculiste, ah, oui! Voilà un travail pour les disciples d'Esculape[1] qui ont la bougeotte…

Et Galarius d'enchaîner sur les aventures d'une de ses connaissances qui avait traversé l'océan Occidental et les plaines sauvages d'Hibernia quelques années plus tôt. Marcus l'écoutait distraitement, sentant que cette histoire ne le concernait pas particulièrement.

Le médecin finit par se lever. Il s'étira tant que les articulations de ses épaules de taureau craquèrent.

—Bon, lâcha-t-il, je vais aller parler de chasse avec Aquila jusqu'à ce qu'on tombe de sommeil. Toi, reste au lit et dors aussi bien que possible. Je reviendrai te voir demain matin, très tôt.

Et, après un bref signe de tête, il fit demi-tour et sortit.

Avec Galarius, Marcus eut l'impression que l'avait aussi quitté tout le courage qu'il s'était évertué à montrer. Il découvrit avec horreur qu'il frissonnait devant la douleur comme les chevaux devant l'odeur du feu. Dans son lit, son bras pressé sur les yeux, il s'exhorta au courage.

1. Dieu de la Médecine chez les Romains.

En vain. Son estomac était noué. Marcus se sentait très seul.

Soudain, il entendit un bruit. L'instant d'après, un museau froid se frottait contre son épaule. Il ouvrit les yeux et vit le museau du louveteau tout près de lui.

—Merci, Loupiot, murmura-t-il.

Il modifia un peu sa position pour prendre la tête de l'animal entre ses mains. Le petit loup posa ses pattes antérieures sur le lit en soufflant avec tendresse sur le visage de son maître. Le soleil allait bientôt disparaître tout à fait. Les dernières lueurs du jour baignaient la pièce et inondaient les murs et le plafond de flaques d'or tremblotantes. Lorsque Marcus s'en aperçut, il eut l'impression qu'une symphonie éclatait à ses oreilles. C'était la lumière de Mithra qui s'élevait dans l'obscurité.

Esca, qui avait tenté d'arrêter Loupiot, apparut dans l'embrasure de la porte. Son ombre effaça la lumière du soleil qui éclairait encore le mur.

—J'ai parlé avec Rufrius Galarius, annonça l'esclave.

—Il aura besoin d'aide demain matin. Pourras-tu lui prêter mainforte ?

—Le centurion est mon maître. Qui d'autre que moi pourrait lui rendre ce service ?

Esca s'approcha pour arranger la couverture. À cet instant, le bruit d'une échauffourée, dans la cour, leur parvint. La voix chevrotante du vieux Stephanos grondait, suivie d'un timbre de fille, clair, haut perché et décidé :

—Laisse-moi passer ! Je te préviens, si tu ne me laisses pas passer, je te mords !

Il y eut un silence qui annonçait peut-être une trêve mais, peu après ; Stephanos poussa un cri de douleur. L'adversaire de l'esclave avait mis sa menace à exécution. Marcus et Esca se regardèrent.

Ils entendirent quelqu'un courir le long de la colonnade… et une Cottia furibonde, nimbée de la lumière rouge du soleil couchant, apparut sur le pas de la porte.

Marcus se souleva sur un coude.

—Hé, petite renarde! Qu'as-tu fait à Stephanos?

—Je lui ai mordu la main, répondit-elle, d'une voix toujours aussi claire et décidée. Il voulait m'empêcher de passer.

Le chpouf-chpouf précipité des sandales du vieil esclave se rapprochait.

—Esca, au nom de la Lumière, occupe-toi de lui et empêche-le d'entrer! ordonna Marcus.

Il ne se sentait pas en état d'affronter un Stephanos indigné, à bon droit. Tandis qu'Esca sortait pour tenter de neutraliser le vieil homme, Marcus se tourna vers Cottia.

—Et toi, pourquoi es-tu ici?

Elle s'approcha, se plaça à côté de Loupiot et fixa le jeune homme d'un regard accusateur.

—Pourquoi tu ne me l'as pas dit?

—Dit quoi?

Comme s'il l'ignorait!

—Qu'il était là, le guérisseur au couteau. Je l'ai vu arriver avec sa mule et son paquetage, par la fenêtre de notre réserve, et Nissa m'a expliqué pourquoi il venait.

—Nissa a la langue trop bien pendue. Je n'avais pas l'intention de t'en parler avant que tout soit terminé.

—Tu n'as pas le droit de me faire des cachotteries! tempêta Cottia.

Brusquement, l'inquiétude perça dans sa voix:

—Qu'est-ce qu'il va te faire?

Marcus hésita un moment puis il se décida: s'il ne lâchait pas le morceau, Nissa s'en chargerait!

—Il va nettoyer ma blessure, rien de plus, affirma-t-il.

Le visage de la jeune fille sembla se crisper, et ses pommettes parurent saillir davantage quand elle demanda :

—Quand ?

—Demain matin, très tôt.

—Envoie Esca me dire quand ce sera fini.

—Galarius va m'opérer très tôt, insista Marcus. Ça m'étonnerait que tu sois réveillée à cette heure-là.

—Je serai réveillée, rétorqua Cottia. J'attendrai à l'entrée du jardin, jusqu'à la venue d'Esca. Personne ne m'en empêchera. J'ai mordu Stephanos, je peux en mordre d'autres. Si on essaye de me faire partir, je mordrai sans hésiter, même si je dois être battue après. Tu n'aimerais pas savoir qu'on m'a battue parce que tu as refusé d'envoyer Esca, n'est-ce pas, Marcus ?

Le jeune homme s'inclina.

—J'enverrai Esca te dire quand ce sera fini.

Un long silence s'ensuivit. Cottia regardait son ami, très droite.

—Je préférerais que ce soit moi, à ta place, souffla-t-elle.

C'était facile à dire, sans doute mais, en l'observant, Marcus comprit que Cottia le pensait vraiment.

—Merci, répondit-il. Je ne l'oublierai pas. Et maintenant, rentre chez toi.

Esca réapparut sur le pas de la porte. Cottia recula, obéissante.

—Je rentre, murmura-t-elle. Quand pourrai-je revenir, demain ?

—Je ne sais pas. Esca t'en informera.

Sans un mot de plus, la jeune fille sortit dans la lumière dorée. À un signe de Marcus, l'esclave la suivit et le bruit de leurs pas diminua jusqu'à s'évanouir dans la colonnade.

Marcus écouta retomber le silence. Sous sa main, il retrouva la chaleur familière que dégageait la fourrure rugueuse de Loupiot. Il sentait encore la morsure désagréable du froid, mais l'impression de solitude avait disparu. Sans qu'il comprenne tout à fait dans quelle mesure, la présence de Loupiot, d'Esca et de Cottia l'avait réconforté et encouragé pour les épreuves qui l'attendaient.

La lumière faiblissait. Dans la paix du soir, le trille d'un chant d'oiseau s'éleva — brève et triste mélodie d'automne que sifflait un rouge-gorge perché dans le poirier sauvage. Et, soudain, Marcus sut qu'il avait passé un bon été. Il avait eu le mal du pays, c'est vrai. Nuit après nuit, il avait rêvé de ses collines natales, et il s'était réveillé le cœur triste. Malgré cela, vraiment, il avait passé un bon été. Il se rappelait par exemple le jour où Loupiot avait appris à aboyer. Marcus était aussi surpris que l'animal.

— Mais les loups n'aboient pas! s'était-il exclamé.

— Quand on élève un loup avec des chiens, il les imite en tout point, lui avait expliqué son esclave.

Et Loupiot, fier de son nouveau pouvoir, avait pendant des jours rempli le jardin de son cri suraigu de chiot.

D'autres souvenirs lui revenaient en mémoire : les gâteaux tout chauds partagés avec Esca, Cottia et Loupiot, l'arc de chasse qu'il avait fabriqué avec son esclave, le moment où sa petite voisine avait tenu son oiseau en bois d'olivier entre ses mains en coupe…

Oui, l'été avait été doux comme un été de martin-pêcheur et Marcus, brusquement, fut heureux de ces bons moments.

Il dormit d'un sommeil paisible et léger — d'un sommeil de chasseur qui s'acheva au bruit des trompettes sonnant le réveil, dans le lointain, au camp de transit…

Il était si tôt que les fils de la Vierge, sur l'herbe de la cour, étaient encore humides de rosée. Les parfums de l'automne étaient froids et vivifiants. Quand Rufrius Galarius s'annonça, il sembla à Marcus qu'il attendait sa venue depuis des siècles. Il rendit son salut au chirurgien et lui dit :

—Mon esclave est allé enfermer le loup. Il devrait être de retour dans un moment.

Galarius hocha la tête.

—Je l'ai croisé. Il va aussi apporter les linges dont nous allons avoir besoin.

Le chirurgien ouvrit la mallette de bronze qu'il avait apportée avec lui et commença de disposer ses outils sur la table de chevet. Avant qu'il eût fini, Esca était de retour. Il apportait une bassine d'eau chaude, des linges propres et une flasque d'alcool d'orge local, que Galarius pensait plus efficace — mais plus forte ! — que le vin pour désinfecter une blessure.

—Il reste de l'eau au chaud pour tout à l'heure, annonça Esca.

Il se plaça près de Marcus, un peu comme l'aurait fait Loupiot.

Le chirurgien termina ses préparatifs puis se tourna vers le jeune homme.

—Si tu es prêt, on y va…

—Je suis prêt, affirma Marcus.

Il rejeta les couvertures et serra les dents.

Lorsque, bien plus tard, il sortit de l'obscurité qui l'avait submergé avant que Galarius eût terminé son travail, il se retrouva sous des couvertures chaudes. Le chirurgien était à ses côtés, sa main carrée posée sur son cœur, comme le vieil Aulus l'avait fait, un an plus tôt, dans des circonstances similaires. Un moment, Marcus pensa qu'il s'agissait du même réveil, et qu'il avait juste rêvé ce qui s'était passé entre les deux. Puis le flou se dissipa et des sons lui parvinrent. Il aperçut Esca, debout juste à côté du chirurgien, à contre-jour, dans l'embrasure de la porte, il repéra une ombre énorme qui ne pouvait être que l'oncle Aquila et il entendit, montant de la réserve où Esca l'avait bouclé, les aboiements de Loupiot qui, tel un nageur fendant l'eau, refit surface.

La douleur de sa vieille blessure battait avec une violence inouïe à travers tout son corps en état de choc. Il gémit malgré lui.

— Eh oui! confirma le chirurgien en hochant la tête. Ça fait très mal, au début mais, bientôt, tu ne sentiras plus grand-chose.

Marcus jeta un regard brumeux à l'Espagnol.

— Vous avez terminé?

— J'ai terminé, confirma Galarius en rabattant la couverture.

Il y avait du sang sur sa main.

— Dans quelques mois, tu seras sur pied. Reste couché et repose-toi, à présent. Je reviendrai ce soir.

Il donna une petite tape sur l'épaule de Marcus et entreprit de ranger ses instruments.

— Je le laisse entre tes mains, dit-il à Esca en s'en allant. Tu peux lui donner un peu de potion.

Le chirurgien sortit. Marcus l'entendit parler à quelqu'un dans la colonnade.

— Il y avait assez de saletés pour hérisser un porc-épic mais les muscles sont moins atteints que ce qu'on pouvait craindre. Il devrait s'en remettre.

Il vit Esca, à côté de lui, qui lui tendait un bol.

— Cottia… et Loupiot…, murmura Marcus.

— Je m'en occuperai bientôt. Bois ça, d'abord.

Esca posa un genou sur le lit. Marcus sentit l'épaule de son esclave le soutenir pour qu'il pût boire. Le bord du bol était froid contre ses lèvres. Il se souvint du goût amer qui le renvoyait dans l'obscurité, l'an dernier. Quand le bol fut vide, le jeune homme scruta le visage de son esclave. Il s'aperçut qu'il avait viré au gris et que les coins des lèvres d'Esca formaient une grimace étrangement ironique. On aurait dit le visage d'un homme qui aurait souhaité vomir mais aurait eu l'estomac vide.

—C'était si horrible que ça ? demanda-t-il en essayant vainement de rire.

Esca sourit.

—Allez, dors !

9

LE TRIBUN PLACIDUS

Non loin de Calleva, un raidillon abrupt longeait le flanc d'une colline couverte de bruyère. Deux hommes venaient d'atteindre le sommet de cette éminence : un Breton et un Romain. Entre eux, la tête haute et le museau au vent, se tenait un jeune loup tavelé.

Soudain, le Romain s'accroupit pour ôter le lourd collier de bronze passé au cou du loup. Loupiot avait atteint sa taille adulte, à présent, bien qu'il ne fût pas encore à la plénitude de sa force, et l'heure était venue pour lui de choisir entre son maître et la liberté. Apprivoiser une bête sauvage était possible mais, pour être sûr de son attachement, encore fallait-il la laisser libre de retourner à l'état de nature ou de revenir vers celui qui l'avait dressée.

Marcus l'avait su depuis le début. Esca et lui avaient préparé ce moment avec un soin infini. Ils avaient fait et refait le chemin jusqu'à cet endroit avec Loupiot pour que l'animal n'eût aucun mal à rentrer à la maison de l'oncle Aquila, si tel était son souhait. Oui, si tel était son souhait…

Les doigts sur le collier, Marcus se demanda s'il aurait un jour une autre occasion de sentir les poils chauds et vibrants du cou de Loupiot. Il caressa une dernière fois les oreilles dressées du loup. Puis il se leva et souffla :

— Va, mon frère… Tu es libre… Bonne chasse !

Loupiot scruta son visage, surpris. Un coup de vent apporta des senteurs forestières toutes fraîches. Les narines de l'animal frémirent. L'instant d'après, il trottinait vers les arbres.

Les deux hommes, en silence, le regardèrent s'en aller. Ils virent s'éloigner une ombre tachetée vers le sous-bois. Marcus fit demi-tour et se dirigea vers le tronc d'un bouleau mort, un peu à l'écart de la pente. Il avançait vite mais avec difficulté sur le sol inégal. Ses épaules oscillaient légèrement à chaque pas.

Rufrius Galarius avait été efficace. Huit mois après l'intervention, Marcus était sur pied, comme le chirurgien l'avait promis. Il garderait à vie ses cicatrices et sa jambe ne se remettrait jamais parfaitement, ce qui lui barrait pour toujours la route de la légion mais, à part ça, il allait bien. Il avait passé l'hiver à s'entraîner, avec l'aide d'Esca, comme s'il se préparait à pénétrer dans une arène, et il était à présent aussi solide qu'un gladiateur.

Il s'assit sur le tronc mort. L'instant d'après, Esca s'installait à ses pieds. Les jeunes gens aimaient cet endroit. Le tronc faisait un siège acceptable, et la pente abrupte du coteau offrait un panorama dégagé sur les collines boisées et la plaine bleutée en contrebas. Marcus avait vu les bois dans leur nudité hivernale, déplumés comme un poitrail de perdrix, il avait vu poindre les premières taches de mousse sur les prunelliers. Et voilà que la flamme verte du printemps avait embrasé toute la forêt ! Et que, le long des allées de la forêt, les cerisiers sauvages ressemblaient à des bougies allumées…

Les deux amis admiraient le paysage qui s'étendait devant eux. De longs silences entrecoupaient leur conversation. Pourtant, les sujets ne manquaient pas. Esca et Marcus parlaient de choses et d'autres — notamment de l'invité que l'oncle Aquila attendait le soir même. Cet hôte était le légat de la 6e légion en personne. L'homme venait d'Eburacum et se rendait au port de Regnum. De là, il gagnerait sa destination finale : Rome.

—C'est un très vieil ami de ton oncle, n'est-ce pas ? demanda Esca.

—Oui, je crois qu'ils ont servi ensemble en Judée, quand Aquila était centurion de la 1ʳᵉ cohorte et que lui-même n'était que tribun. Il doit être beaucoup plus jeune que mon oncle…

—Et maintenant, il retourne chez lui, dans sa maison ?

—Oui, mais seulement pour discuter d'un point particulier avec le Sénat, d'après Aquila. Ensuite, il repartira avec les aigles.

Le silence retomba. Esca et Marcus étaient plongés dans leurs réflexions. Marcus se préoccupait – comme souvent depuis quelque temps – de ce qu'il allait faire de lui et de sa vie, puisqu'il était de nouveau valide. La légion lui était interdite à jamais. Il n'y avait plus, désormais, qu'une vie possible pour lui, et ses pensées volaient vers elle comme un oiseau file à tire-d'aile vers son nid.

Dans sa famille, le goût de la terre était héréditaire, depuis le séna-teur qui possédait un domaine dans les collines d'Albes jusqu'au légionnaire vétéran qui cultivait un champ de citrouilles. Marcus ne faisait pas exception à la règle. Depuis sa naissance, il avait été élevé aux deux mamelles de la vie saine : le travail de la terre et la légion. Cependant, pour commencer une exploitation, il fallait de l'argent. Le vétéran n'avait pas dû avoir de difficultés : après ses vingt ans de service, le gouvernement lui avait donné une parcelle de terre. Si Marcus avait accompli la même période, il ne se serait heurté à aucune difficulté particulière, même s'il n'était jamais devenu préfet d'une légion égyptienne. Il aurait économisé sur sa solde et bénéficié de la gratuité accordée aux centurions. Mais il n'avait rien.

Il aurait pu demander à Aquila de lui prêter de l'argent. Il le savait. Il savait aussi qu'il ne le ferait pas. Son oncle avait de quoi vivre, certes, mais il n'était pas riche pour autant. Et il avait déjà assez donné.

Donc Marcus ne serait ni soldat, ni agriculteur. Il ne restait décidément qu'une seule porte de sortie… un homme libre avait peu de perspectives devant lui. Et Marcus sentait grandir en lui la certitude terrifiante qu'il finirait comme secrétaire particulier. Certaines personnes préféraient avoir un homme libre comme secrétaire, plutôt qu'un esclave. Il dénicherait un poste ici, ou pourquoi pas en Étrurie. Mais, à peine cette pensée lui vint-elle à l'esprit qu'il la rejeta. Revenir chez lui? Sans racines, sans point d'ancrage — sans même l'espoir d'en trouver un — dans le pays où il avait grandi? Ce serait perdre toute la saveur du retour. Non, non, il devait chercher un emploi ici, en Bretagne.

Il ne s'était décidé que ce matin à devenir secrétaire particulier. Il voulait en parler le soir même à son oncle, mais le message du légat était arrivé sur ces entrefaites. Marcus devrait patienter jusqu'au départ de cet invité inattendu pour évoquer le sujet. Une partie de lui, dont il avait un peu honte, était soulagée de ce délai. En un jour, tant de choses pouvaient arriver — même s'il voyait mal comment il pourrait sortir de ce mauvais pas!

Pendant qu'Esca et Marcus se taisaient, la vie de la forêt reprit autour d'eux. Un petit éclat rouge émergeant du parterre de fougères et de digitales leur signala l'arrivée d'une renarde. L'animal s'arrêta un instant à découvert, son museau pointu levé. Le soleil brillait d'un éclat presque métallique sur sa fourrure. La renarde finit par disparaître au milieu des arbres. En voyant s'évanouir sa frêle lumière rousse qui vacillait, Marcus se surprit à penser à Cottia.

Les relations entre sa maison et celle d'Aquila n'avaient cessé de s'améliorer. À présent, il connaissait assez bien Kaeso, et même Valaria ne lui était plus tout à fait inconnue. Il avait découvert une femme rondelette, assez jolie, un peu bête, qui aimait flotter dans des tenues vaporeuses, arborer des bracelets tintinnabulants et des cheveux ondulés comme la toison d'un bélier. Il la rencontrait toujours dans sa litière, lorsqu'il sortait se promener dans Calleva, aux thermes, au gymnase, ou aux Vignes-Dorées où Esca et lui avaient dernièrement loué, à une ou deux reprises, de petits chevaux pour se promener dans l'arrière-pays. À chaque rencontre, il avait dû s'arrêter pour lui parler. Il se rendait compte pourtant que, ces derniers mois, il n'avait guère vu Cottia elle-même.

Depuis que la vie lui souriait de nouveau, sa présence lui était devenue moins nécessaire. La jeune fille s'était effacée avec discrétion, sans lui adresser l'ombre d'un reproche. D'ailleurs, il ne se sentait pas coupable. Pourtant, si elle avait voulu, elle n'aurait eu aucune difficulté à le culpabiliser. Marcus sentit une vague de chaleur l'inonder en prenant conscience de cette réalité. Bizarrement, en y réfléchissant, il comprenait qu'il avait toujours autant besoin de la jeune fille. Elle n'était pas toujours au centre de ses préoccupations, mais il savait que, s'il venait à ne plus la revoir, il serait très, très triste — peut-être même aussi triste que si Loupiot ne revenait jamais.

D'ailleurs, le loup reviendrait-il? L'appel des siens serait-il en définitive plus fort que les liens qu'il avait noués avec son maître? Marcus aurait aimé être fixé au plus vite. Il ne pleurerait pas, puisque Loupiot aurait choisi.

Marcus s'étira et regarda Esca.

— Voilà assez longtemps que nous nous dorons au soleil.

L'esclave tourna la tête et, un bref instant, son regard croisa celui de son maître. Il se leva et tendit la main à Marcus pour l'aider à se relever.

— Le centurion devrait siffler un coup, au cas où Loupiot serait dans les parages. Ensuite, nous pourrons rentrer.

Marcus émit un bref sifflement aigu : le signal habituel pour appeler le jeune loup. Il écouta. Une pie, effrayée par le bruit, l'interpella d'un jacassement agacé. Ce fut tout. Marcus attendit un moment, puis il siffla une deuxième fois. Pas d'aboiement. Pas d'ombre tavelée jaillissant du bois.

—Il est hors de portée, supposa Esca. Il ne peut plus t'entendre. De toute façon, il connaît le chemin de la maison, et il ne peut rien lui arriver...

Non, il ne pouvait rien arriver à Loupiot. Tout le monde le connaissait, à Calleva et aux alentours. Il avait perdu son odeur de loup depuis longtemps, si bien que les chiens le comptaient comme l'un des leurs – et l'un de ceux qu'on respectait. Les loups non plus ne lui feraient aucun mal. Si l'homme n'intervenait pas, les loups et les chiens ne se faisaient pas la guerre. Ils se mélangeaient même tant que, parfois, il était difficile de distinguer les uns des autres. Cependant, si Loupiot retournait avec les siens, un jour viendrait où les hommes le traqueraient comme ils avaient chassé sa mère.

Tandis qu'il longeait les noisetiers, à l'orée de la forêt, Marcus aurait aimé jeter au moins un coup d'œil en arrière, au cas où Loupiot serait déjà en train de revenir au trot. Mais ce n'était pas prévu dans le contrat. Le jeune loup devait rester libre. Le jeune homme fit demi-tour et, Esca à ses côtés, prit résolument la direction de la maison.

Ils entrèrent à Calleva par la porte Sud, empruntèrent le raccourci qui passait derrière le temple de Minerve et pénétrèrent chez Aquila par la porte la plus proche, qui donnait sur le quartier des esclaves et le jardin. Si Loupiot finissait par revenir, il passerait plutôt par les vieux remparts, au bas du jardin : c'est cette route qu'il connaissait le mieux. Cependant, Marcus avait averti les veilleurs de la ville, au cas où le loup prendrait un autre chemin.

Le jeune homme et son esclave ne rencontrèrent personne dans la cour. Pendant qu'Esca allait lui chercher une tunique propre, Marcus contourna la colonnade pour se rendre dans l'atrium. Il approchait de l'entrée quand une voix qu'il ne connaissait pas attira son attention. L'invité avait dû arriver.

—Tu es sûr ? s'exclamait-il d'une voix râpeuse, haut perchée mais pas désagréable. Cela ne me pose aucun problème de l'envoyer au camp de transit…

—Si je n'avais pas la place de loger deux invités, je te le dirais ! Tu es bête, Claudius…

En réalité, il n'y avait pas un mais deux inconnus dans la pièce, avec Aquila. Tous deux étaient en uniforme. L'un, un manteau couvert de poussière à la main, resplendissait dans sa tenue de légat en bronze doré ; l'autre, qui se tenait légèrement en retrait, était à l'évidence un simple officier. Il semblait qu'ils venaient juste d'arriver, ils avaient à peine ôté leur manteau et leur casque. Voyant cela, Marcus hésita un instant sur le pas de la pièce.

—Ah ! Te voilà de retour, Marcus ! s'exclama son oncle en l'aper-cevant.

Le jeune homme s'avança pour saluer les hôtes.

—Claudius, je te présente mon neveu Marcus. Marcus, voici mon ami de longue date, Claudius Hieronimianus, légat de la 6e légion.

Marcus tendit le bras pour saluer l'ami de son oncle, dont les yeux noirs de jais luisaient comme si un soleil les éclairait de l'intérieur. Le légat était un Égyptien de souche, songea Marcus en ne décelant nulle trace de cette douceur syrienne qui éclairait si souvent les visages des hommes du Nil.

—C'est un grand honneur pour moi de rencontrer le légat de Victrix, déclara-t-il.

Un sourire étira le visage du légat. Un millier de belles rides creu-sèrent sa peau, autour de sa bouche et de ses yeux.

—Pour ma part, je suis ravi de rencontrer un parent de mon cher ami. J'aurais pu te reconnaître même si tu étais sorti d'un œuf de tortue caché dans le sable, tant nous avons d'amis et de relations communs, ton oncle et moi!

Il désigna son compagnon.

—Je te présente le tribun Servius Placidus, qui est à mon service.

Marcus se tourna vers le jeune officier, et sa jambe blessée lui revint aussitôt en mémoire. C'était une sensation pénible. À une ou deux reprises, auparavant, il avait rencontré des gens qui lui donnaient cette impression, et cela ne le disposait pas en leur faveur.

Les deux jeunes gens se saluèrent poliment, comme la coutume l'exigeait, mais sans chaleur. L'officier du légat était magnifique. Il avait un visage ovale, de la prestance et des cheveux qui laissaient supposer qu'il avait des ancêtres athéniens. Marcus lui trouvait un côté féminin.

Le nom du tribun lui disait quelque chose. Rien d'étonnant à cela: Placidus était un nom assez commun. Et Marcus n'avait pas le temps de sonder sa mémoire à ce sujet car avant que les invités ne se retirassent pour enlever la poussière accumulée pendant leur voyage, il lui revenait de parler avec le tribun.

Ainsi Aquila pourrait-il s'entretenir librement avec son vieil ami.

Marcipor avait apporté du vin pour les voyageurs. Lorsqu'il l'eut servi, les deux plus jeunes laissèrent les aînés entre eux et se dirigèrent vers une fenêtre ensoleillée. Ils épuisèrent rapidement les sujets classiques de conversation, et Marcus sentit qu'il allait avoir de grandes difficultés pour alimenter la discussion, car le tribun semblait ennuyé de nature.

Quand Marcus ne sut plus quoi inventer, il essaya ceci:

—Tu retournes à Rome avec le légat, ou tu t'arrêtes à Regnum?

—Oh, je vais à Rome, heureusement! Bacchus soit loué, dans deux jours, j'embarquerai et je serai débarrassé de la Bretagne une fois pour toutes!

—Si je comprends bien, tu n'as pas trouvé ce pays à ton goût…

Placidus haussa les épaules et avala une gorgée de vin.

—Les filles sont passables, la chasse aussi… Pour le reste, pfff! Je crois que je supporterai la séparation sans problèmes!

Un doute sembla alors effleurer le bellâtre.

—Tu n'es pas né ici, au moins?

—Non, répondit Marcus sèchement, je ne suis pas né ici.

Puis, prenant conscience qu'il avait été un peu abrupt, il ajouta :

—Je suis en Bretagne depuis moins de trois ans.

—Que diable es-tu venu faire dans cette galère? Tu as dû trouver le voyage long et fatigant, non?

C'était moins les mots que la manière dont le tribun les avait prononcés qui fit sortir Marcus de ses gonds. Son inquiétude au sujet de Loupiot n'arrangeait rien.

—J'ai été affecté ici, dit-il d'un ton froid.

—Oh… Tu as été blessé, alors?

—Oui.

—Je ne me souviens pas de t'avoir croisé au club des tribuns, à Rome…

—L'inverse aurait été surprenant : je n'étais qu'un simple centurion de cohorte.

Marcus sourit, mais il venait de résumer en quelques mots polis tout le ressentiment que le militaire de métier pouvait éprouver pour un aristocrate jouant au soldat. Placidus rougit.

—Non, c'est vrai? Ça alors! Ça ne se voit presque pas!

Il avait rendu le coup, en suggérant que Marcus paraissait presque civilisé.

—Et à quel frère ai-je l'honneur ? continua-t-il. Un fils de Victrix ? un Capricorne, un Sanglier furieux ?

Avant que Marcus pût répondre qu'il était un Capricorne, le légat, placé juste derrière lui, émit un rire discret :

—Allons, allons ! Pour quelqu'un qui se considère – à raison, j'imagine – comme un chasseur redoutable, je te trouve peu attentif aux petits indices, Placidus ! L'insigne de sa légion est sur son poignet !

Et il reprit sa conversation avec Aquila. Mais en entendant l'expression « chasseur redoutable », Marcus s'était souvenu : « Un redoutable chasseur bien qu'il soit frêle comme une fille. » C'est ainsi qu'Esca avait décrit le tribun Placidus. Dégoûté par le personnage, Marcus sentit sa bouche s'assécher. Un instant, le tribun afficha une mine déconfite. Marcus y décela des traces de jalousie, ce qui le réconforta, tant pour son compte que pour celui d'Esca.

Placidus ne tarda pas à reprendre sa contenance hautaine.

—Tu vois ce que c'est de servir sous les ordres d'un légat réputé pour apprécier les jeunes officiers…, murmura-t-il. Mon cher Marcus, je te félicite de…

Soudain, ses yeux s'écarquillèrent et sa voix doucereuse dérapa dans les aigus :

—Aaaaah… Par la déesse de Rome ! Un loup !

Il n'avait pas fini de crier quand Marcus se retourna. Dans l'embrasure de la colonnade se tenait une forme tavelée, la tête dressée, tous les sens en alerte, son regard attentif fixant les étrangers dont les odeurs inconnues l'avaient arrêté à l'entrée de la pièce.

—Loupiot ! appela Marcus en s'accroupissant. Mon Loupiot !

Poussant un aboiement joyeux, la silhouette tachetée se jeta sur le jeune homme, qui serra l'animal contre sa poitrine. Le loup ronronnait comme de l'eau qui frémit sur le feu. Ses flancs se soulevaient, il avait couru comme un fou pour retrouver son maître. Il semblait s'excuser avec frénésie de l'avoir abandonné, d'une certaine manière. Marcus saisit la grosse gueule entre ses mains et caressa le loup, de ses deux pouces, derrière ses oreilles dressées.

—Tu es revenu, mon frère…, murmurait-il. Tu es revenu, mon Loupiot!

—C'est un loup, un vrai loup! grognait Placidus, visiblement écœuré par la scène dont il était témoin. Et l'autre idiot qui le prend pour un chiot!

—Nous voilà témoins de joyeuses retrouvailles, constata le légat. Nous arrivons au bon moment!

—Des retrouvailles? Oui, en quelque sorte, on peut dire ça, confirma Marcus en se dégageant et en se remettant debout.

Loupiot fit alors une chose qu'il n'avait jamais faite auparavant. Il plaça sa tête entre les genoux de Marcus, comme un chien qui aurait toute confiance en son maître. Et il resta ainsi, agitant la queue lentement, dans une position qui le rendait vulnérable et le mettait entièrement à la merci du jeune homme.

Pendant que Loupiot était dans cette position, Marcus sortit son collier de bronze de sa tunique et le passa autour du cou de l'animal.

—Depuis combien de temps l'as-tu? demanda Placidus, une lueur d'intérêt dans son regard éteint.

—Presque depuis qu'il est né, il y a plus d'un an…, répondit-il en jouant affectueusement avec les oreilles de Loupiot.

Une fois le collier à son cou, le loup s'ébroua vivement puis se coucha, la langue pendante, les yeux mi-clos, aux pieds de son maître.

—Alors, si je ne me trompe pas, reprit le tribun, c'est lui qu'on a pris dans sa tanière après que sa mère a été tuée! Le barbare qui l'a pris affirmait être l'esclave de Marcus Aquila.

—Tu ne te trompes pas, dit Marcus d'une voix calme. Le barbare m'a raconté cette histoire.

Par chance, Stephanos apparut à ce moment-là sur le pas de la porte. Aquila prit la coupe de vin vide des mains du légat.

— Vous souhaitez sans doute faire un brin de toilette après votre voyage, suggéra-t-il. Nous vivons peut-être au fin fond du monde, mais les thermes ne sont pas plus chauds à Rome, je vous le garantis! Vos esclaves doivent vous attendre dans vos quartiers, sans aucun doute. N'est-ce pas, Stephanos? Bon, parfait. Nous nous retrouverons pour le dîner.

10

ORDRES DE MARCHE

Un moment après, le tribun, le légat, Aquila et Marcus se retrouvèrent dans la petite salle à manger qui donnait sur l'atrium. La pièce était aussi austère que le reste de la maison. Les murs blanchis à la chaux étaient nus. Aucune décoration sur les murs, hormis le bouclier de bronze placé face à l'entrée, devant deux javelots croisés. Les banquettes qui entouraient la table étaient recouvertes de splendides peaux de daim qui remplaçaient les habituelles courtepointes capitonnées et brodées. De même, le dîner, traditionnellement aussi austère que la pièce, avait été amélioré pour célébrer l'occasion. Ce soir, Sassticca avait mis les petits plats dans les grands et mitonné des mets dignes des invités.

Aux yeux de Marcus, encore tout ému du retour de Loupiot, la pièce semblait parée d'un air de fête. Les lampes à huile posées sur la table dégageaient une lueur dorée et chaude. Marcus se sentait délicieusement fatigué, après une journée passée au grand air. De quoi serait fait son avenir ? Comment allait-il gagner sa vie ? Ces questions pouvaient attendre.

Le jeune homme avait pris un bain glacé, changé sa tunique de toile rude pour un vêtement doux en laine. Il était même disposé à discuter avec Placidus. Il s'en sentait autorisé car, quand Esca avait appris la présence du tribun, il n'avait fait qu'en rire.

À présent, le dîner était presque achevé. Aquila venait d'offrir leur deuxième libation aux dieux lares de la maison, dont les statues de bronze se dressaient près des salières au bout de la table. Esca et les autres esclaves étaient partis. La frêle lueur des lampes tissait une toile rayonnante à travers la table. En reflétant ce halo, les bols samiens rougeoyaient comme du corail, les pommes jaunes flétries (c'étaient les restes de la récolte précédente) scintillaient comme les fruits des Hespérides[1], les courbes des coupes de vin se détachaient dans la pénombre, la petite bouteille de vin de Falernes brillait d'une flamme écarlate, et les visages des hommes, qui s'appuyaient sur leur coude gauche, paraissaient curieusement intenses.

Jusqu'alors Aquila et son invité avaient monopolisé la conversation. Ils avaient échangé leurs souvenirs des jours d'antan, des combats d'antan, des camps frontaliers d'antan, des amis et des ennemis d'antan. Marcus et Placidus étaient peu intervenus, et ne s'étaient pas davantage adressé la parole. La discussion avait roulé sans discontinuer, et les deux plus jeunes avaient mangé leur dîner presque en silence.

Aquila mit de l'eau dans sa coupe de vin de Falernes avant de demander :

—Dis-moi, Claudius, depuis quand as-tu quitté la légion de Fretensis ?

—Cela fera dix-huit ans en août.

—Dix-huit ans ! s'exclama Aquila. Par Jupiter !

Il fixa son ami avec attention.

—Bientôt dix-huit ans que toi et moi n'avions pas partagé la même table à la cantine… Quand je pense que tu étais en Bretagne depuis trois ans et que tu n'as pas essayé — pas essayé du tout — de venir me voir !

—Toi non plus, rétorqua Claudius Hieronimianus en prenant un gâteau au miel et en le recouvrant d'une poignée de raisins.

Il leva les yeux de son assiette en souriant largement.

---

1. Îles mythiques où Hercule réussit à dérober les célèbres pommes d'or.

—C'est souvent comme ça, quand on suit les aigles, n'est-ce pas?
On lie amitié ici et là — à Achée, à Césarée ou à Eburacum —, puis nos
chemins se séparent, et nous ne faisons pas beaucoup d'efforts pour
garder le contact… Mais si les dieux qui gouvernent nos destinées
humaines nous conduisent à nous croiser de nouveau, alors…

—Alors nous reprenons l'histoire à peu près où nous l'avions laissée, compléta Aquila.

Il leva sa coupe.

—Je bois à nos vieux souvenirs. Non, d'ailleurs, pas du tout! Je retire
ce que j'ai dit, il n'y a que les vieux croûtons pour boire au passé, le
regard rivé derrière eux. Je bois à nos retrouvailles et à nos futurs souvenirs!

—Il faudra que tu viennes à Eburacum, quand je serai de retour,
proposa le légat en vidant sa coupe.

—Hé hé! Pourquoi pas? J'aimerais bien te rendre visite, un jour.
Voilà vingt et cinq années que je n'ai pas remis les pieds à Eburacum.
Ça m'intéresserait de voir ce qu'est devenue cette ville…

Aquila se tourna poliment vers le tribun, afin qu'il ne se sentît pas
exclu.

—J'ai commandé un contingent de la 2e légion pendant les soulè-
vements, c'est comme ça que j'ai connu cette position…

—Oh! lâcha Placidus en s'efforçant de rester poli tout en continuant
de paraître affreusement las. Ça devait être à l'époque d'Hispanie, n'est-
ce pas? Les choses ont bien changé, depuis le temps. Vous ne recon-
naîtriez plus ce que vous avez laissé. C'est devenu presque inhabitable!

—La nouvelle génération construit en pierre, opina Aquila. De
mon temps, on débroussaillait la forêt et on utilisait le bois pour bâtir.

Le légat regardait, pensif, son verre de vin.

—Parfois, avoua-t-il, je me dis que les vieilles fondations d'Eburacum ne dorment pas tranquilles sous les nouvelles.

—En quel sens? s'enquit Marcus.

—Eh bien, Eburacum est toujours… comment t'expliquer? plus qu'un peu hantée par le fantôme de la 9e légion. Oh, ne crois pas que leurs esprits soient revenus des champs de Rê, mais l'endroit est hanté, c'est incontestable. La 9e l'habite encore par les autels aux dieux espagnols qu'ils avaient dressés pour y adorer leurs idoles, par les noms et les nombres gravés sur les murs, par les femmes britanniques qu'ils ont aimées et par les enfants aux visages espagnols qu'ils ont engendrés… Tout cela formait le terreau, les sédiments sur lesquels on a planté les vignes d'une nouvelle légion.

La main ouverte, il fit un petit geste qu'il ne tarda pas à expliquer.

—Cela peut sembler minuscule, ainsi mis en mots. Mais je t'assure que c'est suffisant pour installer une ambiance forte et désagréable. Je ne suis pas un homme très imaginatif, mais je t'affirme que, quelques fois, quand le brouillard descend des hautes collines, je ne serais pas surpris si je voyais la légion disparue revenir chez elle.

Un long silence s'ensuivit. Un courant d'air léger fit frémir la pièce, comme une brise rôdant dans l'herbe haute. L'expression d'Aquila était impénétrable. En revanche, sur le visage de Placidus, on lisait sans peine ce qu'il pensait de ces billevesées.

—Avez-vous une idée ou, au moins, une hypothèse sur ce qu'est devenue la légion Hispanie? demanda Marcus.

—Elle t'intéresse tant que ça?

—Mon père était leur porte-étendard.

—Ton père?

—Le frère d'Aquila.

Le légat se tourna vers son ami.

—Mais, Aquila… Tu ne m'avais jamais parlé de lui!

—Hum… Possible… Nous n'étions pas très proches, lui et moi. Nous étions aux deux bouts de la famille. Vingt années nous séparaient.

Le légat hocha la tête et, après un temps de réflexion, il reporta son attention sur Marcus.

—La première hypothèse, c'est qu'ils avaient été pris dans une embuscade et éliminés de sorte que personne n'aurait survécu pour raconter cette catastrophe.

—Sauf que, dans une province de la taille de Valentia — et même dans toute la Calédonie —, quatre mille hommes n'ont pas pu être massacrés sans laisser de trace, objecta Placidus. Il est beaucoup plus probable qu'ils en ont eu assez d'être parmi les aigles et qu'ils ont purement et simplement éliminé les officiers qui auraient refusé de venir avec eux… et de déserter de l'autre côté de la frontière.

Marcus ne dit rien. Après tout, le tribun était l'invité de son oncle. Mais il se mordit les lèvres jusqu'au sang.

—Non, je ne pense pas que cette autre hypothèse soit plus vraisemblable, objecta le légat.

Placidus en rajouta, à sa manière hypocrite et alambiquée :

—Je me suis donc trompé, lâcha-t-il. J'avais cru entrevoir une autre possibilité d'expliquer ce mystère, étant donné le peu de crédit qu'on accorde en général à la légion Hispanie. Néanmoins, je suis heureux de constater que je me trompais.

—Je ne doute pas que tu sois heureux, mon ami, répondit le légat avec une pointe d'humour.

—Vous ne croyez pas davantage à la théorie de l'embuscade ? demanda Marcus en prenant une grappe de raisins qui, pourtant, ne le tentait pas.

—Je ne peux pas prendre longtemps au sérieux l'idée qu'une légion de l'Empire soit tombée aussi bas, qu'elle soit devenue un fruit aussi pourri!

Le légat hésita. Son visage s'adoucit. Il n'avait plus la mine d'un homme partageant un bon repas avec un vieil ami, songea Marcus, mais celle d'un soldat. Il reprit la parole d'une voix abrupte :

—Une rumeur est apparue récemment, le long du mur d'Hadrien[1]. À cause d'elle, j'aurais préféré que le Sénat ne choisisse pas ce moment pour me rappeler, bien que je laisse derrière moi un commandant de camp et un centurion de 1re cohorte qui en savent certainement plus long que moi! Donc, selon cette rumeur — dont rien ne garantit la véracité —, la légion Hispanie aurait été défaite. Ce ne sont que des bruits qui courent, mais il n'y a pas de fumée sans feu et, même dans les on-dit, on trouve souvent une part de vérité. D'après cette histoire, quelqu'un aurait revu l'aigle disparue. Elle serait honorée comme un dieu dans un temple tribal, à l'extrême nord de l'île.

Aquila, qui jouait avec sa coupe de vin, la posa d'un geste si brusque que quelques gouttes éclaboussèrent ses doigts.

—Continue, exigea-t-il.

—C'est tout ce que je sais. Il n'y a rien à ajouter. Pas d'indices supplémentaires sur lesquels enquêter, voilà le problème. Mais tu comprends ce que cette version laisse entendre?

—Parfaitement.

—Pour ma part, intervint Marcus, j'ai peur de ne pas avoir saisi les sous-entendus.

—Une légion qui abandonnerait son poste commencerait par cacher son étendard ou par le briser en mille morceaux. Au pire, elle le jetterait dans le fleuve le plus proche. Pourquoi voudrait-elle conserver l'aigle pour la mettre dans un temple de sauvages? Comment pourrait-elle en avoir l'occasion? C'est absurde! En revanche, si l'aigle a été prise à la guerre, il n'est pas impossible que les tribus ennemies s'imaginent avoir capturé le dieu de la légion. Elles l'ont ramenée chez elles en triomphe, entourée de flambeaux innom-

---

1. Le mur d'Hadrien, ou mur des Pictes, fut construit par l'empereur Hadrien (76-138) le long de la frontière britannique, pour protéger l'Empire des invasions.

brables, elles ont peut-être sacrifié un bélier noir, puis elles ont abrité la nouvelle divinité dans le temple de leur propre dieu, afin qu'elle donne force et vitalité à leurs jeunes soldats, et qu'elle favorise la récolte. Tu comprends, à présent?

Marcus comprenait. Il acquiesça.

— Qu'allez-vous faire? demanda-t-il, après un silence.

— Rien. D'après les éléments dont je dispose, il n'est pas certain qu'il y ait une once de vérité dans cette histoire.

— Et si toutefois la rumeur était avérée?

— Je ne pourrais toujours rien faire.

— Mais… c'est de l'aigle qu'il s'agit! s'exclama Marcus comme pour enfoncer coûte que coûte l'idée dans le crâne du légat. L'aigle de la légion Hispanie!

— Perdre l'aigle, c'est perdre l'honneur et perdre l'honneur, c'est tout perdre, récita son interlocuteur, la voix chargée de regrets. Je sais bien…

— Il n'y a pas que ça! insista Marcus en se redressant avec fougue. Si on pouvait retrouver l'aigle et la rapporter, on pourrait reformer la légion!

— J'en ai conscience… Et j'ai aussi conscience d'autre chose qui m'inquiète beaucoup. Si de nouveaux troubles éclataient au nord, une aigle romaine serait une arme redoutable entre les mains de ces sauvages. Elle attiserait leur colère, échaufferait les esprits et ferait déborder les cœurs de leurs guerriers. Cependant, tant qu'on en reste au stade de la rumeur qui va et vient au gré du vent, je suis impuissant. Envoyer une délégation en mission? Ce serait perçu comme une déclaration de guerre pure et simple! Une légion entière aurait à peine quelques chances de sortir vainqueur d'un affrontement, et il n'y en a que trois basées en Bretagne.

— Je comprends, mais là où une légion ne passerait pas, un homme pourrait se faufiler — sinon pour résoudre l'affaire, du moins pour découvrir la vérité.

—Certes… À condition de trouver l'homme adéquat! Il devrait connaître les tribus du Nord, savoir se faire accepter afin qu'elles le laissent passer et, de surcroît, il devrait être infiniment soucieux du destin de l'aigle de la légion Hispanie, sans quoi il ne serait pas assez fou pour risquer sa tête dans ce nid de frelons!

Il reposa la coupe avec laquelle il jouait avant de poursuivre :

—Si j'avais un tel homme parmi mes soldats, je lui donnerais aussi-tôt son ordre de marche. L'affaire me semble assez sérieuse pour cela.

—Envoyez-moi là-bas, dit Marcus, d'un ton décidé.

Il regarda les autres convives, puis se tourna vers le rideau qui bar-rait l'entrée et appela :

—Esca! Viens ici! Esca!

—Allons, arrête de…, commença Aquila avant de s'interrompre brusquement.

Pour une fois, le vieux soldat était à court de mots. Personne d'autre n'osa protester. Des bruits de pas rapides s'approchèrent de l'atrium. Le rideau fut repoussé de côté, et Esca apparut sur le pas de la porte.

—Le centurion m'a appelé?

Marcus lui résuma l'affaire en peu de mots.

—M'accompagnerais-tu, Esca?

L'esclave s'avança près de son maître. La lampe faisait briller ses yeux.

—Bien sûr, dit-il, je viendrais.

—Esca est né et a été élevé derrière le Mur, expliqua Marcus au légat. Et l'aigle, c'est mon père qui la portait. Vous ne trouverez personne de plus qualifié que moi pour remplir votre mission. Envoyez-nous.

Les trois autres avaient gardé un silence ébahi, brisé par Aquila qui frappa violemment du poing sur la table.

—Folie! Ce n'est que pure folie! que folie absolue!

—Pas du tout! protesta Marcus avec vivacité. J'ai un plan très logique qui peut marcher. Au nom de la Lumière, écoutez-moi!

Avant qu'Aquila n'explose à nouveau, le légat intervint, quelque peu ironique :

—Laisse-le parler!

Pendant un long moment, Marcus examina les raisins dans son assiette. Il essayait de mettre en ordre le plan qui germait dans sa tête. Il essayait aussi de se souvenir mot pour mot des termes employés par Rufrius Galarius. Ils allaient pouvoir lui resservir, à présent.

Ensuite, il se lança, le ton vif mais précis, ménageant des pauses au milieu de son discours pour donner à comprendre qu'il était convaincu par son projet — car il l'était, ô combien!

—Claudius Hieronimianus, vous avez dit qu'il faudrait que votre envoyé soit accepté par les tribus. En outre, il faudrait qu'elles le laissent circuler. Un oculiste itinérant me paraît être la couverture idéale. Il ne manque pas de clients pour ces praticiens, dans le Nord; d'ailleurs, la moitié des voyageurs sont des charlatans qui se prétendent guérisseurs. Rufrius Galarius, qui fut chirurgien de la 2e légion aux côtés d'une certaine personne ici présente…

Marcus se tourna en souriant vers son oncle avant de poursuivre :

—… m'a raconté l'histoire d'un homme qu'il connaissait bien. Cet homme avait été jusqu'à traverser les eaux Occidentales, et avait poursuivi son périple à travers toute l'Hibernie, avant de revenir avec des récits de voyage interminables dans sa besace. Si un oculiste a réussi à traverser l'Hibernie, aucun doute qu'un autre oculiste et son domestique puissent voyager dans ce qui fut autrefois, ne l'oublions pas, une province romaine!

Il s'assit sur sa banquette, les yeux rivés sur les deux hommes. Placidus n'existait plus.

—Je ne sais pas si nous serons capables de rapporter l'aigle, avoua-t-il. Mais, avec l'aide des dieux, nous devrions parvenir à démêler le vrai du faux dans la rumeur que vous avez entendue.

Un grand silence s'ensuivit. Le légat semblait sonder Marcus du regard. Ce fut Aquila qui réagit le premier :

—Joli plan… Dommage qu'il ne soit pas réalisable. Je m'étonne que tu n'y aies pas songé de toi-même.

—Pas réalisable ? Et pourquoi ?

—Parce que tu connais autant le métier d'oculiste qu'un poussin sortant de l'œuf !

—Les trois quarts des autres oculistes n'en savent pas davantage, protesta Marcus. Mais j'irai rendre visite à Rufrius Galarius. Oui, d'accord, il est chirurgien, et non pas oculiste, je ne l'ai pas oublié ; néanmoins, il s'y connaît assez pour me préparer quelques baumes et m'apprendre comment m'en servir.

Aquila hocha la tête, comme s'il admettait que son neveu avait raison.

—Et ta jambe ? s'enquit le légat sans ménagements. Tu peux t'en servir ?

Marcus s'attendait à cette question.

—Hormis pour les défilés, elle est toujours corvéable à merci, répondit-il. Je reconnais que, si nous devions fuir en courant, notre sort serait scellé, mais qu'importe ? Dans cette contrée barbare, prendre ses jambes à son cou ne servirait à rien, de toute manière.

Le silence retomba. Marcus observait alternativement son oncle, puis le légat, puis son oncle, puis le légat, et ainsi de suite. Ils étaient en train d'évaluer ses chances de succès. Il en était conscient. Ils jaugeaient la probabilité qu'il s'en sortît et qu'il parvînt à accomplir sa mission. L'attente ne fit que renforcer son désir d'obtenir ses ordres de marche. L'enjeu était de taille : la vie et la mort de la légion de son père — mieux, de la légion que son père avait aimée. Et, parce qu'il avait aimé son père de tout son cœur, il avait fait de cette affaire une quête personnelle, qui valait à ses yeux les plus belles quêtes du monde. Cependant, il ne s'agissait pas que de Marcus Flavius Aquila, il était évident qu'une aigle romaine tombée entre des mains ennemies devenait une arme redoutable contre Rome. Or, Marcus avait été élevé comme un soldat. Il ne partirait pas à l'aventure de son propre chef. Lorsqu'il le comprit, son esprit s'apaisa, et il attendit le verdict plus sereinement… avant de relancer le légat :

— Claudius Hieronimianus, vous avez dit que, si vous aviez l'homme adéquat, vous l'enverriez enquêter. Ai-je gagné mon ordre de mission ?

Ce fut son oncle qui répondit le premier, parlant au légat autant qu'à Marcus :

— Les dieux de mes pères m'interdisent de retenir l'un des miens s'il veut risquer sa vie pour une juste cause.

Le ton était rien de moins que caustique, mais le regard d'Aquila était étonnamment brillant sous ses sourcils broussailleux. Marcus sentit que son oncle l'approuvait — à sa façon ! — beaucoup plus qu'il ne s'y était attendu.

— Je ne sais pas si tu comprends bien la situation, dit le légat. La province de Valentia n'est plus ce qu'elle était — et peu importe ce qu'elle deviendra. Le fait est qu'en ce moment, pour un Romain, il ne vaut mieux pas y aventurer une lanière de ses sandales. Si tu décides de t'y rendre, tu seras seul en territoire ennemi. Rome ne pourra pas venir à ta rescousse, même en cas de besoin.

— Je ne serai pas seul, rectifia Marcus. Esca m'accompagnera.

Claudius Hieronimianus hocha la tête :

— Alors, va. Je ne suis pas ton légat, mais je te donne l'ordre d'y aller.

Plus tard, après que certains détails eurent été tirés au clair autour du foyer de l'atrium, Placidus dit quelque chose d'inattendu :

—J'aurais presque aimé qu'il y ait la place pour un troisième homme, dans cette expédition insensée. S'il y en avait, par Bacchus! j'abandonnerais la route de Rome le temps qu'il faudrait pour venir avec vous.

Un instant, son visage parut perdre son outrecuidance agressive. Les jeunes gens échangèrent un regard à la lueur de la lampe. Marcus n'avait jamais été aussi proche d'apprécier le tribun depuis leur rencontre. L'impression ne dura pas. Placidus la dissipa en posant une simple question :

—Es-tu sûr que tu peux accorder ta confiance à ton barbare, pour une aventure de ce genre?

—Sûr et certain! répondit Marcus, décontenancé.

—Tu es sans doute mieux placé que moi, reprit l'autre en haussant les épaules. À titre personnel, je ne prendrais jamais le moindre risque avec un barbare, m'eût-il juré loyauté…

—Esca et moi, nous…, commença Marcus.

Il s'interrompit.

À quoi bon continuer? Il n'allait pas divertir Placidus en lui dévoilant en long, en large et en travers tout ce qui l'unissait au barbare.

—Esca est à mon service depuis longtemps, se contenta-t-il d'expliquer. Il s'est occupé de moi quand j'étais malade, il m'a obéi au doigt et à l'œil durant toute ma convalescence, quand j'étais allongé à cause de ma jambe…

—C'est la moindre des choses, il est ton esclave, non?

La stupéfaction coupa le souffle de Marcus. Depuis le temps qu'il n'avait plus pensé à Esca en ces termes!

—Il ne m'a pas obéi parce qu'il était mon esclave. Et ce n'est pas parce qu'il est mon esclave qu'il m'accompagne.

—Non? Oh, mon pauvre Marcus, quel innocent tu fais! Les esclaves ne sont que des esclaves. Rends sa liberté à ton barbare, et tu verras ce qu'il adviendra.

—Bonne idée, Placidus. Merci. Je n'y manquerai pas.

Loupiot sur ses talons, Marcus entra dans sa chambre à la nuit tombée. Esca l'y attendait comme à l'accoutumée. Il reposa la ceinture dont il astiquait la boucle, et demanda :

—Quand part-on ?

Marcus referma la porte et s'adossa contre le battant.

—Je pars sûrement après-demain matin, à l'aube. Mais les détails peuvent attendre. D'abord, prends ceci.

Il lui tendit le rouleau de papyrus qu'il avait apporté avec lui. L'air étonné, Esca le prit et l'approcha de la lumière. En le voyant ainsi procéder, Marcus se souvint du moment où il avait ôté le collier de Loupiot. Le loup était revenu.

Mais Esca, que ferait-il ?

Le jeune homme examina le papyrus et secoua la tête.

—Les capitales, j'y arrive à peu près. Là, non, c'est écrit en cursive... Qu'est-ce que c'est ?

—Un certificat attestant ta qualité d'homme libre, annonça Marcus. Je l'ai rédigé ce soir. Mon oncle et le légat étaient témoins. J'aurais dû te rendre ta liberté plus tôt, Esca. Cela m'était sorti de l'esprit. Pardonne-moi.

Esca scruta de nouveau le papyrus, puis Marcus, comme s'il n'était pas certain de bien comprendre ce dont il s'agissait. Puis il laissa le papyrus s'enrouler de nouveau, et il demanda avec lenteur :

—Ça veut dire que je suis libre ? Libre de m'en aller ?

—Oui, Esca. Tu es libre de partir si tu le désires.

Un long et lourd silence s'ensuivit. Puis, dans le lointain, une chouette poussa un hululement à la fois moqueur et désolé. Le

regard de Loupiot passait de l'un à l'autre. Un grondement sourd
s'échappait de sa gorge.

—Tu veux que je m'en aille? reprit-il.

—Non! Je veux que tu décides de rester ou de partir, selon ce que
toi tu désires.

Un sourire éclaira le visage d'Esca. C'était toujours ce même sourire grave qui étirait peu à peu ses lèvres sans que le jeune homme
semblât le contrôler :

—Alors je reste, déclara-t-il.

Puis il parut hésiter.

—Il faut croire que je ne suis pas le seul à qui le tribun Placidus
donne d'étranges pensées!

—Il faut croire…

Marcus s'approcha et posa les deux mains sur les épaules de celui
qui n'était plus son esclave.

—Esca, je n'aurais jamais dû te demander de me suivre à l'aventure
quand tu n'étais pas libre d'accepter ou de refuser à ta guise. La partie
sera rude et, quant à savoir si nous en reviendrons ou pas, cela dépend
de la volonté des dieux. Personne ne devrait avoir le droit de demander à son esclave de l'accompagner dans une chasse aussi hasardeuse.
En revanche, n'importe qui peut demander ce service à… à un ami.

Marcus darda sur Esca un regard interrogateur. Celui-ci reposa le
rouleau de papyrus sur la banquette, et posa une main sur celles de
Marcus.

—Je n'ai pas servi le centurion parce que j'étais son esclave, dit-il
en employant sans s'en rendre compte les mots qu'employaient
ses semblables. J'ai servi Marcus, qui ne m'a pas traité comme un
asservi, et…

—Et?

—Et je me sentirai mieux quand nous serons partis!

Le lendemain matin, lors des adieux, le légat promit de rendre visite à son vieil ami quand il reviendrait vers le nord, en automne.

Puis il quitta la maison avec Placidus, escorté par un demi-escadron de cavalerie.

Marcus les regarda s'éloigner sur la grande route qui menait au port de Regnum et aux vaisseaux qui les attendaient.

Cette fois, il n'éprouva pas — ou très peu — ce petit pincement au cœur qui le tenaillait naguère, quand il voyait passer des soldats de la légion. Ensuite, il se lança dans ses propres préparatifs de voyage.

La liberté d'Esca suscita moins d'intérêt — et encore moins de malaise — dans la maisonnée qu'on aurait pu s'y attendre. Sassticca, Stephanos et Marcipor étaient nés esclaves. C'étaient des enfants d'esclaves. Esca, fils né libre d'un chef libre, n'avait jamais été des leurs, même lorsqu'il mangeait à leur table. Les esclaves d'Aquila étaient vieux, et leur sort leur convenait. Ils avaient un bon maître. L'esclavage ne leur pesait pas ; ils s'étaient habitués à la charge de ce fardeau.

S'ils ne protestèrent pas, ils ne félicitèrent pas davantage Esca pour ce changement. Ils avaient intégré l'idée que cela arriverait un jour ou l'autre. Ces dernières lunes, son jeune maître et lui n'étaient-ils pas, selon les mots de Sassticca, « comme les deux moitiés d'une amande » ? Aussi les trois esclaves, s'ils grommelèrent quelque peu, ne le firent-ils que pour le plaisir d'échanger des réflexions désabusées.

De toute manière, Marcus partait pour « régler certaines affaires pressantes de son oncle », et Esca partait avec lui. Trouver le temps de protester — ou de se sentir jalousé — aurait relevé de l'exploit et personne ne prit la peine de l'accomplir.

Ce soir-là, après avoir achevé ses préparatifs, Marcus descendit au jardin et siffla. Ces derniers temps, Cottia attendait toujours qu'il lui donnât le signal pour se montrer et, une fois de plus, elle apparut entre les arbres fruitiers, au pied du vieux rempart, un pan de son manteau couleur prune de Damas relevé en capuchon au-dessus de sa tête, pour la protéger de la pluie de pétales qui avait accompagné sa venue.

Il lui raconta toute l'histoire le plus brièvement possible.

Cottia l'écouta en silence. Comme cela lui arrivait parfois, son visage parut s'allonger et se tendre à mesure que Marcus parlait.

—S'ils tiennent tant à récupérer cette aigle, protesta-t-elle quand son ami eut fini de parler, s'ils craignent à ce point qu'elle leur cause du mal, où qu'elle soit, ils n'ont qu'à envoyer quelqu'un d'autre la chercher. Pourquoi t'envoient-ils toi?

—C'était l'aigle de mon père, lui expliqua Marcus, devinant d'instinct qu'aucune autre raison n'était susceptible de motiver son départ aux yeux de la jeune fille.

Au fond, il partait par loyauté et la loyauté n'avait pas besoin de justification. Marcus se sentait incapable de détailler à son amie l'importance de cette valeur fondamentale, compliquée et si essentielle au soldat. Cette loyauté-là était sans doute aussi différente de la loyauté en vigueur dans la tribu de Cottia que le motif rectiligne de son fourreau était différent de celui du bouclier de son oncle. Il essaya cependant de lui en donner une idée :

—Tu vois, pour nous, l'aigle est la vie même de la légion. Tant qu'elle est entre nos mains, même si aucun homme n'a survécu, la légion n'est pas morte. Si l'aigle est perdue, la légion est considérée comme morte. Voilà pourquoi la 9e légion n'a jamais été reformée. Et pourtant, un bon quart des soldats de cette légion n'avaient pas encore gagné le Nord au moment du drame — qu'ils aient été envoyés sur d'autres frontières, ou portés pâles, ou en permission. On les aura répartis dans d'autres légions, bien qu'ils puissent à l'avenir recons -

tituer le début d'une nouvelle 9ᵉ légion. La légion Hispanie avait été la première affectation de mon père, et sa dernière. C'était celle qui lui tenait le plus à cœur, parmi toutes les légions dans lesquelles il avait servi.

—C'est à cause de ton père, alors, que tu pars?

—Oui, entre autres. Et aussi pour réentendre chanter les trompettes.

—Je ne crois pas que je te comprenne bien. Mais je vois que tu dois partir. Quand?

—Demain matin. Je vais d'abord aller consulter Rufrius Galarius.

—Tu repasseras ici, avant de franchir la frontière?

—Non. Calleva ne sera pas sur ma route.

—Dis, quand reviendras-tu?

—Je ne sais pas. Si tout va bien, peut-être avant l'hiver.

—Esca t'accompagne?

—Oui.

—Et Loupiot?

—Non. Je le laisse à tes bons soins. Tu devras venir le voir tous les jours. Tu lui parleras de moi. Comme ça, ni lui ni toi ne m'oublierez avant mon retour.

—Aucun risque, Loupiot et moi avons très bonne mémoire. Mais je viendrai tous les jours.

—Merci.

Marcus sourit à Cottia. Elle essaya de lui rendre son sourire… et échoua.

—Ah, une chose importante…, dit le jeune homme.

—Oui?

—Ne parle de l'aigle à personne. Je suis censé partir m'occuper des affaires de mon oncle. Je tenais juste à ce que tu saches la vérité.

Cette fois, Cottia lui sourit pour de bon.

—Entendu!

—Je préfère… Écoute, Cottia, il faut que je file mais, avant, je voulais te demander un dernier petit service.

Il ôta son lourd bracelet d'or avec son insigne. Dessous, la peau de son poignet brun était couleur amande.

—Là où je vais, il n'est pas question que je le porte. Le garderas-tu pour moi jusqu'à mon retour?

Cottia le prit dans ses mains sans un mot, et elle le regarda. La lumière se prit dans le dessin du capricorne et les mots gravés : *Pia Fidelis*. Elle rangea avec soin le bracelet sous son manteau.

—D'accord.

Elle se tenait droite comme un I, triste et abandonnée. Sous la pénombre de sa capuche, ses cheveux de feu brillaient comme le premier jour où Marcus l'avait aperçue.

Il chercha quelque chose à lui dire. Il voulait la remercier pour ce qu'elle lui avait donné, mais entre tout ce qui bouillonnait en lui et tout ce qui l'attendait, il ne trouvait pas les bons mots, et il ne souhaitait pas prononcer des paroles vaines ou approximatives. Pas avec elle.

Juste avant qu'ils ne se séparassent, il aurait aimé lui dire que, s'il ne revenait jamais, elle pouvait — elle devait — garder le bracelet.

Mais il trouva préférable de le dire à son oncle.

—Va, à présent, lui lança-t-il. Que la Lumière du Soleil t'accompagne, Cottia.

—Qu'elle t'accompagne toi aussi, Marcus. Je t'attendrai. J'écouterai jusqu'à ce que je t'entende revenir, jusqu'à ce que je t'entende siffler dans le jardin, quand les feuilles tomberont.

L'instant d'après, la jeune fille écarta une branche de prunellier, fit demi-tour et s'éloigna sans se retourner sous la petite pluie fine.

11

AU-DELÀ DE LA FRONTIÈRE

Le mur courait de Luguvallium, à l'ouest, à Segedunum à l'est. Ce gros ouvrage encore neuf suivait les contours déchiquetés du territoire sur quatre-vingts milles[1]. Forteresses, camps de garnison, tours de garde étaient bâtis le long du rideau de pierre et adossés à la vallée poussiéreuse, où sinuait la route romaine qui traversait la Bretagne de part en part, d'une côte à l'autre. Au sud avaient fleuri des tavernes, des temples et des quartiers pour les légionnaires mariés, qui vivaient au rythme des légions. La rumeur y était forte et ne cessait jamais. Partout, en permanence, se mêlaient éclats de voix, bruits de pas et de roues sur les pavés, coups de marteau s'échappant de l'échoppe d'un armurier et, par-dessus le brouhaha, se détachait la sonnerie claire des trompettes. Tel était le grand mur d'Hadrien, chargé de contenir les menaces venues du Nord.

L'été commençait à peine. Un matin, deux voyageurs, qui avaient logé quelques jours dans l'auberge sale et délabrée située près des murs de Chilurnium, se présentèrent à la porte prétorienne de la forteresse. Ils sollicitaient l'autorisation de continuer leur route vers le nord.

---

1. À peu près à cent trente kilomètres.

Il y avait peu d'allées et venues de part et d'autre de la frontière, hormis les patrouilles militaires. Les civils qui franchissaient le mur étaient pour l'essentiel des chasseurs, parfois des trappeurs qui traînaient des bêtes sauvages enchaînées destinées aux arènes, plus rarement un diseur de bonne aventure ou un charlatan. Tous devaient passer par l'une des grandes forteresses qui bordaient le mur.

Les deux solliciteurs paraissaient quelque peu sujets à caution. Ils étaient montés sur des juments de cavalerie arabes, de petite taille. Les pauvres animaux avaient dû connaître des jours meilleurs. Preuve, une fois de plus, que les légionnaires arrivaient toujours à refiler leurs vieilles montures. Elles étaient bon marché, parfaitement dressées, et avaient derrière elles de longues années de labeur. On les retrouvait partout sur les routes de l'Empire. Mais les deux juments en question n'avaient pas été achetées moyennant argent comptant, quelques mots signés par le légat de la 6ᵉ légion sur une feuille de papyrus avaient suffi. Toutefois, rien ne permettait de les distinguer des autres montures de réforme.

Esca n'avait fait aucun effort pour modifier son apparence, il n'en avait pas besoin. Il avait revêtu une tunique semblable à celle que portaient les siens, et le tour avait été joué. Mais la transformation de Marcus était totale. Lui aussi avait passé un vêtement britannique. Il portait de longues braies de laine couleur safran, resserrées aux genoux, sous une tunique qui avait été violette et était à présent mauve pâle... et assez crasseuse. Une tenue confortable pour climat froid. La plupart des herboristes — et assimilés — s'habillaient ainsi. Mais le lourd manteau noir qui couvrait les épaules du jeune homme ne cadrait pas avec l'ensemble, d'autant que Marcus portait également un couvre-chef phrygien en cuir graisseux, de couleur écarlate, légèrement rejeté en arrière. Un talisman d'argent, en forme de main ouverte, masquait sur son front la cicatrice de Mithra et, pour parfaire le tableau, le jeune Romain s'était laissé pousser la barbe. Comme il avait cessé de se raser depuis un mois à peine, elle n'était pas très fournie, mais il l'avait soigneusement parfumée avec des huiles odoriférantes. Il ressemblait vraiment à un charlatan, malgré son jeune âge.

En tout cas, il n'avait plus rien du centurion qu'il avait été.

Rufrius Galarius lui avait fourni une mallette de baumes. Marcus l'avait jointe au paquetage que portait la jument d'Esca. Il avait placé avec elle son étal d'oculiste. C'était un bloc de bois sur lequel il exposerait ses baumes. Sur le devant étaient gravés les mots suivants :

AUCUNE AFFECTION DES YEUX
NE RÉSISTE À L'ÉLIXIR MIRACULEUX
DU GRAND DEMETRIUS D'ALEXANDRIE

Les sentinelles ne firent aucune difficulté pour laisser passer les voyageurs à travers la forteresse de Chilurnium. Ils longèrent des baraquements alignés à angle droit et eurent un aperçu de la vie rythmée par les appels des trompettes, dont le chant était aussi doux au cœur de Marcus que l'eût été le plaisir de rentrer chez lui, sa mission accomplie. Les ennuis commencèrent quand ils atteignirent la porte Nord. Là, ils croisèrent un escadron de cavalerie qui revenait d'une séance d'exercice. Ils s'écartèrent pour laisser passer les soldats, mais la jument de Marcus, habituée de longue date à ces exercices, voulut se joindre au mouvement en poussant un hennissement aigu.

Handicapé par sa vieille blessure, Marcus n'avait pas beaucoup de force dans son genou droit. Après quelques sueurs froides et piétinements furieux, il parvint enfin à reprendre le contrôle de sa monture. C'est alors qu'il repéra le décurion de garde, appuyé contre le mur de la baraque. L'homme se tenait les côtes en hurlant de rire, tandis que ses hommes, autour de lui, affichaient de grands sourires moqueurs.

—N'amène pas une carne volée à la cavalerie dans des baraquements de cavalerie! s'exclama amicalement le décurion quand son fou rire se calma. Voilà un bon conseil, crois-moi…

Tout en essayant de maîtriser sa monture, encore énervée et déçue, Marcus se demanda froidement comment Esculape en personne aurait réagi en s'entendant traiter de voleur de chevaux.

—Pensez-vous, lança-t-il aux soldats, que moi, Demetrius d'Alexandrie – *le* Demetrius d'Alexandrie –, j'aie pour habitude de voler des chevaux à la cavalerie romaine? Ou me croyez-vous suffisamment sot, auquel cas, pour ne point voler un meilleur animal que cette carne?

Le décurion était un joyeux drille, et les petits rires qui saluèrent la question de Marcus l'incitèrent à faire quelques efforts supplémentaires. Il cligna de l'œil.

—Regarde la marque sur son épaule, ça prouve que ta jument était bel et bien une jument romaine.

—Regarde toi-même, rétorqua Marcus. Ne vois-tu point la marque qui signale que la légion a laissé partir cette bête de son plein gré? Ah, l'ami! Tu as grand besoin de mon baume miraculeux. Aucune affection des yeux ne lui résiste et, comme tu me sembles bonhomme, je veux bien te vendre un petit pot pour seulement trois sesterces.

Cette fois, les légionnaires éclatèrent de rire, et l'un d'eux en profita pour se moquer du décurion :

—Prends-en deux pots, Sextus! Tu te souviens comme tu avais raté les jambes du Picte qui dépassaient d'un buisson d'ajoncs?

À l'évidence, le décurion ne s'en souvenait que trop bien. Il aurait préféré l'oublier. S'il rit avec les autres, ce fut jaune, et il se dépêcha de changer de sujet.

—Tu n'as pas assez d'yeux irrités à sauver dans l'Empire? Qu'as-tu besoin d'aller en chercher de l'autre côté du Mur?

—Peut-être suis-je comme Alexandre, répliqua Marcus-Demetrius avec une exquise modestie. J'ai envie de conquérir de nouvelles terres!

—Chacun ses goûts! grommela l'homme en haussant les épaules. Pour moi, le vieux monde me convient assez. Les plaisirs qu'il me propose me suffisent!

—Tu manques d'ambition, voilà ton problème, conclut Marcus en secouant la tête. Si j'avais été aussi mou que toi, je ne serais jamais devenu le Demetrius d'Alexandrie, l'inventeur de l'élixir miraculeux, le plus célèbre oculiste qui soit depuis la Césarée jusqu'aux confins de...

—*Cave*[1]! cria quelqu'un. Voilà le commandant!

Aussitôt, les légionnaires qui n'avaient rien à faire là déguerpirent, les autres se redressèrent d'un bond et se remirent immédiatement au travail. Marcus, lui, continua de plastronner, vantant les guérisons extraordinaires que permettait son élixir. On se dépêcha de le conduire sous la porte, où grouillaient les soldats. Esca, le visage impassible, le suivait.

Marcus et Esca laissèrent donc la frontière derrière eux et pénétrèrent dans la région qui avait été jadis la province de Valentia.

«Chilurnium doit être un endroit agréable pour une garnison», pensa Marcus en jetant un bref coup d'œil sur la vallée peu profonde et boisée, au fond de laquelle une rivière calme avait lové ses méandres. Quand aucun trouble ne menaçait, on devait pouvoir pêcher et se baigner dans le cours d'eau, et la forêt était certainement giboyeuse. Rien à voir avec la vie que l'on menait dans les forteresses situées plus

---

1. *Cave*, en latin, signifie : «Attention!»

haut sur les terres, à l'ouest, à l'endroit où le Mur traversait la lande entre les crêtes des collines noires. Mais son humeur présente poussait Marcus vers les hauteurs des collines, où gémissait le vent et pleuraient les courlis. Dès que Chilurnium fut loin derrière eux, Marcus fut soulagé de piquer vers l'ouest, en suivant la direction que leur avait indiquée un chasseur avant leur départ. Ils laissèrent derrière eux la vallée paisible et se dirigèrent vers les hautes terres noires qu'on apercevait à travers les trouées de la chênaie.

Esca chevauchait en silence à ses côtés. Les sabots de leurs chevaux n'étaient pas ferrés, si bien qu'ils ne faisaient presque aucun bruit sur le chemin de terre. Dans ces terres sauvages, les voyageurs ne trouveraient ni routes dignes de ce nom, ni maréchaux-ferrants. Les hommes n'avaient guère laissé leur empreinte dans ces contrées sauvages, et les chemins y étaient peu fréquentés. Cependant, Marcus et Esca étaient surpris de n'apercevoir aucune trace de vie autour d'eux − de vie humaine, s'entend, ils avaient croisé un chevreuil et un renard des montagnes. Au sud, seul le Mur, construit de main d'homme, barrait le paysage, les collines semblaient encore plus désolées, et l'horizon encore plus noir.

Mais, bientôt, Marcus et Esca se sentirent aussi heureux que s'ils avaient repéré un visage connu dans une foule d'étrangers : ils s'étaient enfoncés dans un sentier étroit et verdoyant situé sur les hauteurs de la lande. Là, un ruisseau s'écoulait entre les pierres, les sorbiers des oiseleurs étaient en fleurs, et ils sentirent dans l'air chaud monter un parfum de miel. Ils trouvèrent l'endroit idéal pour faire une halte.

D'un commun accord, ils mirent pied à terre, abreuvèrent leurs montures et les laissèrent brouter leur content. Puis, les mains en coupe, ils burent et se rafraîchirent à leur guise sur la berge. Ils avaient emporté des biscuits de froment et du poisson séché dans leur paquetage mais n'y touchèrent pas. Ils avaient appris depuis longtemps – Marcus au cours de longues marches, Esca au cours de longues chasses – qu'il valait mieux manger le matin et le soir.

Esca s'étira longuement et soupira d'aise, étendu au pied des sorbiers. Marcus, appuyé sur un coude, regardait couler le petit torrent. Le silence des hautes collines les enveloppait. Il était habité de nombreux petits bruits : le clapotis de l'eau, le murmure des abeilles dans les branches de sorbier, la respiration paisible des deux juments. «C'est bon d'être enfin ici, songea Marcus, après tant de temps perdu, après tous ces jours passés le long du Mur à chercher des indices et à traquer la moindre trace de la rumeur qui avait alerté le légat.» En vain, bien entendu, elle avait fondu comme neige au soleil et, à présent, il n'en restait plus rien.

Ces dernières semaines, Marcus avait eu l'impression que tous ses efforts n'aboutissaient à rien, et qu'il n'avait pas avancé depuis que Claudius Hieronimianus lui avait donné son ordre de marche. Ici, dans le silence des collines, son impatience s'évanouissait. Désormais, il allait pouvoir se consacrer entièrement à sa mission.

Les grandes lignes de leur plan de campagne avaient été tirées dans le bureau d'Aquila – cela semblait si loin, aujourd'hui! L'idée était très simple : les voyageurs se dirigeraient vers le nord en faisant une série de détours qui les conduiraient d'est en ouest, puis d'ouest en est, et ainsi de suite, comme un lévrier flairant les deux bords d'un sentier pour repérer une odeur. Ainsi, ils finiraient par croiser la piste de l'aigle, voire de la légion et, s'ils gardaient leurs yeux et leurs oreilles grands ouverts, peut-être réussiraient-ils même à récupérer l'étendard.

Oui, l'idée était très simple. Du moins dans le bureau d'Aquila. Mais, maintenant qu'ils avaient atteint les terres immenses et vides situées de l'autre côté de la frontière, Marcus et Esca la trouvaient très compliquée!

Pourtant, même si leur tâche semblait irréalisable, Marcus était heureux de relever ce défi. Pour le moment, il avait mis de côté l'aspect rationnel et officiel de son enquête, seule sa quête personnelle lui importait. Assis sur ce petit vallon que réchauffait le soleil, il sentit son cœur tressaillir d'allégresse — c'était presque douloureux tant c'était bon! — quand il imagina le moment où il rapporterait l'aigle perdue à Eburacum. La légion de son père revivrait, son nom serait purifié à jamais, et aucun dieu, oh, non, aucun, Marcus en avait la certitude, ne serait assez injuste pour empêcher l'âme de son père de savoir qu'il avait méprisé les ragots et gardé foi en lui…

—Ça y est, le plus dur est fait! s'exclama Esca.

La tête renversée, il semblait parler aux branches de sorbier.

—La chasse va pouvoir commencer, ajouta-t-il.

—Notre terrain de chasse est immense! répondit Marcus en se tournant vers son compagnon. Et qui sait où nous mènera notre traque? Esca, tu connais ces contrées mieux que moi. Je sais que les gens que nous allons croiser ne seront pas de ta tribu, mais ils seront plus proches de toi que de moi. Ils auraient pu dessiner le bouclier de mon oncle et non le motif de mon fourreau, pour reprendre ton image. En conséquence, si tu me dis de faire quelque chose, je t'obéirai, même si le sens de cet ordre m'échappe.

—Voilà qui me semble une sage décision! dit Esca.

Marcus observa la position du soleil.

—Il faudrait repartir sans tarder, je pense. Sinon, nous sommes bons pour dormir dans les bois, puisque nous n'avons pas encore trouvé le village dont l'homme de l'auberge nous a parlé.

—Si nous suivons le cours d'eau, nous devrions arriver rapidement à destination, affirma Esca.

Marcus leva un sourcil interrogateur.

—Qu'est-ce qui te fait croire ça?

—J'ai aperçu une fumée à travers les bouleaux, derrière la colline.

—Ce n'est peut-être qu'un feu de lande.

—C'est un feu de bruyère, rétorqua Esca avec assurance.

Rassuré, Marcus s'allongea de nouveau sur l'herbe. Puis, comme pris d'une subite impulsion, il dégaina sa dague et découpa de petits morceaux de terre dans l'herbe sèche, qu'il dégagea avec un soin infini. Quand il en eut suffisamment, il les débarrassa des bruyères et des feuilles de ciguë qui les recouvraient et, s'écartant de la rive, il entreprit de les entasser.

—Qu'est-ce que tu fabriques? demanda Esca après l'avoir regardé un moment en silence.

—Je construis un autel à l'endroit de notre première halte.

—En l'honneur de quel dieu?

—De mon dieu. De Mithra, la Lumière du Soleil.

Esca se tut. Il ne proposa pas d'aider Marcus, Mithra n'était pas son dieu. Il se contenta de s'asseoir plus près, la tête sur les genoux, et d'observer l'édification de l'autel. Marcus taillait et sculptait les morceaux de terre, encore légèrement tièdes sous ses doigts. L'ombre d'une branche basse de sorbier dansait sur ses mains.

Quand l'ouvrage fut fini, le jeune homme nettoya sa dague et la rengaina puis, avec ses paumes, il balaya la terre qu'il avait répandue sur les herbes environnantes. Après quoi, il rassembla, avec l'aide d'Esca, des écorces de bouleau, du bois mort et de la bruyère séchée. Au sommet de l'autel, il dressa un maigre bûcher, en réservant un espace au milieu, comme s'il construisait un nid pour un oiseau qu'il aimait. Sur la branche en fleur du sorbier, il prit une poignée de pétales et les fit tomber un à un sur le petit tas de combustible. Enfin, il ouvrit sa tunique et en sortit l'oiseau en bois d'olivier — son oiseau en bois d'olivier.

Des années de soins attentifs avaient poli et noirci l'objet. L'oiselet était plutôt ridicule, maintenant que Marcus l'observait froidement, mais il était cher à son cœur, et cela donnait tout son prix à son sacrifice. L'oiseau représentait une partie de sa vie, il le ramenait au souvenir de l'olivier dans le méandre du ruisseau, à la maison, aux objets qu'il avait aimés et aux gens auxquels l'olivier appartenait. Et, soudain, alors qu'il déposait l'oiseau dans l'espace qu'il avait ménagé au cœur du bûcher, au milieu de la poussière d'étoiles figurée par les pétales de sorbier, il eut l'impression que là, dans cette figurine de bois sculpté, gisait son ancienne vie.

Il tendit la main pour qu'Esca y déposât le silex et la pierre à fusil qui ne le quittaient jamais. Les étincelles dorées qu'il fit jaillir tombèrent sur les brindilles séchées de bruyère. Là, elles scintillèrent un moment comme des bijoux. Quand Marcus souffla dessus pour les attiser, elles se transformèrent en une flammèche grésillante. Une fleur enflammée ne tarda pas à éclore, et l'oiseau en bois d'olivier était en son cœur comme une colombe sur son nid.

12

L'HOMME QUI SIFFLAIT
AU PETIT MATIN

Tout l'été, Marcus et Esca errèrent dans la province abandonnée de Valentia. Ils zigzaguaient d'une côte à l'autre, en gardant toujours cap au nord. Ils ne rencontrèrent pas de grandes difficultés. Rufrius Galarius n'avait pas menti quand il avait affirmé que le métier d'oculiste valait n'importe quel talisman pour qui désirait voyager.

Dans la province de Valentia, comme partout ailleurs en Bretagne, beaucoup de gens souffraient d'ophtalmie des marais. Marcus faisait de son mieux pour soulager ceux qui réclamaient son aide. Il se servait des baumes que lui avait fournis le vieux chirurgien militaire. Galarius lui avait montré comment le faire. Les pommades étaient efficaces, et Marcus avait du bon sens et des mains délicates. Aussi réussissait-il mieux que la plupart des rares praticiens qui s'étaient risqués sur ces terres inhospitalières.

Les deux voyageurs n'étaient pas reçus à bras ouverts par les villageois. Pourquoi l'auraient-ils été? Ils ne faisaient pas partie de leur tribu! Cependant, leurs interlocuteurs n'étaient pas hostiles non plus. Il était rare que les jeunes gens ne trouvassent pas, dans chaque village, quelqu'un qui leur offrît le gîte et le couvert quand le jour touchait à sa fin. Le lendemain, si la route qu'ils voulaient prendre était difficile à repérer ou dangereuse à suivre, il y avait toujours un chasseur pour leur servir de guide jusqu'au village le plus proche.

Les villageois n'auraient pas rechigné à payer Marcus un bon prix pour ses talents de guérisseur. Ils lui proposèrent de pleines poignées de perles de jais, des manches de javelot ou une fourrure de castor – autant de dons qui eussent largement remboursé le prix des baumes, au sud du Mur. Mais le jeune homme ne s'était pas lancé dans cette aventure pour faire fortune et il ne tenait pas à se charger inutilement. Aussi contournait-il la difficulté en répondant :

–Gardez-le-moi jusqu'à ce que je revienne vers le sud...

L'été touchait à sa fin. Les sorbiers, qui fleurissaient quand Marcus avait élevé son autel sur la colline, à l'endroit de sa première halte, ployaient à présent sous les grappes de baies.

Par une belle journée du mois d'août, à la fin de la matinée, Esca et Marcus étaient assis côte à côte sur l'herbe. Ils observaient, par-delà un bois de bouleaux, le grand estuaire qui marquait la limite de la province de Valentia.

C'était un jour éclatant comme un coup de trompette. Les collines boisées étaient baignées de chaleur. Derrière les jeunes gens, les juments piétinaient et piaffaient, agitant leur queue pour chasser les nuages de mouches qui les agaçaient.

Marcus était assis, les mains sur les genoux, les yeux rivés sur l'estuaire. Le soleil tapait fort sur sa nuque et brûlait ses épaules, malgré la tunique qui les protégeait. Comme il aurait aimé imiter Esca, couché sur le ventre devant lui, la tunique baissée jusqu'à la taille ! Mais il n'était pas question pour Marcus de ressembler aux indigènes. Errer en braies eût attenté à la dignité du grand Demetrius d'Alexandrie. Aussi le jeune homme était-il condamné à cuire dans sa tunique de laine...

Il entendait les abeilles bourdonner dans la clairière, sous la chape de plomb de la chaleur. Il humait les chaudes fragrances des bouleaux chauffés par le soleil, au-dessus de la froideur saline de la mer. Il choisit un goéland parmi ceux qui tournoyaient dans le ciel, et le regarda jusqu'à ce que l'oiseau disparaisse, ses ailes formant comme un nuage ensoleillé qui tremblotait. Pourtant, il n'avait pas vraiment conscience de ces sensations. Quelque chose le tracassait.

— Nous avons raté la piste de l'aigle à un moment ou un autre, dit-il tout à trac. Je suis sûr que nous sommes allés trop loin au nord. Nous voilà arrivés près de l'ancienne frontière !

— Nous avons de grandes chances de trouver l'aigle de l'autre côté du Mur du nord, répondit Esca. Ceux qui l'ont récupérée n'ont sûrement pas pris le risque de la laisser dans une province qui a porté un nom romain. Ils l'auront emportée dans leur sanctuaire.

— Je sais, reconnut Marcus. Mais pourquoi n'avons-nous relevé aucun indice dans Valentia ? Ce n'est pas normal… et pas très rassurant. Si ce qu'on nous a dit sur la Calédonie est exact, nous n'avons quasiment aucune chance de repérer notre proie dans les montagnes, à moins d'avoir un début de piste à nous mettre sous la dent. À mon avis, nous sommes bons pour errer en Calédonie jusqu'à ce que nous tombions dans la mer, à l'extrémité nord de l'île.

— Un sanctuaire, ça se voit, suggéra Esca. À condition d'avoir les yeux grands ouverts et assez de courage pour s'approcher un peu, nous devrions le repérer…

Marcus resta assis un moment, silencieux, le menton sur les genoux. Puis il se décida :

— Quand rien ne peut guider un homme dans son choix, il est temps de remettre sa destinée dans les mains des dieux.

Il prit une petite bourse en cuir cachée dans sa tunique et y préleva un sesterce. Esca roula sur lui-même et s'assit. Les tatouages bleus de guerrier, qui ornaient ses bras et sa poitrine, s'animèrent quand ses muscles roulèrent sous sa peau brune.

Dans la paume de Marcus, la pièce d'argent était ornée, sur un côté, de la tête de Domitien ornée d'une couronne de laurier. C'était dans ce disque, pourtant minuscule, que se trouvait l'avenir des deux jeunes gens.

—Face, on continue vers le nord, pile, on revient en arrière, annonça le chef de l'expédition.

Il lança la pièce en l'air, la rattrapa et la plaça sur le dos de sa main droite. Sa main gauche empêchait de lire le résultat. Il soutint le regard d'Esca un moment, puis il souleva sa main. Cette fois, ce fut le recto de la pièce qui apparut — ce recto qu'on appelait parfois « bateaux », en souvenir des proues de navire qui ornaient les pièces de la République[1].

—Droit vers le sud! conclut Marcus.

Ils revinrent donc sur leurs pas. Quelques nuits plus tard, ils s'installaient dans le vieux fort qu'Agricola[2] avait bâti sur le Trinomontium, c'est-à-dire les Trois-Collines.

Trente ans auparavant, quand la province de Valentia était romaine autrement que de nom, avant que tout le travail d'Agricola ne fût détruit par le Sénat, Trinomontium avait été un fort très animé. Sur le vaste forum vivait une double cohorte qui dormait dans de longues rangées de baraquements. De très nombreux chevaux peuplaient les écuries. Les cavaliers sortaient souvent en manœuvre sur la pente douce située au pied des remparts, leur casque à plumes jaunes sur la tête. Ici comme ailleurs, on trouvait des thermes, des

1. L'histoire de Rome a été marquée par trois périodes : la royauté, la République puis l'Empire.
2. Agricola (40-93) conquit la Bretagne avec Domitien.

tavernes et, à part, les quartiers des femmes. Les sentinelles faisaient leur ronde inlassablement.

À présent, la nature avait repris ses droits.

L'herbe recouvrait les pavés des allées, les toits étaient défoncés, et les murs rouges se dressaient vainement vers le ciel. Trente automnes avaient comblé les puits de leurs débris variés. Un sureau avait pris racine dans un angle d'une maison désormais sans toit – cette même maison qui avait dû abriter jadis l'étendard de la cohorte et l'autel des dieux. L'arbre avait même creusé un trou dans le mur pour se faire un peu de place! Dans cet endroit désolé, il n'y avait pas âme qui vive… ou presque. En errant dans le camp, Marcus et Esca, accablés par la chaleur du soir d'été qui tombait, croisèrent un lézard qui se dorait au soleil couchant et s'enfuit à la vitesse de l'éclair quand ils approchèrent.

Marcus observa la pierre où l'animal s'était réchauffé. Il y vit, grossièrement taillé, le dessin d'un sanglier qui chargeait. C'était l'emblème de la 20e légion. À sa vue, le jeune homme eut soudain une conscience aiguë de l'état de désolation dans lequel cet endroit se trouvait.

– Si jamais les légionnaires reviennent dans le Nord, glissa Esca, ils auront un sacré travail devant eux pour reconstruire tout ça!

Les sabots des juments résonnaient bizarrement dans le camp. Quand leur martèlement se tut, le silence qui retomba semblait presque menaçant.

– J'aurais préféré que nous poussions jusqu'au prochain village, marmonna Esca comme pour lui-même. Je n'aime pas cet endroit.

– Pourquoi? Tu n'avais rien contre, tout à l'heure…

En effet, ils avaient passé la journée à inspecter le camp de fond en comble, dans l'espoir – absurde, ils le savaient – d'y dénicher un indice quelconque.

—À midi, rétorqua-t-il, pourquoi pas ? Mais, à présent, le soir tombe et, bientôt, il fera noir comme dans un four.

—Faisons un feu ! proposa Marcus, surpris. Ce n'est pas la première fois que nous dormons à la belle étoile, depuis le début de cette aventure. Nous n'avons jamais eu le moindre problème quand nous avions un feu, pas vrai ? Les seules créatures que nous pouvons craindre dans ces ruines, ce sont les sangliers, et nous n'en avons vu aucune trace...

—Depuis que je peux manier une lance, je suis un chasseur et, crois-moi, je n'ai pas attendu ce voyage pour passer la nuit à la fraîche. Non, je n'ai pas peur des habitants de la forêt...

—Alors que crains-tu ?

Esca se mit à rire, mais son rire se brisa.

—Je suis idiot, mais... Les fantômes de la légion disparue, voilà ce que je crains.

Marcus jeta un coup d'œil circulaire autour d'eux, sur le forum envahi par les herbes folles.

—C'était une cohorte de la 20e légion qui était affectée ici. Pas la 9e. Jamais.

—Qu'est-ce que tu en sais ? Comment savoir où a erré la 9e après qu'elle s'est enfoncée dans le brouillard ?

Marcus se tint coi. Chez lui, on ne craignait pas les fantômes à ce point, mais Esca avait grandi avec d'autres traditions. Aussi le jeune Romain finit-il par reprendre la parole :

—En supposant que les fantômes de la 9e nous rendent visite, je ne crois pas qu'ils nous feraient du mal. Il me semblait que cet endroit nous procurerait un bon abri d'autant que, d'après le chant des courlis, il va pleuvoir cette nuit. Ceci dit, si tu préfères, nous n'avons qu'à nous ménager un coin sous les noisetiers, dans les bois, et dormir là-bas.

—Non, non, je devrais avoir honte...

—Dans ce cas, dépêchons-nous de choisir nos quartiers !

Les jeunes gens se décidèrent pour un baraquement dont le toit avait résisté aux intempéries. Des poutres recouvertes de chaume : voilà qui ferait un abri convenable quand il se mettrait à pleuvoir.

Marcus et Esca ôtèrent leur paquetage du dos de Vipasnia et Minna, les juments. Ils les bouchonnèrent et les laissèrent en liberté dans le vaste édifice, comme les Britanniques en usaient toujours avec leurs montures. Après quoi, Esca partit chercher un peu de fourrage et des fougères pour faire des matelas. Marcus se chargea de ramasser du bois mort, puis d'allumer le feu sous le regard attentif des deux juments.

Après quoi, leur abri de fortune parut moins sinistre. Un petit feu brûlait gaiement et illuminait l'entrée du refuge. La fumée s'échappait par les nombreuses ouvertures du vieux toit de chaume, qui révélaient un ciel de plus en plus sombre. Dans un coin, Esca avait entassé des brassées de fougères et les avait recouvertes avec les peaux de mouton qui, le jour, servaient de selles. Marcus et Esca mangèrent une partie des provisions qu'ils avaient emportées du village où ils avaient dormi la nuit précédente : des gâteaux d'avoine et des lanières de viande de daim qu'ils firent griller au feu de bois. Puis Esca se coucha et s'endormit aussitôt.

Marcus, lui, resta un moment devant le foyer. Il regardait s'envoler les étincelles rougeoyantes. Autour de lui, c'était le silence, que seuls troublaient le crépitement du feu et le souffle des juments dans l'ombre. Le jeune homme restait assis, immobile, sur sa couche de fougères placée contre le mur ; de temps en temps, il se penchait pour alimenter le feu. Esca, lui, dormait du sommeil calme et léger du chasseur. En le voyant ainsi, Marcus se demanda s'il aurait le courage, lui, de s'abandonner au sommeil dans un lieu qu'il croirait hanté…

Lorsque la nuit fut noire comme de l'encre, de grosses gouttes chaudes se mirent à tomber. Entendre la pluie glisser le long des toits de chaume rendait cet endroit — jadis vivant, aujourd'hui mort — encore plus triste. Marcus se rendit compte qu'il s'était mis à guetter le moindre bruit. Il imagina des hordes de fantômes allant et venant le long des remparts de pierre, errant dans le forum abandonné, jusqu'à ce qu'il se décide à couvrir le feu et à s'allonger à côté d'Esca.

D'ordinaire, quand ils dormaient en pleine nature, ils prenaient chacun leur tour de garde pour nourrir le feu et surveiller le campement pendant que l'autre dormait. Ici, avec quatre murs autour d'eux, des troncs d'arbre barrant la porte et empêchant les chevaux de s'enfuir, Marcus décida que veiller serait inutile. Au début, cependant, il resta éveillé, tous ses sens en alerte, prêt à bondir au moindre bruit suspect. Puis la fatigue, la douceur des peaux de mouton et le parfum agréable qui se dégageait du matelas de fougère eurent raison de sa nervosité et il ne tarda pas à s'endormir à son tour.

Il rêva qu'il assistait à un exercice de légionnaires maniant le pilum. Les soldats semblaient parfaitement ordinaires... mais ils n'avaient pas de visage. Leurs casques n'abritaient que le vide.

Quelque chose appuyait sur l'oreille gauche de Marcus. Il ouvrit les yeux. Du feu, il ne restait que quelques braises rougeoyantes. Dehors, les premières lueurs de l'aube éclairaient le fort abandonné. Esca était accroupi à côté de lui.

— Que se passe-t-il ? souffla Marcus, le mauvais goût du cauchemar encore dans la bouche.

— Écoute !

Il obéit. Un frisson désagréable lui parcourut l'échine. Ses rêves lui revenaient en mémoire, le mettant mal à l'aise. Quelque part dans le fort abandonné, quelqu'un — ou quelque chose — sifflait un air qu'il connaissait bien. Une rengaine qui avait accompagné plus d'une marche militaire. Une rengaine qui ne datait pas d'hier, mais qui avait toujours un succès fou dans la légion. Pour une raison qui échappait à l'entendement, elle était restée vivante dans la mémoire de Marcus, alors qu'il avait oublié les nombreux autres refrains que ses compagnons de cohorte et lui avaient entonnés pendant les exercices de marche.

Quand j'ai rejoint les aigles,
J'ai embrassé une belle, oh gué!
Une belle de Clusium, oh gué!
Puis je m'en suis allé.

Marcus se mit à chantonner tout bas les mots familiers. Il s'était levé, prêt à avancer au pas cadencé malgré sa jambe blessée. Le sifflement se rapprochait, de plus en plus clair et reconnaissable.

J'ai marché sans arrêt,
J'en ai pris pour vingt ans, oh gué!
Mais la belle de Clusium, oh gué!
Je n'l'ai pas oubliée!

Marcus se souvenait parfaitement des paroles. C'était une chanson qui comportait de nombreux couplets : ceux-ci énuméraient toutes les filles embrassées aux quatre coins de l'Empire.

Le jeune homme s'avança vers l'entrée d'un pas décidé. Esca le suivit et retira les poutres qui bloquaient le passage.

Soudain, le sifflement s'arrêta, remplacé par une voix rauque et étrange, qui trahissait l'émotion du chanteur.

Les filles d'Espagne sont douces,
Les Gauloises accueillantes, oh gué!
Mais la belle de Clusium, oh gué!
Je n'l'ai pas oubliée!

Les filles de Thrace sont lestes,
Les Romaines gourmandes, oh gué !
Mais la belle de Clusium, oh gué !
Je n'l'ai pas oubliée !

J'ai marché sans arrêt,
J'en ai pris pour vingt ans, oh gué !
Mais la belle de Clusium, oh gué !
Je n'l'oublierai jamais !

Marcus et Esca sortirent des baraques. Ce fut devant la porte sénestre qu'ils se retrouvèrent nez à nez avec le chanteur.

Ce que Marcus s'attendait à découvrir, il n'aurait su le dire. Peut-être rien, personne – c'eût été pire que tout.

Mais ce qu'il vit le stupéfia. L'homme n'était pas un fantôme. C'était un autochtone, vêtu comme en plein été, monté sur un cheval aux jambes courtes et à la robe fournie.

L'homme s'était immobilisé en apercevant les voyageurs. Il les observait avec agressivité, la lance de chasse levée comme s'il allait attaquer d'un instant à l'autre.

Pendant un moment, les trois hommes se surveillèrent dans la pâle lueur de l'aube, puis Marcus brisa le silence.

À présent, il arrivait à se faire comprendre assez bien dans le dialecte des tribus du Nord.

– La chasse a été bonne, l'ami ! s'exclama-t-il en désignant la carcasse d'un chevreuil mâle presque adulte, suspendue au poney.

– Pas mauvaise, en attendant mieux, dit l'homme, mais pas assez bonne pour partager.

– Nous avons de quoi manger, rétorqua Marcus. Et nous avons un feu. Si tu préfères en allumer un autre ou manger ta viande crue, passe ton chemin ; sinon, tu es le bienvenu à notre foyer.

— Qu'est-ce que vous fabriquez, ici, aux Trois-Collines ? demanda l'homme, suspicieux.

— Nous avons campé pour la nuit. Nous ne savions pas où était le village le plus proche, et nous n'avions pas envie de nous retrouver sous l'averse. Voilà pourquoi nous avons préféré nous mettre à l'abri ici. Cet endroit serait-il réservé aux corbeaux, aux lézards… et à toi ?

L'homme ne répondit pas tout de suite. Puis, il fit ostensiblement tourner la lance dans sa main, de sorte que la pointe était désormais dirigée vers l'arrière, en signe de paix.

— Tu dois être le guérisseur des yeux dont j'ai entendu parler, non ?

— Oui, c'est moi.

— Je viens partager votre feu.

Il se tourna, siffla, et deux chiens de chasse fendirent la bruyère pour le rejoindre.

Quelques instants plus tard, les trois hommes étaient de retour dans leur abri de fortune. Le petit cheval aux poils longs, libéré de sa charge, fut attaché à un tronc mort près de la porte. Esca mit une bûche de bouleau dans les braises.

L'écorce argentée noircit, puis le bois s'enflamma.

Marcus voyait plus nettement les traits de son invité. C'était un homme entre deux âges, maigre mais puissamment bâti, le regard sombre et assez difficile à saisir sous la chevelure en bataille, couleur poivre et sel comme la fourrure d'un blaireau. L'inconnu n'était vêtu que d'un kilt ocre. À la lumière du feu, Marcus distinguait des tatouages à la mode locale : des vrilles et des spirales bleues couvraient le buste de l'homme, ses épaules, son front, ses joues et jusqu'à ses narines !

Les chiens reniflaient la carcasse du daim posée par terre. Quand leur maître se pencha pour les chasser, la lueur du feu révéla, entre ses sourcils, une étrange cicatrice…

Esca s'installa près du feu et mit de la viande séchée à cuire dans les cendres chaudes. Puis il s'assit, la lance à portée de main. Il ne quittait pas des yeux l'étranger. Celui-ci, à genoux devant son butin, commença d'en dépecer la carcasse à l'aide d'un long couteau de chasse qu'il avait tiré de sa ceinture. Marcus l'observait avec stupéfaction – bien qu'il s'efforçât de rester discret. L'homme ressemblait à n'importe quel indigène. Pourtant, il avait chanté *La fille de Clusium* en bon latin et, à une époque lointaine – la cicatrice était presque effacée, à présent –, il avait été initié au culte de Mithra et avait passé l'épreuve du Corbeau.

Oh, bien sûr, des légionnaires qui avaient servi ici avaient pu lui apprendre la chanson et il était assez âgé pour avoir connu l'époque où ce camp était vivant.

Cependant, la chanson et la cicatrice, cela faisait au moins un indice de trop pour ne pas attirer l'attention de Marcus. Le jeune homme jugeait la coïncidence inhabituelle, pour employer un euphémisme et il avait justement passé l'été à la recherche de tels événements…

Le chasseur avait prélevé une large bande de chair sur le flanc et le cuissot du chevreuil. Il en tailla de petits morceaux, et découpa un morceau plus gros, avec la peau, qu'il jeta aux chiens. Aussitôt, ceux-ci se disputèrent le cadeau du maître. Pendant ce temps, l'homme saisit ce qui restait de la carcasse et l'attacha à une poutre, hors de portée des chiens. Il plaça dans les braises les morceaux qu'il avait découpés pour son repas, essuya ses mains pleines de sang sur son vêtement et s'assit sur ses talons. Il scruta le visage de Marcus, puis d'Esca, puis de Marcus de nouveau, de son regard perçant, comme s'il sentait que les jeunes gens – surtout Marcus – avaient une relation particulière avec lui, dont il n'arrivait pas à comprendre la nature.

—Grand merci pour votre feu, dit-il, moins brusque que lors de leurs premiers échanges. J'aurais dû mettre plus d'empressement à détourner ma lance, mais je ne m'attendais pas à rencontrer quelqu'un là, au beau milieu des Trois-Collines.

—Je comprends cela, concéda Marcus de bonne grâce.

—Imagine, voilà des années et des années que j'emprunte ce sentier pour chasser, et jamais, au grand jamais, je n'y avais croisé un homme!

—Maintenant, tu en as rencontré deux! plaisanta Marcus. Et puisque nous partageons le même feu, nous pouvons bien nous présenter : je suis Demetrius d'Alexandrie, oculiste itinérant comme tu sembles le savoir, et voici mon ami et porte-lance, Esca Mac Cunoval de la tribu des Brigantes.

—Les hommes aux boucliers de guerre bleus, précisa Esca en souriant de toutes ses dents. Si vous n'avez pas entendu parler de moi, vous avez peut-être entendu parler de ma tribu.

—Oui, oui, j'ai un peu entendu parler de ta tribu, murmura l'étranger.

Marcus eut l'impression de repérer une pointe d'amusement dans la voix de l'homme, bien que le visage de son interlocuteur restât impassible.

—Pour ma part, je m'appelle Guern, poursuivit l'homme, et je suis un chasseur, comme vous pouvez le constater. Mon village est situé à plus d'un jour de là, vers l'ouest. Je viens parfois jusqu'ici pour attraper un des daims bien gras qui pullulent dans ces bois de noisetiers.

Le silence retomba. Le jour se levait. Les chiens continuaient de se disputer les morceaux de viande — ou ce qu'il en restait. Marcus jouait avec un bout de bois. Il se mit à siffloter l'air qui l'avait tant surpris une heure plus tôt. Du coin de l'œil, il s'aperçut que Guern l'observait. Pendant quelques instants, il continua de jouer avec le bout de bois en sifflotant. Puis, comme s'il venait de se lasser brusquement de son passe-temps, il jeta son bâton dans le feu et leva la tête.

—Où as-tu appris cette chanson, l'ami Guern le chasseur?

—Où veux-tu que je l'aie apprise, sinon ici? demanda-t-il.

Marcus sentait que l'homme cherchait une justification plus convaincante. Et, de fait, elle ne tarda pas :

—Quand ce fort n'était pas abandonné, on y chantait de nombreuses chansons, expliqua Guern. Celle-ci, c'est un centurion qui me l'a apprise. Il chassait le sanglier avec moi. J'étais un jeune garçon, à l'époque, mais j'ai bonne mémoire, ça, oui!

—As-tu appris d'autres mots de latin, hormis les paroles de la chanson? lui demanda Marcus en latin.

Le chasseur sembla vouloir lui répondre du tac au tac, se ravisa, chercha ses mots et scruta son interlocuteur un moment, les sourcils froncés. Puis il parla en latin à son tour, lentement, comme un homme qui n'a plus parlé une langue depuis des années et essaie de retrouver ses vieilles habitudes :

—Oui, je me souviens de quelques mots que les soldats utilisaient…

Puis, repassant au celte, il plaça une contre-attaque :

—Et toi, où as-tu appris cette chanson?

—Je suis passé par bien des villes de garnison, avança Marcus. Quelques-unes n'étaient pas abandonnées aux sangliers sauvages comme celle des Trois-Collines. Et j'ai l'oreille musicale…

Guern se pencha vers le feu pour tourner sa viande avec son couteau de chasse, en disant :

—C'est bizarre, tu ne m'as pas l'air d'être depuis très longtemps dans ce métier! Tu es encore tout jeune sous ta barbe…

—Il faut parfois se méfier des apparences, pontifia Marcus en caressant sa barbe.

Elle était plus fournie qu'au moment où il avait passé la frontière, sans pour autant être aussi abondante que celles de ses concurrents.

—J'ai commencé très tôt, mentit-il. J'ai marché sur les traces de mon père. Penses-tu que je trouverais des clients dans ton village ?

Guern testa la texture de sa viande avec son couteau. Il parut hésiter avant de lancer :

—Je vis un peu à l'écart avec ma famille, et nous n'avons pas de problèmes d'yeux. Cependant, si tu es encore là quand j'aurai fini de chasser, tu seras le bienvenu chez moi. Nous partagerons le sel, puis je te guiderai vers un autre village, pour te remercier de m'avoir convié près de ton feu.

Ce fut au tour de Marcus d'hésiter.

Mais, sentant d'instinct que cet homme n'était pas Guern le chasseur — ou pas seulement Guern le chasseur —, il accepta :

—Pour nous, toutes les routes se ressemblent. Nous te suivrons avec plaisir.

Guern se releva, son couteau à la main.

—Je m'aperçois qu'il y a plus de viande sur ma prise que je ne croyais…

Et bientôt, les trois hommes mangèrent la même viande, comme de bons compagnons.

Ils partirent le lendemain.

Marcus et Esca suivaient Guern, qui avait chargé la carcasse d'un grand cerf sur son petit cheval. Les chiens gambadaient autour de la petite troupe, à travers les tapis de fougères mouillées. Ils s'éloignaient des Trois-Collines, vers l'ouest, livrant de nouveau à la nature et à ses habitants le fort aux remparts couleur de sang.

13
LA LÉGION DISPARUE

Guern habitait dans un hameau de quelques huttes, sur les hauteurs d'une sombre colline. Un petit garçon au regard vif ramenait le bétail de l'étang et accueillit les voyageurs avec une sorte de fascination mêlée de désarroi. À l'évidence, il n'avait pas l'habitude de voir des étrangers, et il s'en méfiait. Il continua de s'occuper avec attention du grand taureau de son troupeau, tout en leur jetant de petits coups d'œil en coin. Il conduisit le puissant animal vers l'étable en lui donnant des tapes et en lui criant des ordres mais veilla à le placer constamment entre le danger que représentaient les nouveaux arrivants et lui.

Guern accompagna ses invités jusqu'à l'entrée d'une grande hutte, la plus grande du hameau.

— Voici ma maison, déclara-t-il. Vous y êtes chez vous pour le temps qu'il vous plaira.

Les trois hommes mirent pied à terre. Ils attachèrent les rênes de leurs chevaux à une barrière et s'avancèrent vers l'entrée de la hutte. Une fillette était assise devant la porte. Elle ne devait guère avoir plus de dix-huit mois. Elle portait un collier de corail autour du cou, pour écarter le mauvais œil... et rien d'autre. Elle était occupée à jouer avec trois pissenlits, un os et un galet poli. L'un des chiens lui lécha le visage en passant, avant de se fondre dans la pénombre. La fillette essaya d'attraper sa queue et tomba, déséquilibrée par sa tentative.

L'entrée de la hutte était si étroite que Marcus dut se contorsionner pour se faufiler à la suite de son hôte tout en enjambant la fillette. La faible lueur d'un feu éclairait la pièce. La fumée bleue et âcre prit Marcus à la gorge. Il sentit ses yeux le piquer, mais il ne pleura pas : il était presque habitué à ces sensations, désormais.

Une femme se tenait debout devant le foyer placé au centre de la hutte.

—Murna, j'ai invité le guérisseur des yeux et son porte-lance, annonça Guern. Aie la gentillesse de les mettre à l'aise, le temps que je m'occupe des chevaux et du fruit de ma chasse.

—Vous êtes les bienvenus, dit la femme, même si, grâces en soient rendues au Grand Cornu, nous n'avons pas de travail pour vous ici…

—Que le bonheur soit sur cette maison et sur ceux qui l'habitent, répondit Marcus avec courtoisie.

Esca suivit leur hôte, il ne laisserait à personne le soin de s'occuper des juments.

Marcus, lui, s'assit sur la peau de chevreuil que Murna venait d'étendre sur le tas de fougères qui servait de lit. Il l'observa pendant qu'elle s'affairait au-dessus du chaudron de bronze. Peu à peu, ses yeux se firent à la fumée ambiante. La faible lumière qui descendait du trou pratiqué dans le toit pour évacuer la fumée lui suffit pour se rendre compte que Murna était une femme osseuse, au visage réjoui. Elle était beaucoup plus jeune que Guern et portait une tunique de laine rouge assez grossière. Au sud, seule une femme pauvre s'en serait contentée.

Pourtant, Murna ne paraissait pas dans la gêne, loin de là. En tout cas, son mari était assez riche pour lui avoir offert de nombreux bracelets d'argent, de cuivre et de verre bleu égyptien. Sans compter les épingles d'ambre qui retenaient son abondante chevelure dorée et, bien sûr, le grand chaudron de bronze, dont elle devait être immensément fière. Marcus avait vécu assez longtemps parmi les peuplades du Nord pour savoir que rien n'attisait plus l'envie des voisines qu'un chaudron de bronze.

Bientôt, des bruits de pas s'approchèrent de l'entrée. Esca et Guern firent leur apparition, suivis du petit berger et d'un garçon encore plus jeune. Les enfants ressemblaient trait pour trait à Guern. Ils étaient déjà aussi abondamment tatoués que lui — fin prêts pour le jour où ils deviendraient des guerriers eux aussi. Sourcils froncés, ils scrutaient les étrangers sans aménité. Ils reculèrent contre l'un des murs de la hutte.

Leur mère alla chercher des bols de poterie noire et commença de servir le ragoût fumant aux trois hommes assis côte à côte sur le lit. Elle leur versa de l'hydromel jaune vif dans de grandes cornes de bœuf évidées, puis s'écarta et se plaça de l'autre côté du feu pour manger son propre repas. Là-bas, c'était le coin de la femme et des enfants, la petite fille rejoignit Murna, et le plus petit des garçons suivit le mouvement. Le plus âgé, lui, sembla surmonter sa méfiance, s'avança pour examiner le fourreau de Marcus… et finit par manger dans son bol !

Guern et les siens formaient une belle petite famille. Pourtant, il y avait quelque chose de bizarre, chez eux : ils vivaient à l'écart. Au nord du Mur, c'était rare. La plupart des barbares préféraient se regrouper, pour des raisons de sécurité. Une caractéristique inhabituelle de plus, à ajouter à la chanson et à la marque de Mithra…

Le lendemain matin, Marcus eut enfin la confirmation que ses doutes étaient bel et bien fondés.

Ce matin-là, Guern décida de se raser. Il ne faisait pas exception à la règle : en général, les barbares ne toléraient sur leur visage aucune pilosité superflue. Tout au plus se laissaient-ils pousser la moustache. Or, la barbe avait commencé de manger le visage de Guern. Lorsqu'il annonça qu'il avait l'intention de se raser, il déclencha un branle-bas de combat dans la maisonnée. On aurait dit les préparatifs d'une fête solennelle ! Murna apporta un pot de graisse d'oie pour adoucir ses poils, et toute la famille fit cercle pour admirer la toilette de son seigneur et maître.

Entouré d'un public nombreux (trois enfants, deux invités, plusieurs chiens), Guern le chasseur se mit au travail. « Comme les enfants du monde entier se ressemblent ! songea Marcus en observant avec amusement les petits spectateurs. Et comme les pères se ressemblent aussi ! » Partout dans le monde, les petits détails de la vie de famille, qu'on aurait pu croire typiques, étaient les mêmes. Marcus se souvint de la fascination qu'il éprouvait pour son père quand celui-ci se rasait.

Guern plissa les yeux pour mieux admirer son reflet dans le disque de bronze que sa femme – un trésor de patience, décidément ! – lui tendait. Il pencha la tête d'un côté puis de l'autre et grimaça en pensant à ce qui l'attendait. Marcus songea avec inquiétude au moment où Esca et lui devraient eux aussi s'attaquer à la broussaille qui leur couvrait le visage…

Guern passa à l'action. Il commença par la partie délicate située sous le menton en rejetant la tête en arrière. Et là… Marcus remarqua sur la peau une bande plus pâle, comme une cicatrice laissée par une vieille écorchure. La trace était presque imperceptible. Pourtant, il n'eut pas l'ombre d'une hésitation : il reconnut la marque que laissaient les mentonnières des casques romains, lorsqu'on les avait portés pendant de nombreuses années. Le jeune homme avait vu cette marque trop souvent pour garder le moindre doute. Si le faisceau de soupçons qu'il avait recueillis avait besoin d'une preuve décisive, elle était là, sous ses yeux. L'évidence était incontestable.

Quelque chose retint Marcus d'interroger Guern sur sa vie passée. Il devait le faire, bien sûr, mais pas devant sa femme et ses enfants, au cœur de la nouvelle existence qu'il s'était créée. Il attendit le moment de reprendre la route, et rappela à son hôte sa promesse de le conduire au prochain village. Il expliqua qu'il avait envie de se diriger vers l'ouest.

—Le prochain village à l'ouest est à deux jours d'ici, avertit Guern. Je vous accompagnerai une journée, je partagerai votre camp à la nuit tombée, puis je vous montrerai le chemin; mais je ne pourrai pas vous accompagner plus longtemps.

Marcus acquiesça. Peu après, les trois hommes reprirent la route.

Lorsque le soir descendit, les voyageurs, installés sur un contrefort qui dominait le paysage, s'assirent autour d'un petit feu et partagèrent leur repas. Leurs montures étaient toutes trois entravées, de manière à les empêcher de s'éloigner. Elles broutaient paisiblement l'herbe rare et courte de la colline. La chape de chaleur ne s'était pas encore dissipée.

En contrebas, les collines se dressaient vers le nord-ouest, jusqu'à une plaine d'où montait une fumée bleue, à une quarantaine de milles de là. Le regard de Marcus s'attardait sur le relief des collines. Le jeune homme savait que, quelque part dans cette immensité bleue, au nord, se dressait le mur qu'Agricola avait bâti pour séparer la province de Valentia du reste du monde – que les Romains appelaient Calédonie et les Celtes, Albu. Il savait aussi que, quelque part par là, dans cette même immensité, se cachait l'aigle perdue de la légion de son père.

Pas un bruit ne troublait la quiétude de l'endroit, sinon le souffle du vent qui faisait ployer la bruyère et, épisodiquement, le cri perçant de l'aigle royal qui dessinait des spirales bleutées dans les hauteurs.

Esca s'était placé légèrement en retrait, dans la bruyère. Il polissait sa lance. Marcus et Guern restaient seuls devant le feu, seuls avec le chien favori du chasseur, couché, le museau dans les pattes, son flanc contre celui de son maître. Marcus attendit un moment avant de se tourner vers son guide.

—Bientôt, très bientôt, nos routes vont se séparer, dit-il. Mais, avant que tu n'ailles ton chemin et moi le mien, j'ai une question sur le cœur, et j'aimerais te la poser.

—Pose-la, si tel est ton désir, répondit l'autre en jouant avec les oreilles de son chien.

—Comment se fait-il que tu sois devenu Guern le chasseur, toi qui as combattu autrefois sous les aigles romaines ?

Guern accusa le choc. Son regard vacilla. Son corps se raidit brutalement. Pendant un long moment, il se contenta de regarder Marcus par en dessous, à la manière des barbares.

—Et d'où tiens-tu ceci ? finit-il par grommeler.

—De personne. Je t'ai entendu chanter, puis j'ai vu la cicatrice entre tes sourcils, enfin, j'ai repéré la marque de la mentonnière, quand tu te rasais.

—Si ce que tu disais était exact, quel intérêt aurais-je à le confirmer ? Je suis un membre à part entière de ma tribu. Même si je ne l'avais pas toujours été, aucun de mes frères d'armes n'en parlerait à un étranger. Alors, explique-moi : que gagnerais-je à te dire que tu ne t'es pas trompé ?

—Rien. C'était une simple question de curiosité.

D'abord, Guern garda le silence. Puis, il se lança, avec un étrange mélange de méfiance agressive et de vieille fierté longtemps refoulée :

—Jadis, j'ai été 6ᵉ centurion de la cohorte de vétérans de la légion Hispanie. Et maintenant, va, file me dénoncer au commandant le plus proche. Je n'essaierai pas de t'en empêcher.

À son tour, Marcus prit tout son temps. Assis, calme, il fixait le visage de l'homme qui lui faisait face. Il y a peu, il espérait trouver une trace du centurion romain qui se cachait derrière le chasseur tatoué, et il l'avait trouvée, pensait-il avec satisfaction.

—Tu es hors d'atteinte des patrouilles, dit-il en pesant ses mots, et tu le sais parfaitement. Mais même si tu ne l'étais pas, il y aurait une raison pour laquelle je ne te dénoncerais pas.

—Laquelle?

—Je porte une marque sur mon front qui ressemble comme une sœur à celle que tu portes sur le tien.

Et, d'un geste brusque, il porta la main au ruban cramoisi qui maintenait le talisman d'argent en place, et il l'ôta. Aussitôt, l'autre se pencha en avant.

—Tiens tiens…, murmura-t-il, d'un ton dubitatif. Je ne savais pas que les oculistes rendaient grâces à Mithra, le soir, avant de se coucher…

Soudain, il cessa son persiflage et son regard devint perçant.

—Qui es-tu? demanda-t-il.

L'instant d'après, ses mains s'étaient posées sur les épaules de Marcus et l'obligeaient à tourner son visage vers la lumière mourante du soleil. Guern resta dans cette position, penché vers lui, les yeux plongés dans ceux de son interlocuteur.

Tout en tentant de dégager sa jambe blessée, Marcus soutint son regard, ses sourcils noirs froncés, la mine dédaigneuse.

Le gros chien observait la scène en grognant. Esca s'était levé sans un mot, la lance à la main.

L'homme et le chien étaient prêts à tuer au premier faux mouvement.

—Je t'ai déjà rencontré, lâcha Guern d'une voix rauque. Ton visage m'est familier. Au nom de la Lumière, qui es-tu?

—Tu ne te rappelles pas mon visage, répondit Marcus d'une voix égale, mais plutôt celui de mon père. C'est lui qui commandait ta cohorte.

Lentement, très lentement, les mains de Guern s'écartèrent et retombèrent à ses côtés.

—J'aurais dû m'en douter, murmura-t-il. Tu m'as bien eu avec ton talisman et ta barbe. Mais quand même, j'aurais dû m'en douter, oui, j'aurais dû m'en douter…

Il se secoua un peu, comme s'il souffrait, les yeux toujours fixés sur Marcus.

—Et que fais-tu, fils de ton père, ici, au fin fond de la province de Valentia ? Tu n'es pas grec, tu ne viens pas d'Alexandrie, et j'imagine que tu n'es pas plus oculiste que moi…

—Tu as raison, je ne suis pas oculiste, avoua Marcus. Cependant, les baumes que je transporte sont bons, et j'ai appris à les appliquer auprès d'un praticien de talent.

—Tu m'as menti !

—Oui et non. Quand je t'ai dit que j'avais mis mes pas dans ceux de mon père, c'était la pure et simple vérité. Je les ai suivis jusqu'à ce qu'une blessure à la jambe m'oblige à quitter la légion, il y a deux ans. Quant à la raison de ma présence ici — la véritable raison…

Marcus n'hésita guère, il sentait qu'il pouvait faire une confiance aveugle à Guern. Il lui expliqua donc en quelques mots pourquoi il errait dans cette contrée, et ce qu'il espérait y dénicher.

—Lorsque j'ai acquis la conviction que tu n'étais pas pareil aux autres chasseurs, je me suis dit qu'en restant quelque temps avec toi, j'obtiendrais peut-être des réponses à mes questions.

—Pourquoi ne pas me les avoir posées avant ? Je t'ai rencontré par hasard, je t'ai entendu parler latin — ça ne m'était pas arrivé depuis vingt ans ! —, je t'ai invité chez moi, vous avez dormi sous mon toit, nous avons partagé le sel et toi, dans ton cœur, tu me cachais des choses qui me concernent! Tu aurais pu jouer franc-jeu dès le début...

—J'aurais préféré, affirma Marcus. Sauf que je n'avais que des soupçons sur ton passé. J'ai échafaudé cette hypothèse, assez audacieuse, dès que je t'ai vu... mais je devais être sûr de moi avant de me dévoiler! Si j'avais découvert trop tard que mon imagination me jouait des tours, ne m'aurait-on pas sacrifié à Ahriman le Terrible[1]?

Guern ne répondit pas. Quand il parla, ce fut pour demander d'une voix morne :

—Que veux-tu savoir?

—Ce qu'il est advenu de la légion de mon père, et où se trouve l'aigle.

L'ex-centurion commença par fixer la main qu'il avait posée sur la tête du gros chien, étendu près de lui comme au début de la conversation. Puis il leva les yeux et dit :

—Je peux répondre à ta première question, mais c'est une longue histoire.

—Qu'à cela ne tienne, je vais nourrir le feu! lança Marcus.

Ce fut Guern qui se chargea de remettre du bois. Les branches d'aubépine qu'il ajouta s'enflammèrent aussitôt. Le feu qui se mourait cracha des étincelles. Guern contempla la fumée qui montait, comme s'il souhaitait retarder le moment de se lancer dans son histoire.

Le pouls de Marcus s'était accéléré. Un malaise l'étreignit. Heureusement, Guern finit par se jeter à l'eau.

—Tu n'as pas connu la légion de ton père, dit-il en latin, et ce fut comme s'il abandonnait d'un coup ses manières d'indigène pour retrouver les façons du Romain qu'il avait été. Oh, même si tu l'avais connue, tu n'aurais pu lire les signes avant-coureurs. Tu aurais été trop jeune. Et de beaucoup d'années... Pourtant, la mort était déjà en germe dans la légion Hispanie quand elle s'est dirigée vers le nord pour la dernière fois. Elle était même en germe depuis soixante ans, c'est-à-dire depuis que les soldats avaient obéi au procurateur[1] qui leur ordonnait de déposer la reine d'Iceni. Elle s'appelait Boudicca. Son nom te dit peut-être quelque chose… D'après ce qu'on raconte, elle a maudit les légionnaires et la légion elle-même, pour ce qu'ils lui ont fait subir. C'était injuste. Ils se contentaient d'obéir aux ordres. Si elle tenait absolument à maudire quelqu'un, elle n'avait qu'à maudire le procurateur lui-même ! Mais une femme qui s'estime trahie est prête à frapper quiconque se trouve à sa portée. Ce n'est pas le coupable ? Il n'y est pour rien ? Il n'avait pas à se trouver là ! L'important, pour elle, c'est que le sang coule. Ça lui donne l'impression qu'elle est vengée.

Guern secoua la tête :

—Moi, les malédictions, les sorts… Je n'y crois pas beaucoup. Ou plutôt, je n'y croyais pas beaucoup à ce moment-là. Mais une chose est sûre : dans le soulèvement qui a suivi, la légion maudite a été taillée en pièces par les insurgés. Quand les aigles arrivées en renfort ont enfin réussi à mater ces insoumis, la reine s'est empoisonnée. Certains disent que sa mort a renforcé le sort qu'elle avait jeté. La légion a été reformée. Elle a retrouvé de la vigueur, mais rien n'était plus pareil. Si on l'avait changée d'affectation, peut-être aurait-elle échappé au triste sort qui lui était promis… La laisser là où elle était, face à des tribus qui étaient au courant de tout, ce n'était pas une bonne idée. Les petites malchances entraînent de grandes infortunes, la malédiction profite de la moindre faiblesse pour étendre son emprise, au lieu de disparaître, et les Hispaniques étaient supersti-

1. Dieu d'origine perse, comme Mithra. Ahriman est le chef des démons qui s'oppose au dieu bon, Ahura Mazda.

tieux. Si bien qu'il a été de plus en plus difficile de trouver de nouvelles recrues. On a donc abaissé les critères de sélection, année après
année, et le niveau s'en est ressenti. Oh, cela ne s'est pas fait du jour
au lendemain! Au début, le changement a été très progressif. J'ai servi
avec des hommes de mon âge, qui se souvenaient de la 9ᵉ légion juste
avant qu'elle ne commence à déchoir. À un moment, le déclin s'est
accéléré. Lorsque j'ai rejoint la légion comme centurion de cohorte,
deux ans avant la fin – je sortais des rangs de la 13ᵉ, une légion réputée pour sa fierté –, le corps paraissait encore solide, mais le cœur
était déjà malade. Fichu, même.

Guern cracha dans le feu avant de poursuivre :

–J'ai essayé de lutter pour combattre cette évolution dans ma
propre centurie… du moins au début. Très vite, je me suis rendu
compte qu'il n'y avait rien à faire. Le combat était perdu d'avance. Le
dernier légat était un homme dur et hautain, qui ne cherchait pas à
comprendre ses hommes. Il ne pouvait pas y avoir pire pour com-
mander cette légion. Peu après son arrivée, Trajan[1] a prélevé trop de
troupes en Bretagne pour alimenter ses campagnes qui n'en finis-
saient plus. Nous qui étions en poste juste à la frontière, nous sentions
la révolte des tribus monter, monter comme de l'eau qui bout dans
un chaudron. À la mort de l'empereur, les tribus se sont soulevées.
Tout le nord de la Bretagne s'est enflammé. Nous n'avions pas plus
tôt maté les Brigantes et les barbares d'Iceni que nous avons été appelés dans la province de Valentia pour réprimer la révolte des Calédo-
niens. Deux de nos cohortes étaient sur le front de Germanie. Nos
rangs s'étaient déjà sérieusement éclaircis, et nous avons dû laisser
une cohorte en garnison à Eburacum, au cas où les Brigantes se déci-
deraient à attaquer de nouveau. Résultat? Nous étions moins de

---

1. Le procurateur était chargé de veiller aux destinées des provinces.

quatre mille à partir pour le Nord. Pour tout arranger, lorsque le légat a consulté les présages, comme le veut la tradition, les poulets sacrés ont refusé de toucher aux légumes secs qu'il leur a jetés. Inutile de te dire que cela a fini de nous saper le moral, et que notre état d'esprit, pour une légion qui part au combat, était désastreux…

Guern prit une profonde inspiration.

—C'était l'automne. Lorsque nous sommes arrivés dans la région, les collines disparaissaient déjà sous un rideau de brouillard, derrière lequel nous attendaient les barbares. Ils ne nous attaquaient pas de front. Même si nous étions affaiblis, ils n'étaient pas de taille à nous vaincre en bataille rangée. Ils ont préféré nous harceler, nous mordiller les flancs à la manière des loups. Ils fondaient en un éclair sur notre arrière-garde ou bien, à l'abri d'un buisson détrempé, ils décochaient une volée de flèches et se fondaient aussitôt dans le brouillard.

—Vous ne les poursuiviez pas? s'étonna Marcus.

—Oh, si, nous les poursuivions! Mais ceux qui partaient en chasse ne revenaient jamais.

Le silence retomba. Puis Guern reprit :

—Si le légat avait été un soldat, il aurait peut-être sauvé la situation. Mais celui-là n'avait pour toute expérience militaire qu'un simulacre de combat sur le champ de Mars, à Rome… Le temps que nous gagnions l'ex-quartier général d'Agricola, qui devait être notre base, nous avions déjà perdu plus d'un millier d'hommes.

—Tués?

—Entre autres. Il y avait aussi ceux qui avaient déserté. Dans l'ancien camp, les vieux remparts s'écroulaient. Nos rations d'eau étaient

---

1. Le règne de l'empereur Trajan (98 à 117) fut marqué par de nombreuses campagnes militaires, souvent victorieuses.

épuisées depuis longtemps. Tout le Nord était à feu et à sang. Les barbares étaient sous nos murs et hurlaient à la mort comme des loups les soirs de pleine lune. Nous avons essuyé une première attaque dans le fort. Nous avons jeté nos morts à la rivière, depuis une falaise escarpée. Pendant que les barbares soufflaient, le temps de lécher leurs blessures, nous avons mandaté un porte-parole, qui est allé trouver le légat pour lui dire : « Maintenant, nous allons négocier avec les barbares et payer le prix qu'il faut pour qu'ils nous laissent retourner vivants d'où nous venons. Nous allons leur abandonner la province de Valentia, car elle n'a plus de romain que le nom, et un nom qui a un goût amer sur nos langues. » Le légat était assis dans son fauteuil de commandant de camp que nous avions dû trimbaler depuis Eburacum. Il nous a traités de tous les noms. Nous méritions sans doute ses insultes, mais elles n'ont pas beaucoup aidé à dénouer la situation. La moitié d'entre nous se sont mutinés, dont beaucoup servaient dans la centurie que je commandais.

Guern a cessé d'observer le feu pour regarder Marcus bien en face.

– Je ne faisais pas partie des mutins. Je le jure sur le dieu de la légion. Mais je n'avais pas bu mon calice jusqu'à la lie. J'avais encore quelques hommes sous mes ordres. Pas pour longtemps. Le légat s'est rendu compte de son erreur. Il a mis de l'eau dans son vin. Il s'est adressé à la légion en révolte avec plus de douceur qu'il n'en avait montré jusque-là. Et ce n'était pas la peur qui le poussait à modérer ses propos. Il a prié les mutins de déposer les armes. Il a juré qu'il n'y aurait pas de punition, même pour les meneurs. Il a ajouté que, si dorénavant, nous exécutions correctement ses instructions, il se ferait l'écho de nos griefs quand nous reviendrions. Comme si nous avions la moindre chance de rentrer vivants ! Mais ce n'était même pas la question. Cela n'aurait rien changé. Le temps des promesses était passé. En se mutinant, la légion avait franchi un point de non-retour. Personne n'ignorait quel serait le verdict du Sénat, en cas de marche arrière.

—La décimation, confirma Marcus comme si l'autre attendait qu'il prononçât lui-même le verdict.

—Oui, la décimation. Et c'est dur, d'imaginer qu'un homme sur dix serait lapidé à mort. Donc, cela s'est terminé par un combat. Le légat a été tué. Il était courageux. Bête et incompétent, mais courageux. Il se tenait droit, désarmé, au milieu des soldats furieux, comme un condamné dans l'arène, quand les lions sont lâchés. Derrière lui, le porte-étendard et les tribuns. Le légat a conjuré les mutins de se souvenir du serment qu'ils avaient prononcé et, constatant le peu d'effet de sa supplique, il les a traités de «chiens de traîtres». Ce furent ses derniers mots. Un légionnaire lui a donné un coup de pilum. Après quoi, le légat n'a plus prononcé un mot. Comme il n'y avait pas de raison que nous soyons les seuls à faire couler le sang, les barbares ont franchi les remparts. Quand l'aube s'est levée, c'est à peine s'il restait deux cohortes dans le fort. Les autres légionnaires n'étaient pas tous morts, oh non! Nombre d'entre eux étaient repartis à la suite des rebelles. À l'heure qu'il est, à mon avis, la plupart doivent être éparpillés dans toute la Calédonie, et vivre comme moi, avec une femme britannique et des enfants.

—Et mon père? demanda Marcus. Sais-tu ce qu'il est devenu?

—Ce jour-là, juste après l'aube, il a rassemblé le peu de légionnaires qui restaient sur la place qui jouxte le prétoire. L'épée à la main, nous avons tenu conseil et nous avons résolu d'essayer de sortir du fort. En restant sur place, nous signions notre arrêt de mort. En partant, nous espérions rapporter l'aigle à Eburacum. Vu la situation, nous ne pouvions espérer davantage. Il n'était pas question de négocier avec les barbares. Ils n'avaient plus aucune raison de nous craindre. De plus, au fond de nous, nous nous imaginions que, si nous parvenions à sauver l'étendard, le Sénat ne nous tiendrait guère rigueur de ce qui s'était passé. La nuit venue, nos ennemis festoyèrent. Pas de doute, nous ne risquions pas de descendre plus bas dans leur estime !

— Vous en avez profité pour fuir ? supposa Marcus.

— Bien sûr ! Pendant qu'ils se saoulaient et braillaient à la lune, nous nous sommes glissés hors du camp. Tous les légionnaires qui avaient survécu et n'avaient pas déserté ont donc foncé dans l'obscurité et le brouillard. C'était bien la première fois que le brouillard se révélait un allié pour nous ! Et nous avons battu en retraite à marches forcées, avec au cœur l'espoir d'atteindre les Trois-Collines.

— Les barbares ne vous ont pas poursuivis ?

— Pas avant l'aube. Ils ont attendu le petit matin pour lancer la chasse. On aurait cru qu'il s'agissait d'un jeu pour eux. Tu as déjà été traqué ?

Marcus secoua la tête. Guern expliqua :

— Toute la journée, nous avons lutté. Ceux qui étaient les plus gravement blessés tombaient et mouraient. Parfois, nous les entendions agoniser quelque part dans le brouillard. Puis, à mon tour, je suis tombé.

Le chasseur porta la main à son flanc.

— J'avais une blessure ouverte, là. On aurait pu y mettre trois doigts ! Pour corser la chose, j'étais malade. Cela dit, j'aurais pu tenir et continuer. Ce qui m'en a empêché, c'était la sensation d'être chassé — non, pas la sensation, la chasse elle-même. J'ai tenté ma chance quand le crépuscule est descendu et que les chasseurs nous ont laissé un peu d'avance. Je me suis effondré derrière un buisson d'ajoncs, et je me suis caché. L'un des guerriers tatoués a manqué de me repérer, mais je suis passé au travers des mailles du filet. Quand leur horde s'est éloignée, la nuit était noire. J'ai ôté mon uniforme et je l'ai abandonné sur place. J'ai eu de la chance ; j'ai l'air d'un Picte, non ? En tout cas, mes traits n'ont pas grand-chose de romain, car je suis de la Gaule du Nord. Ça m'a aidé à m'intégrer.

—Que t'est-il arrivé, après ? voulut savoir Marcus.

—J'imagine que j'ai passé la nuit à errer. Je ne sais plus comment je suis arrivé là, mais j'ai fini, à l'aube, par entrer dans un village et par m'écrouler devant l'entrée de la première hutte que j'ai trouvée. Ceux qui habitaient là m'ont soigné — Murna a pris soin de moi, pour tout dire.

—Et quand ils se sont aperçus que tu étais un soldat romain…

—Ça n'a pas eu l'air de les déranger. Je n'étais pas le premier légionnaire à déserter et à gagner les tribus et Murna a plaidé ma cause, comme une lionne protégerait son petit en danger.

La voix de Guern, qui avait semblé s'adoucir un instant, redevint rauque et grave :

—Quelques nuits plus tard, j'ai vu l'aigle emportée en triomphe vers le nord. De très nombreux porteurs de flambeaux l'accompagnaient.

Un long et lourd silence s'ensuivit.

—Que sont devenus les derniers survivants ? osa s'enquérir Marcus.

—Aucune idée, répondit Guern. La seule chose sûre et certaine, c'est qu'ils n'ont jamais atteint les Trois-Collines. J'y suis retourné maintes et maintes fois, et je n'y ai pas vu le moindre signe de combat.

—Et mon père ?

—Il était avec l'aigle quand je me suis caché. Et les indigènes n'avaient pas de prisonnier avec eux quand ils sont revenus avec l'étendard.

—Où est l'aigle, à présent ? demanda Marcus.

Guern se pencha et toucha la dague que le jeune homme portait à la ceinture. Le chasseur fixa son interlocuteur droit dans les yeux.

—Si tu es fatigué de la vie, il y a des moyens plus simples d'en finir. Épargne-toi un voyage inutile !

—Où est l'aigle, à présent? répéta Marcus comme s'il n'avait pas entendu.

Il soutint le regard de Guern, qui se résigna à lâcher :

—Je ne connais pas l'endroit exact, mais demain, quand la lumière sera revenue, je te dirai ce que je sais.

Soudain, Marcus s'aperçut qu'il ne distinguait l'ex-centurion que grâce à la lumière du feu. Tout autour d'eux, pendant qu'ils parlaient, le paysage s'était revêtu de la robe bleu sombre du crépuscule.

Cette nuit-là, Marcus ne dormit guère. Cependant, il resta allongé, les mains derrière la tête. Ces derniers mois, il s'était lancé à la poursuite d'un rêve — un rêve qui, en réalité, le hantait depuis ses huit ans, un rêve qui lui tenait chaud, qui éclairait son chemin. À présent, cette chaleur, cette lumière avaient disparu. Il se sentait beaucoup plus âgé que quelques heures plus tôt.

Quel imbécile il avait été ! Comment avait-il pu être aussi aveugle ? Il avait voulu croire, coûte que coûte, que, parce que son père en était le porte-étendard, la 9e légion n'avait pas failli. La déception n'en était que plus cruelle. Hispanie était pourrie, pourrie comme une pomme trop mûre qu'un talon réduit en bouillie en l'écrasant.

Et, par le dieu de la légion ! quelles épreuves épouvantables son père avait dû endurer !

Pourtant, même si ses illusions étaient mortes, Marcus avait encore une mission à accomplir : retrouver l'aigle et la rapporter en territoire romain, afin d'éviter qu'elle ne menaçât la frontière.

Dans une certaine mesure, c'était réconfortant. Tout ce qui l'avait poussé à aller de l'avant n'était pas mort.

Le lendemain matin, après que les trois hommes eurent déjeuné, éteint le feu et recouvert ses cendres de terre, Marcus se plaça près de sa jument, le regard tourné vers le nord-ouest. Telle était la direction que l'index de Guern lui désignait.

Un vent léger balayait le visage du jeune Romain. Son ombre se projetait dans la vallée, comme si elle avait déjà hâte de repartir. Le jeune homme entendit le chant sauvage et doux du pluvier gris, on aurait dit la voix même de cette immensité déserte.

—Fixe le bout de la vallée, lui conseilla Guern. Tu repéreras le gué facilement : il est bordé de pins. Traverse l'estuaire à cet endroit, et suis la rive sur ta droite. Sinon, tu finiras par repérer l'estuaire de Cluta entre la Calédonie et toi. À deux journées de marche, trois à la rigueur, tu trouveras l'ancienne frontière du Nord.

—Et alors? demanda Marcus, sans quitter des yeux l'horizon bleuté.

—Tout ce que je sais, c'est que l'homme qui portait l'aigle était de la tribu des Epidaii, dont le territoire va du fond de l'estuaire jusqu'aux montagnes de la côte Ouest, le long de Cluta.

—Est-ce que tu as une petite idée de l'endroit où ils ont déposé l'étendard?

—Pas la moindre. Peut-être dans le sanctuaire proche du palais royal… et peut-être pas ; les Epidaii sont divisés en plusieurs clans, à ce qu'on raconte, et le clan royal n'est pas forcément le gardien du sanctuaire et des objets sacrés de la tribu.

—Tu veux dire que… ce serait un petit clan, d'importance secondaire, qui aurait l'étendard en sa possession?

—Non, pas un clan d'importance secondaire, corrigea Guern. Un clan au moins aussi puissant que le clan royal, si ce n'est plus. Mais un petit clan, ça, oui, c'est possible.

L'homme secoua la tête.

—Je n'ai pas d'autre information à te communiquer.

Marcus et Guern restèrent côte à côte, en silence, jusqu'à ce qu'ils entendent approcher le cliquetis de la bride de la jument que conduisait Esca.

—N'y va pas, lança Guern d'un coup. Tu n'en reviendras pas.

—Je dois tenter ma chance, rétorqua Marcus.

Il se tourna vers Esca.

—Et toi, tu viens?

—J'irai où tu iras, affirma le jeune homme, occupé à boucler son ceinturon.

—Pourquoi? insista Guern. Maintenant que vous connaissez la vérité! Vous savez qu'ils ne reformeront pas la légion… Pourquoi continuer? Pourquoi?

—Pour rapporter l'aigle, répondit simplement Marcus.

Le silence revint. Puis Guern reprit la parole d'une voix humble :

—Rien de ce que je t'ai raconté ne t'a fait réagir… comme si mon récit n'avait été qu'un conte de veillée destiné à passer une longue soirée d'hiver!

—Qu'est-ce que j'étais censé dire?

—Mithra seul le sait! s'exclama Guern en éclatant d'un rire bref et rauque. Mais tu m'ôterais un poids de l'estomac en le disant.

—La nuit dernière, le poids qui pesait sur mon estomac était trop lourd pour que je m'inquiète de celui qui pesait sur le tien, expliqua Marcus. Ce matin, la boule s'est dissipée. Pourquoi insulterais-je Hispanie jusqu'à ce que j'en aie le gosier sec? Cela ne servirait pas mon père, et le nom de la 9e n'en serait pas moins couvert d'infamie…

Il regarda Guern pour la première fois depuis le début de cette conversation, et dit :

—Quant à toi… Je n'ai jamais été traqué, et le dieu de la légion m'interdit de te juger.

—Pourquoi es-tu venu? demanda le chasseur d'un air de défi. J'étais heureux avec ma femme. Elle est une épouse parfaite pour moi. Dans ma tribu, je suis considéré, bien que je ne sois pas né ici. La plupart du temps, j'oublie presque que je suis un étranger — sauf quand l'appel de Trinomontium devient trop pressant… Et voilà que tu me couvres de honte jusqu'à la fin de mes jours, parce que je t'ai indiqué le chemin et que je te laisse aller dans le Nord seul.

—N'aie pas honte, en tout cas pas de ça, rétorqua Marcus. Dans notre quête, trois hommes seraient plus efficaces que quatre, mais deux hommes encore plus que trois. Retourne dans ta tribu, Guern. Merci d'avoir partagé le sel avec nous, de nous avoir offert le gîte et d'avoir répondu à mes questions.

Le jeune homme se détourna pour monter sur sa jument.

Quelques instants plus tard, il chevauchait vers le lit du fleuve. Esca le suivait de près.

14
LA FÊTE DES
NOUVELLES LANCES

Un mois passa.

Un soir venteux, Marcus et Esca menaient leurs juments fatiguées par la bride, pour les laisser souffler. Ils longeaient la crête d'une falaise qui surplombait l'océan Occidental. Le paysage avait la couleur d'une gorge de colombe. La brise festonnait les vaguelettes scintillantes. Au loin, au-delà de l'obscurité brumeuse, de nombreuses petites îles éparpillées semblaient flotter, légères, à la surface de l'eau, tels des oiseaux de mer endormis. Quelques vaisseaux marchands étaient ancrés, à l'abri, dans le port. Leurs voiles bleues pendaient, comme endormies, elles aussi. Au nord se dressait Cruachan, la sombre Cruachan, environnée d'ombres, couronnée par le brouil - lard ; Cruachan, le bouclier du monde.

Les montagnes, les îles, la mer qui brillait, tout cela était devenu familier à Marcus. Depuis un mois qu'il sillonnait la région, où les Epidaii avaient leurs terrains de chasse, il avait rarement perdu de vue l'un de ces trois éléments.

Pendant un mois, il avait oscillé entre l'espoir et la déception. Combien de fois, depuis qu'il avait franchi la ligne de partage du nord, n'avait-il pas cru qu'il était sur la bonne piste... avant de se rendre compte qu'il s'était trompé? Il y avait tant de sanctuaires, le long de la côte! Là où les peuples anciens – ou peuples noirs – avaient autrefois édifié leurs tumulus allongés, les Epidaii avaient bâti un temple en l'honneur de leurs dieux. Et les peuples anciens avaient laissé maints et maints autels!

Marcus avait visité tous les sanctuaires qui jalonnaient sa route. En vain. Il n'avait entendu nulle part la moindre rumeur concernant l'aigle perdue. Les peuples anciens ne parlaient guère de leurs dieux, ni de ce qui s'y rapportait. Ce soir-là, en contemplant l'eau qui miroitait, Marcus en avait assez. Plus qu'assez : il était sur le point de tout abandonner.

La voix d'Esca le tira de sa morosité :

—Regarde, nous avons des compagnons de route.

Marcus regarda derrière lui, dans la direction qu'indiquait son ami. Il vit des chasseurs qui montaient par le même chemin qu'eux. Il attacha Vipsania et s'assit pour les attendre.

Ils étaient cinq. Deux d'entre eux portaient la carcasse d'un sanglier noir. La meute habituelle de chiens-loups les entourait. Comme ils étaient différents des habitants de la province de Valentia! Leur peau était plus sombre, leur silhouette plus frêle. Peut-être cela s'expliquait-il par le fait que le sang coulait plus vite dans les veines de ces montagnards que dans celles des habitants du pays plat. Les peuples noirs étaient moins ouvertement agressifs, au premier abord, que les habitants des plaines ; mais, à long terme, ils pouvaient se révéler plus coriaces. Marcus en avait conscience.

—La chasse a été bonne! lança-t-il lorsque les hommes passèrent devant lui à grands pas.

—Oui, la chasse a été bonne, confirma le chef, un homme jeune qui portait un collier d'or autour du cou pour indiquer son rang.

Il darda un regard inquisiteur sur Marcus. La courtoisie l'empêchait de demander à haute voix ce que cet étranger — qui ne faisait pas partie des négociants venus dans les bateaux à voiles bleues — fabriquait dans cette contrée.

— Dans ton village, y a-t-il des gens qui souffrent des yeux ? s'enquit Marcus.

Il n'avait pas eu besoin de réfléchir à son entrée en matière. Cette question était devenue presque un rituel, pour lui.

Son interlocuteur le fixa, à la fois intéressé et suspicieux :

— Tu sais guérir ce genre de maladie ?

— Si je sais guérir ce genre de maladie ? s'exclama Marcus, convaincu depuis belle lurette des bienfaits de la publicité. Ha ! Je suis Demetrius d'Alexandrie, figure-toi. *Le* Demetrius d'Alexandrie ! Parle de moi au sud de Cluta, parle de moi au Village royal lui-même, et les hommes te diront que personne ne soigne les yeux mieux que moi !

— J'en connais qui ont mal aux yeux, dans mon village, reconnut l'homme. Tes semblables ne sont jamais venus jusqu'ici. Saurais-tu les guérir ?

— Comment pourrais-je te répondre avant même de les avoir vus ? rétorqua Marcus.

Il détacha sa jument et s'apprêta à reprendre la route.

— Vous retournez au village ? demanda-t-il. Alors, allons-y ensemble !

Et ils y allèrent. Marcus suivait le chef, trottinant aux côtés de son cheval. Esca cheminait derrière eux ; puis, dans la brume, venaient les autres chasseurs et les chiens qui allaient et venaient autour d'eux. Au début, ils longèrent la berge ; ensuite, ils s'avancèrent à l'intérieur des terres. Ils zigzaguèrent entre des bouleaux aux troncs grêles et s'avancèrent au milieu des collines. Ils se dirigeaient vers un grand lac auquel la lumière du soir donnait une pâleur de perle. On appelait cette étendue le Lac aux Mille Îlots, car elle était constellée de petites îles qui émergeaient çà et là, certaines escarpées et caillouteuses, d'autres recouvertes de paille quand les hérons y nichaient.

Le crépuscule était tombé lorsqu'ils arrivèrent au village, bâti sur un contrefort de la colline qui surplombait les eaux tranquilles du lac. Le ciel était couleur de mûre, comme toujours sur la côte ouest. Dans la pénombre brillaient les feux, semblables à des crocus jaunes légèrement veinés de rouge.

Les huttes qui appartenaient au chef étaient groupées à l'extrémité du village, dans un renfoncement des remparts de tourbe. Marcus, Esca et leur hôte s'avancèrent vers elles ; les autres chasseurs, après avoir partagé le sanglier, se séparèrent et regagnèrent leurs domiciles respectifs.

Un homme — le frère du chef, songea Marcus — sortit d'une hutte éclairée et courut à leur rencontre.

—Comment a été la chasse, Dergdian ?

—Bonne, dit le chef. En plus d'un beau sanglier, j'ai aussi ramené un oculiste et son porte-lance. Occupe-toi de leurs chevaux, Liathan.

Il se retourna vers Marcus, qui se frottait la cuisse :

—Ta jambe te fait mal ? Tu as voyagé trop loin, aujourd'hui ?

—Non, répondit Marcus. C'est une vieille douleur qui se rappelle de temps en temps à mon bon souvenir.

Et il suivit Dergdian dans la grande hutte, en s'inclinant pour ne pas heurter le linteau bas de la porte.

À l'intérieur, la chaleur était intense. Marcus reconnut l'odeur âcre de la tourbe, sa fumée bleue. Deux ou trois chiens étaient couchés sur la fougère tiède. Une petite femme toute desséchée — une esclave, à l'évidence — remuait le ragoût du soir dans un chaudron de bronze. Elle ne leva pas la tête quand les hommes entrèrent ; en revanche, un vieillard émacié, qui semblait être à la fois le chef de famille et le maître de maison, darda ses yeux brillants sur les nouveaux arrivants.

Soudain, le rideau en peaux de daim superbement travaillées qui séparait la pièce des femmes de la pièce principale s'écarta. Une femme de haute taille apparut. Sa peau était étonnamment sombre, même pour une femme des Epidaii. Elle portait une sorte de toge, verte, retenue à l'épaule par un disque d'or rouge aussi imposant et massif qu'un bouclier. Elle devait être en train de filer : elle tenait encore à la main un fuseau et une quenouille.

—J'ai entendu ta voix, annonça-t-elle à son mari. Le dîner est prêt. Il t'attend.

—Il attendra un peu, Fionhula, ma chérie, répondit Dergdian. J'ai amené un guérisseur des yeux. Amène-lui donc notre petit louveteau...

Une lueur d'espoir et de surprise illumina les yeux noirs et étirés de la femme, qui regarda tour à tour Marcus et son mari. Elle s'éloigna sans un mot, laissant retomber le rideau derrière elle. Elle revint peu après, un petit garçon de deux ans dans les bras. L'enfant était brun, joli, paré du traditionnel collier de corail. Cependant, lorsque la lumière éclaira son visage, Marcus vit que ses yeux étaient si gonflés, si rouges, et à ce point couverts de croûtes qu'ils ne s'ouvraient presque pas.

—Voilà de quoi t'occuper, signala le chef.

—C'est le tien ?

—Oui.

—Il sera aveugle, grommela le vieillard assis près du feu. Depuis le début, j'ai dit qu'il serait aveugle, et je ne me trompe jamais.

—Donne-moi le petit louveteau. Je ne lui ferai pas de mal.

Il prit le petit garçon des bras de sa mère avec un bref sourire rassurant. Puis il s'agenouilla près du feu, en s'appuyant sur sa jambe valide. L'enfant se tortilla et se tourna vers la pénombre. Pas de doute : la lumière l'avait gêné. Donc il n'était pas aveugle. Pas encore. C'était déjà ça.

Avec une grande douceur, Marcus tourna de nouveau le visage de l'enfant vers le halo des flammes.

— Là, je n'en ai pas pour très longtemps. Laisse-moi regarder. Hum... Que lui avez-vous mis dans les yeux ?

— De la graisse d'oie, dit le vieillard. Je l'ai fait de ma propre main, bien que ce soit un travail de femmes, car l'épouse de l'aîné de mes petits-fils est une incapable.

— Avez-vous noté une amélioration ?

Le sage haussa ses épaules décharnées.

— Peut-être pas, grogna-t-il.

— Alors pourquoi avoir continué ?

— C'est la coutume. Depuis que le monde est monde, les femmes de notre peuple utilisent de la graisse d'oie dans des cas semblables. Mais la femme de mon petit-fils...

Le vieux cracha dans le feu pour exprimer l'opinion qu'il avait de Fionhula.

— De toute manière, j'ai dit et répété que l'enfant serait aveugle, et aveugle il sera, conclut-il d'une voix satisfaite de prophète infaillible.

Marcus entendit, derrière lui, la femme inspirer à fond en guise de protestation. Il comprenait et partageait sa colère ; cependant, il avait assez de bon sens pour savoir que, s'il se faisait un ennemi de ce vieil-lard grincheux, il devrait abandonner tout espoir de sauver la vue de l'enfant.

Aussi lança-t-il d'une voix paisible :

— Nous verrons. La graisse d'oie est assurément une médication très saine dans certains cas. Néanmoins, puisqu'elle a échoué, je vais essayer d'appliquer mes propres baumes. Peut-être auront-ils plus d'effet sur ce louveteau…

Sans laisser au vieillard le temps de commenter sa décision, il s'adressa à Fionhula :

—Apporte-moi de l'eau chaude et des linges propres. Allume une lampe. J'ai besoin d'y voir clair pour travailler, et la lueur de ce feu ne me suffit pas. Esca, donne-moi, je te prie, ma valise de baumes.

Chacun exécuta les ordres de Marcus à la lettre. L'esclave abandonna le ragoût pour tenir la lampe pendant que Marcus travaillait ; la femme prit l'enfant dans ses bras pendant que l'oculiste improvisé nettoyait, soignait et bandait les yeux mal en point du petit garçon.

Marcus et Esca restèrent plusieurs jours dans le village de Dergdian. Lors de ses autres haltes, généralement, Marcus avait à peine commencé à faire du bon travail qu'il devait partir, laissant une provision de baumes et des instructions pour les utiliser. Cette fois, c'était différent. Les yeux de l'enfant étaient en très mauvais état et il se méfiait du grand-père à la graisse d'oie. Dès que l'oculiste tournerait les talons, le vieillard en profiterait pour perpétuer ses tortures ancestrales. Oui, cette fois, Marcus devait rester. Et pourquoi serait-il parti ? L'endroit était aussi bon qu'un autre. Puisqu'il n'avait aucun indice, il avait autant de chance de trouver l'étendard perdu ici qu'ailleurs !

Aussi s'attarda-t-il. Les jours passaient lentement. Marcus n'avait presque rien à faire. Une fois qu'il eut remporté la première grande bataille dans son combat pour conserver la vue du fils du chef, il ne lui restait plus qu'à attendre. Et le temps en profita pour se traîner…

Le plus souvent, le jeune homme restait assis sur le seuil de la hutte. Il regardait travailler les femmes ; il pilait des herbes pour remplir les pots de baumes déjà bien entamés. Esca en profitait pour aller

chasser avec les autres ou pour accompagner les bergers qui sur-
veillaient les troupeaux. Le soir, Marcus parlait avec les hommes,
autour du feu. Il échangeait des histoires de voyageurs avec les marchands d'Hibernie à la peau sombre, qui traversaient sans cesse le village. Le commerce d'orfèvrerie, d'armes, d'esclaves et de chiens de
chasse entre l'Hibernie et la Calédonie était très important. Marcus
écoutait avec patience le vieux Tradui, le grand-père de Dergdian, lui
narrer d'interminables histoires de chasse au phoque datant de cette
époque bénie où les jeunes et les hommes — et les phoques — étaient
plus costauds et plus féroces que de nos jours, ah ça, oui !

Et cependant, Marcus et Esca avaient beau écouter tout ce qui se
disait, jamais le moindre indice ne laissait supposer que l'endroit
et l'objet qu'ils recherchaient pouvaient se trouver non loin de là.
Une fois ou deux, Marcus aperçut une silhouette toute de noir vêtue
qui traversait le village, à l'écart de la chaleur humaine et de la presse.
L'homme semblait planer au-dessus du commun des mortels,
comme Cruachan au-dessus de la plaine.

Un druide ? Sans doute. Et alors ? Cela n'avait rien d'exceptionnel.
Les prêtres pullulaient (ici, ils étaient hors de portée de Rome), de
même que les sanctuaires. Ils ne se mêlaient pas aux autres villageois.
Ils vivaient repliés sur eux-mêmes, dans les hauteurs brumeuses de la
montagne, dans les plaines inaccessibles, dans les profondeurs des
forêts de bouleaux et de noisetiers. Leur influence pesait lourdement
sur les villages et les hameaux, bien que personne ne parlât d'eux
— pas plus qu'on ne parlait des dieux ou des fantômes des ancêtres qui
hantaient les lieux. Jamais non plus on ne mentionnait la capture de
l'aigle.

Pourtant, Marcus attendait. Il attendrait jusqu'à ce que le petit louveteau fût rétabli.

Un soir, tout changea.

Marcus était allé se baigner avec Esca dans le lac. À son retour, il trouva le chef devant la porte de sa hutte, ses chiens de chasse autour de lui. L'homme fourbissait avec amour sa grosse lance de guerre ornée d'un collier de plumes d'aigle. Marcus se plaça derrière lui et le regarda faire. Il gardait un souvenir très vif d'une autre lance de guerre ornée de plumes de héron bleu-gris. Esca regardait, lui aussi, appuyé au chambranle sculpté dans du sorbier.

Dergdian finit par se sentir observé et expliqua :

—Je me prépare pour la fête des Nouvelles Lances, et la danse des guerriers qui vient après.

—La fête des Nouvelles Lances…, répéta Marcus en écho. C'est au cours de cette cérémonie que vos garçons deviennent des hommes, non ? J'ai entendu parler de ces célébrations, mais je n'y ai jamais assisté.

—Tu la verras dans trois nuits : la fête a lieu la nuit de la lune à corne, annonça Dergdian en recommençant de polir sa lance. C'est une grande fête. Les garçons et les hommes de toute la tribu accourent ici. Ils sont obligés de passer par là. Même le fils du roi devrait participer, s'il était temps pour lui de recevoir ses armes.

—Pourquoi ? demanda Marcus, en espérant ne pas paraître trop curieux.

—Nous sommes les gardiens du grand sanctuaire, de la vie de la tribu.

Marcus laissa passer un long moment avant de risquer une nouvelle question, d'un ton léger :

—Et n'importe qui peut assister au mystère des Nouvelles Lances ?

—Pas au mystère, ça, non ! C'est entre les Nouvelles Lances et le Grand Cornu que ça se passe, et nul, hormis les prêtres, ne peut y assister sous peine de mort ; mais les autres cérémonies sont

publiques – pour les hommes qui ont choisi d'être là, évidemment :
les femmes ne sont pas admises.

—Dans ce cas, avec ton autorisation, je vais assurément choisir
d'être là à ce moment. Nous autres, Grecs, nous sommes nés avec des
questions plein la tête !

Le lendemain, un vent de préparatifs courut sur le village. Il rappela à Marcus le village étrusque de son enfance, juste avant les Saturnales. Quand le soir tomba, les visiteurs commencèrent d'affluer. Les
garçons et leurs pères montaient de robustes poneys. Ils arrivaient des
franges les plus éloignées des territoires que contrôlait la tribu. Ils
avaient revêtu leurs plus beaux atours. La plupart étaient accompagnés de leurs chiens. Marcus les observait et trouvait étrange – combien étrange ! – que des gens si pauvres, des chasseurs et des bergers
qui ne cultivaient pas le sol, qui vivaient dans d'inconfortables huttes
en torchis, pussent orner les brides de leurs chevaux d'or, d'argent
et de morceaux de corail, et même agrafer sur leurs manteaux des
broches festonnées en or rouge d'Hibernie…

Cependant, parmi les arrivants, il y avait aussi des négociants, des
diseurs de bonne aventure, des bonimenteurs et des marchands
de chevaux. Ces étrangers s'installèrent avec les membres de la tribu
sur les rives du lac. Bientôt, toute la bande de terre que surplombait
le village fut noire de monde. L'ambiance était chaleureuse, gaie,
comme celle d'une foule un jour de marché. Marcus était aux aguets,
attentif à la moindre bizarrerie.

Mais il n'en repéra aucune. Du moins avant que l'intronisation des
Nouvelles Lances ne fût terminée…

Les affaires sérieuses débutèrent le deuxième soir. Les garçons
venus recevoir leurs armes n'étaient plus là. Marcus ne les avait pas

vus partir. Cependant, leur départ brutal sembla plonger les villageois dans la désolation. Les hommes s'enduisirent le front de boue. Les femmes se regroupèrent pour gémir et se lamenter, selon le rituel. Quand la nuit tomba, les plaintes montaient et du village et du campement en contrebas des remparts. À l'heure du repas, on laissa dans un coin désert une corne à boire pleine pour chaque garçon qui était parti, comme on le faisait pour les fantômes des guerriers morts à la fête de Samain. Pendant ce temps, le chant funèbre des femmes s'élevait dans l'obscurité. Et cela dura toute la nuit.

Au matin, les pleurs et les gémissements cessèrent. Un grand calme régna sur le village – un grand calme et un grand sentiment d'attente. Lorsque revint le soir, la tribu se retrouva devant le lac. Les hommes se rassemblèrent par clan : le clan du Loup, le clan du Saumon, le clan du Phoque. Certains étaient torse nu, d'autres vêtus d'une tunique pourpre, safran ou écarlate, leurs armes à la main. Les femmes restaient séparées des hommes. Beaucoup de jeunes filles portaient dans leurs cheveux des guirlandes tressées de fleurs d'été tardives : chèvrefeuille, fleurs des champs jaunes et volubilis sauvages d'une blancheur éclatante. Hommes et femmes tournaient constamment leurs regards vers le ciel, en direction du sud-ouest.

Marcus se tenait debout près d'Esca et de Liathan – le frère du chef –, un peu à l'écart de la foule. Lui aussi se mit à regarder vers le sud-ouest. Une fois, deux fois, et encore et encore… Le ciel avait conservé une teinte dorée, bien que le soleil eût disparu depuis longtemps derrière les collines.

Et, brusquement, il apparut, le pâle croissant de la nouvelle lune ; il apparut dans les dernières éclaboussures du soleil couchant. Ce fut une fille qui l'aperçut la première. Aussitôt, elle poussa un étrange hurlement envoûtant, presque musical, que les autres femmes reprirent en chœur. Les hommes donnèrent à leur tour de la voix.

Par-delà les collines, monta le mugissement d'un cor. Ce n'était pas un cor de guerre ; le son était plus clair, plus aigu. Dès qu'il retentit, la foule se dispersa. Les hommes se dirigèrent vers l'origine du bruit, formant une longue file désordonnée. Ils laissaient le village aux femmes, aux anciens et aux nouveau-nés. Marcus les suivit. Il restait près de Liathan, ainsi qu'on le lui avait ordonné — et il était très heureux de savoir Esca à ses côtés.

Ils franchirent un col avant de descendre vers la mer, puis ils traversèrent un vallon, escaladèrent une arête, redescendirent, gravirent un nouveau raidillon… et finirent par déboucher sur une vaste vallée, dans les hauteurs, d'où l'on voyait la mer.

À leurs pieds s'étendaient les flots ; le ciel opalescent était encore parcouru, çà et là, par des éclats de lumière qui semblaient jaillir du soleil disparu. La luminosité était encore assez forte pour qu'ils distinguassent, tout là-haut, un monticule aux flancs escarpés. Un dernier rayon de soleil s'attardait sur sa crête d'épineux et sur les immenses rochers dressés tout autour comme des gardes du corps.

Ce n'était pas le premier tumulus dressé par les peuples anciens que Marcus voyait, loin de là ; mais aucun n'avait retenu son attention autant que ce bijou serti entre l'or du soleil couchant et l'argent de la nouvelle lune.

— Là-bas est le Lieu de Vie ! souffla Liathan à son oreille. Là-bas bat la vie de la tribu !

La foule bigarrée, longeant la vallée en direction du nord, se dirigea vers le Lieu de Vie.

De près, le tumulus paraissait encore plus haut. Marcus se retrouva parmi les membres du clan du Phoque, dans l'ombre des grandes pierres. Devant lui s'étendait une esplanade vide et grossiè-rement pavée, qui donnait sur une paroi où une ouverture avait été ménagée. Une ouverture dont les montants et le linteau bas étaient faits d'un granit sur lequel le temps avait laissé sa marque. Une ouverture qui marquait le passage d'un monde à l'autre et qui, pourtant, ne semblait protégée que par un fin rideau orné de disques de bronze. L'aigle de la 9ᵉ légion se cachait-elle derrière ? Était-elle conservée là, dans les profondeurs obscures de ce tumulus, de ce Lieu de Vie ?

Soudain, une flamme siffla puis crépita. Quelqu'un venait d'allumer une torche au brasero que les hommes avaient emporté avec eux. Le feu sembla s'étendre de torche en torche par sa propre volonté. Plusieurs jeunes guerriers sortirent de la foule silencieuse qui patientait. Ils traversèrent la grande esplanade en direction du monument, leurs flambeaux brandis au-dessus de leur tête. La scène, qui avait commencé de se dissoudre dans l'ombre, réapparut, baignée d'un halo rouge et or. La lumière, sur les parois de l'étrange ouverture comme sur les pierres dressées et sur les bronzes du rideau, révélait des courbes et des spirales qui rougeoyaient comme des disques faits d'un feu vivant. Des étincelles jaillissaient, emportées par la brise marine. Par contraste, les collines et la sombre crête du tumulus semblaient avoir brusquement plongé dans les ténèbres…

La silhouette d'un homme se découpa un instant parmi les épineux, et, de nouveau, la note aiguë et claire d'un cor retentit. Son écho ne s'était pas encore éteint que, déjà, le rideau en peau de phoque était repoussé, faisant résonner les disques de bronze comme des cymbales.

Dans la lumière des torches, un homme apparut. Il était simplement vêtu de la peau d'un phoque gris, dont un masque lui donnait les traits. Le clan du Phoque salua son apparition par des cris rythmés et rapides, s'inclinant et se relevant très vite jusqu'à l'essoufflement. L'homme – prêtre des Phoques ou homme-phoque – resta d'abord immobile sous leurs acclamations ; puis, avec la démarche maladroite d'un phoque sur la terre ferme, il s'écarta.

Une autre silhouette apparut dans l'obscurité. Elle avait une gueule de loup. Une troisième silhouette se présenta. Tous ces hommes étaient presque nus. Sur leur corps, un enduit de guède et de garance formait de curieux dessins ; les prêtres portaient des masques en poils d'animaux ou en plumes d'oiseaux, les ailes d'un cygne, la peau d'une otarie dont la queue battait dans le dos de celui qui s'en était paré...

L'une après l'autre, les silhouettes sortirent de l'ombre, caracolant, bondissant ou se traînant. Les hommes ne se contentaient pas d'imiter les animaux qu'ils représentaient. Si bizarre que cela parût — et, de fait, c'était incompréhensible —, ils étaient pour de bon, à cet instant précis, l'animal qu'ils incarnaient.

Marcus n'avait jamais vu semblable spectacle : les prêtres avaient formé une farandole, puis une ronde ; ils bondissaient, se traînaient, sautillaient, les peaux d'animaux se balançant à leur rythme. Aucune musique n'accompagnait ces mouvements. L'idée même de musique — si bizarre, si dissonante fût-elle — était à mille lieues de cette danse !

Cependant, il semblait qu'il y eût une pulsation quelque part. Peut-être quelqu'un frappait-il, du plat de la main, sur un tronc évidé. Les prêtres respectaient ce rythme. Les battements s'accélérèrent : on aurait dit le cœur d'un homme dévoré par la fièvre. La ronde tourna de plus en plus vite, jusqu'à ce qu'elle parût éclater d'elle-même. En se brisant, elle révéla quelqu'un — ou quelque chose — qui, jusqu'à présent, était resté tapi dans l'obscurité du tumulus.

La gorge de Marcus se serra : il fixait la forme qui venait de surgir du néant, hiératique, isolée, baignée par le halo rouge des torches, semblant brûler de sa propre lumière. Inoubliable silhouette, d'une beauté cauchemardesque, nue et superbe, surmontée d'une magnifique couronne de bois de cerf! La lumière se reflétait sur les bois polis, comme si, à chaque bout, une mèche était allumée.

Un homme couronné d'un massacre de cerf : ce n'était que cela. Et pourtant non. Même pour Marcus, ce n'était pas que cela.

Les fidèles acclamèrent l'apparition. Ils poussèrent un cri profond, qui monta peu à peu jusqu'à s'apparenter au hurlement à la lune d'une horde de loups. L'homme-cerf se tenait là, debout, les bras tendus, et une puissance obscure semblait émaner de lui, comme la lumière d'une lampe.

—Le Grand Cornu! Le Grand Cornu!

Les hommes s'effondrèrent, face contre terre, comme des pousses d'orge devant la faux. Sans même s'en rendre compte, Marcus tomba à genoux; Esca se couvrit les yeux avec l'avant-bras.

Lorsqu'ils se relevèrent, le prêtre-dieu était revenu à l'entrée du Lieu de Vie. Les bras le long du corps, il déversa un torrent de mots, dont Marcus saisit juste assez pour comprendre que l'homme annonçait aux hommes que leurs garçons étaient morts et que des guerriers nouveaux étaient nés. Sa voix s'éleva jusqu'à tonner, triomphante. Elle se transforma peu à peu en une sorte d'incantation sauvage à laquelle les hommes se joignirent. Les torches, au-dessus de cette foule compacte, faisaient rougeoyer les crêtes des pierres dressées, qui semblaient palpiter et frissonner au rythme trépidant de la mélopée.

Quand le chant de triomphe fut à son apogée, le prêtre-dieu se détourna et lança son appel. Puis il s'écarta de l'entrée du Lieu de Vie, et quelqu'un d'autre apparut à la lueur des torches. C'était un garçon roux, vêtu d'un caleçon à damiers. À sa vue, les hommes poussèrent un cri de bienvenue. Un autre garçon sortit, puis un autre, puis beaucoup d'autres. Chacun d'entre eux fut accueilli par un cri qui semblait éclater dans les hauteurs puis se briser contre les pierres dressées.

Une cinquantaine de Nouvelles Lances se mirent en rang sur la vaste esplanade. Ils ressemblaient à des somnambules. Leurs yeux se plissaient à la lueur trop vive des torches. Le garçon le plus proche de Marcus passait constamment sa langue sur ses lèvres sèches. Marcus voyait sa poitrine se soulever rapidement, comme si le jeune guerrier avait couru… ou comme s'il avait eu très peur. Marcus se demanda ce qui avait bien pu leur arriver dans l'obscurité. Il se souvenait de sa propre initiation, et de l'odeur de sang de taureau qui régnait dans la grotte sombre de Mithra.

Après le dernier garçon vint un prêtre. Il n'incarnait pas l'animal d'un clan, contrairement aux autres. Son masque était couvert des plumes brûlées d'un aigle royal. Un long grognement s'éleva quand le rideau claqua en se remettant en place derrière lui. Marcus ne le remarqua pas. Tout semblait s'être figé. Car le dernier arrivant portait ce qui, jadis, avait été une aigle romaine.

15
AVENTURES DANS L'OBSCURITÉ

Un homme sortit alors des rangs de la tribu. Tout armé, il était couvert de peintures de guerre. Il portait un bouclier et une lance. Un garçon s'avança à son tour. Les deux hommes — le père et le fils, de toute évidence — se placèrent au centre de l'esplanade, et le garçon reçut avec une fierté rayonnante le bouclier et la lance des mains de son père. Ensuite, il fit lentement demi-tour et se tourna vers la tribu pour solliciter son acceptation. Puis il se tourna vers Cruachan, cachée dans les ténèbres, et vers la nouvelle lune, faucille d'argent étincelante dans le ciel vert foncé. Enfin, le garçon frappa sa lance contre son bouclier en signe de salutation, avant de rejoindre, pour la première fois, les guerriers de la tribu.

D'autres garçons lui succédèrent. Cependant, pour Marcus, ils n'étaient que des ombres. Ses yeux étaient fixés sur l'aigle. Cette aigle, longtemps portée disparue, l'épave qui prouvait le naufrage de la 9e légion. Les couronnes de laurier et d'or, qui symbolisaient les victoires acquises par la légion Hispanie à ses heures de gloire, avaient disparu de l'étoffe écarlate. Les serres de l'oiseau étaient toujours crispées sur des éclairs croisés ; mais, à la place de ses ailes, jadis repliées, il y avait un trou. L'aigle avait perdu son honneur ; l'aigle avait perdu ses ailes. Demetrius d'Alexandrie n'aurait pas attaché à l'oiseau mutilé plus d'importance qu'à un coq sur un tas de fumier ; mais, pour Marcus, c'était bien l'aigle à l'ombre de laquelle son père était mort qu'il avait sous les yeux.

Du long rituel qui suivit, Marcus ne vit presque rien, du moins tant que l'aigle n'eut pas été remportée dans les profondeurs obscures du tumulus. Pour retourner au village, il suivit machinalement la procession triomphale à la tête de laquelle marchaient les Nouvelles Lances. La multitude de torches scintillantes donnait à ce défilé quelque chose d'une queue de comète. Les hommes poussaient des cris semblables à ceux de soldats victorieux rentrant dans leur patrie.

Comme ils descendaient le dernier versant, les hommes humèrent l'odeur de viande rôtie qui montait vers eux. Les femmes avaient dressé des bûchers en plein air. De grands feux avaient été allumés sur la bande de terre que surplombait le village. Les éclats rouge et or des flammes tranchaient avec la pâleur lointaine et brillante du lac.

Rares étaient les hommes étrangers à la tribu qui avaient pris la peine d'accompagner les guerriers au Lieu de Vie. Mais, à présent, c'était différent, les cérémonies étaient terminées ; les festivités allaient commencer ! Négociants, diseurs de bonne aventure et marchands en tout genre quittaient leur campement pour se joindre aux villageois, suivis des chasseurs de phoques d'une autre tribu et même des membres de l'équipage d'un navire d'Hibernie. Ils se pressaient autour du feu en compagnie des guerriers des Epidaii, prêts à festoyer grassement. Pendant ce temps, les femmes – qui ne mangeaient jamais en même temps que leurs maîtres et seigneurs – passaient entre les hommes, de grandes jarres à la main, remplissant sans cesse les cornes à boire.

Marcus était assis entre Esca et Liathan, devant le feu du chef. Une idée l'obsédait : toute la nuit serait-elle consacrée à cela – ripailler, boire, hurler ? Si tel était le cas, il allait devenir fou. Il avait besoin de calme ; il voulait réfléchir ; et il lui semblait que le joyeux brouhaha qui régnait résonnait douloureusement à l'intérieur de son crâne, chassant toutes ses pensées.

Et soudain, le festin prit fin. Crier à tue-tête, trop manger et boire plus que de raison — tout cela n'avait peut-être été qu'un bouclier de fortune brandi pour se protéger de la magie puissante dont les guerriers venaient d'être témoins. Hommes et femmes entreprirent de rentrer chez eux, désertant les brasiers avec chiens et enfants. De nouveau, des torches grésillèrent. Leur lumière crue révéla le vide laissé devant les âtres. Et, une fois de plus, Marcus eut le sentiment que quelque chose allait se passer. Comme il se trouvait à côté du grand-père du chef, il se pencha vers lui et demanda à voix basse :

— C'est fini ?

— Oh, non ! On va danser ! répondit l'autre sans tourner la tête. Tiens, regarde…

Tandis qu'il parlait, les brandons enflammés firent demi-tour, et une bande de jeunes guerriers déboula dans la lumière des torches en se balançant au rythme d'une danse guerrière. Cette fois, Marcus pensa que cette danse, aussi étrange et barbare qu'elle pût sembler, ressemblait un peu à celles qu'il connaissait. Les figures se succédaient sans arrêt. Elles s'enchaînaient avec une telle précision qu'il était difficile de déterminer quand l'une s'achevait pour laisser place à l'autre. Par moments, tous les hommes paraissaient danser — et le sol tremblait sous le martèlement de leurs talons ; puis seuls les meilleurs couraient, tournoyaient et se ployaient, mimant une scène de chasse ou une bataille, pendant que les spectateurs faisaient monter la musique terrifiante des Britanniques avant le combat en bourdonnant derrière leurs boucliers. Seules les femmes ne dansaient pas : la fête des Nouvelles Lances n'était pas la leur.

La lumière du feu et des torches éclairait seule la scène, les corps en mouvement, les armes brandies. À présent, deux rangées de guerriers se faisaient face. Les jeunes soldats étaient torse nu, comme les autres hommes de la tribu. À la main, ils portaient un bouclier et une lance de guerre. Marcus vit que dans l'une des deux rangées se tenaient les garçons qui venaient d'être intronisés ce jour ; devant eux, se dressaient leurs pères, qui leur avaient remis leurs armes.

—C'est la danse des Nouvelles Lances, expliqua Esca à Marcus. Nous la dansons nous aussi, nous, les Brigantes, la nuit où les garçons deviennent des hommes.

Tradui, allongé à ses côtés, l'interpella :

—Et chez vous, vous n'avez pas de fête des Nouvelles Lances ?

—Nous célébrons l'événement, corrigea Marcus, mais de manière très différente. Tout ce que je vois m'est étranger. Ce soir, d'ailleurs, j'ai vu bien des choses curieuses…

—Ha ? De quelles choses parles-tu ? s'étonna le vieillard.

Après leur premier différend, les relations entre les deux hommes s'étaient réchauffées au fil des jours. Jamais, cependant, elles n'avaient été aussi cordiales que cette nuit. Le festin et l'alcool n'étaient sans doute pas étrangers à ce désir soudain qu'avait Tradui d'éclairer l'étranger sur les coutumes de son peuple.

—Je t'expliquerai ce que tu n'as pas compris, promit-il, toutes ces «choses curieuses». Tu es encore jeune et je ne doute pas que tu désires apprendre ; moi, je suis âgé et, de loin, le plus sage des hommes de ma tribu…

Marcus songea que, s'il y allait hardiment, il avait peut-être une chance d'obtenir certaines informations.

—Tradui, l'aïeul du chef, respire la sagesse, confirma le jeune homme. Qu'il parle, je suis tout ouïe.

Il prit une pose qui manifestait son vif intérêt, et il se prépara à écouter et à poser des questions.

Ce fut long et difficile. Cependant, peu à peu, Marcus parvint à manœuvrer le vieillard, en mobilisant sa diplomatie et sa patience. Il écouta avec résignation une multitude de détails qui ne l'intéressaient pas le moins du monde, mais qui lui permirent de collecter les informations dont il avait besoin. Il apprit que les prêtres vivaient dans le bois de bouleaux, près du Lieu de Vie ; qu'aucun garde ne protégeait le sanctuaire ; que les prêtres non plus n'assuraient pas la surveillance du lieu saint.

—Pourquoi en serait-il autrement ? rétorqua Tradui, lorsque Marcus montra sa surprise. Le Lieu de Vie a ses gardiens à lui. Qui oserait les défier ? Qui oserait provoquer la colère du Grand Cornu ?

Il baissa brusquement la voix, comme s'il s'en voulait d'avoir évoqué des sujets dont il était interdit de parler. Il fit les cornes avec sa vieille main, dont la peau pâle laissait voir ses veines. Puis il se décida à continuer son récit.

Était-ce l'influence du vin ? de l'ambiance particulière de cette soirée ? Toujours est-il que Tradui se lança dans l'évocation de sa propre nuit d'initiation, où, il y a de cela fort longtemps, il avait été une Nouvelle Lance, lui aussi, et où il avait rejoint pour la première fois les guerriers de sa tribu. Sans quitter des yeux les danseurs un seul instant, il narra ses combats d'antan, ses voyages ; il parla de ses frères d'armes devenus des héros, jadis, quand le monde était jeune et le soleil bien plus chaud que de nos jours. Ravi d'avoir un auditeur aussi attentif, et qui, de surcroît, n'avait jamais subi cette histoire auparavant, le vieillard rapporta un épisode mémorable de la vie des tribus.

Il n'y avait guère plus de dix ou vingt automnes, il était descendu dans le Sud avec les autres. Oh, quelques cervelles de pipistrelle avaient bien laissé entendre qu'il était trop vieux pour partir à la guerre, déjà… Mais il avait tenu bon, et il était parti affronter avec les autres guerriers une armée de Crêtes rouges ; et, ensemble, ils l'avaient vaincue. Ils avaient laissé les corps en pâture aux loups et aux corbeaux et ils avaient rapporté l'aigle divin que les Crêtes rouges transportaient avec eux, ils l'avaient offert aux dieux de leur peuple, et ils l'avaient placé dans le Lieu de Vie. Le soigneur des yeux devait l'avoir vu, quand il avait suivi les hommes jusqu'au sanctuaire?

Marcus, assis, rigide, les mains crispées sur ses genoux, regardait les étincelles s'envoler des torches crépitantes.

—Je l'ai vu. J'avais déjà vu des aigles divins auparavant, et j'étais surpris d'en trouver ici aussi. Nous autres, Grecs, nous sommes curieux de nature; et nous avons de bonnes raisons de ne pas aimer Rome. Raconte-moi plus en détail comment tu as pris l'aigle aux Crêtes rouges. Je crois que j'aurai plaisir à l'entendre…

Tradui s'exécuta. Marcus reconnut l'histoire que lui avait contée Guern le Chasseur, mais, là où l'histoire de Guern s'interrompait, celle du vieillard continuait.

Le vieux guerrier la raconta comme il aurait narré une bonne partie de chasse. Il expliqua comment, avec ses frères d'armes, il avait traqué les derniers survivants de la 9ᵉ légion. Il décrivit la manière dont ils les avaient harcelés, telle une horde de loups fondant sur leur proie. L'agonie de cette proie ne lui inspirait pas une once de pitié ou de sympathie. Cependant, une admiration féroce éclairait son visage, faisant vibrer chacun de ses mots.

—J'étais déjà un vieil homme, à l'époque, et c'était mon dernier combat; mais quel combat! Quel combat! Il méritait bien d'être le dernier de Tradui le Guerrier. Souvent, la nuit, quand les braises s'éteignent, quand le feu qui animait les batailles de ma jeunesse n'est plus qu'un tas de cendres qui refroidissent, il me suffit de penser à ce combat pour me sentir au chaud… Quand les Crêtes rouges ont fui, nous les avons pourchassées; et nous avons fini par les acculer dans les marécages, à un jour de marche au nord de l'endroit qu'ils appelaient les Trois-Collines. Là, ils ont fait face comme un sanglier poussé dans ses derniers retranchements. Nous avions triomphé si facilement d'eux que nous étions survoltés. Jusqu'alors, ils ne nous avaient guère opposé de résistance. Nous frappions et ils s'effondraient. Pourtant, ce jour-là, ç'a été une autre paire de manches… Les autres étaient tombés comme des mouches ; ceux qui restaient étaient les plus acharnés, les plus résistants. Mais ils étaient peu nombreux, si peu nombreux…

Le vieillard se tut un moment, puis il reprit :

—Ils nous ont fait face sur une ligne, leur dieu ailé planant au-dessus d'eux, au milieu. Lorsque nous parvenions à rompre le mur de boucliers, un Romain prenait la place de son frère qui venait de tomber, et le mur se reformait comme avant. Oh, nous avons fini par les mettre à terre, même s'ils sont partis avec une bonne escouade de nos guerriers ! Nous avons lutté jusqu'à ce qu'il n'en reste pas plus que les doigts de mes deux mains, avec le dieu ailé au milieu. Alors, moi, Tradui, j'ai levé une dernière fois ma lance pour percer la poitrine du prêtre qui brandissait le dieu ailé. Mais un autre soldat s'est sacrifié en s'interposant, afin que l'étendard continue de flotter, et ceux qui restaient se sont ralliés à lui. C'était leur chef : sa crête était la plus haute, et son manteau était écarlate. J'aurais tant aimé le tuer de mes mains. Hélas, un autre s'en est chargé…

Un regret passa dans le regard du vieillard.

—Bref, reprit-il, on a fini par les anéantir. Dorénavant, les Crêtes rouges n'erreraient plus sur nos terrains de chasse. Nous avons laissé leurs corps aux corbeaux et aux loups, comme je t'ai dit, et aux marais aussi — les marais sont prompts à effacer les traces des combats —, et nous avons rapporté le dieu ailé chez nous. Nous, les guerriers des Epidaii, nous avons décidé de le déclarer nôtre car nous étions en première ligne au moment de l'assaut final. Mais, plus tard, des trombes d'eau nous sont tombées dessus, et les rivières ont débordé ; et, alors que nous en franchissions une à gué, le guerrier qui portait l'aigle a été happé par les eaux. Nous avons recherché le dieu. Trois hommes sont morts dans cette quête. Quand nous l'avons retrouvé, ses ailes avaient disparu, ainsi que les couronnes qui ornaient l'étendard. Nous l'avons quand même donné au Grand Cornu en hommage, et le Grand Cornu en a été honoré, pour sûr : nous n'avons pas perdu une guerre depuis lors, et les cerfs que nous ramenons de la chasse sont gros et gras. Et je te dirai encore une chose, à propos de cet aigle divin : il est à nous, désormais, à nous, les Epidaii ; mais si un jour nous devions de nouveau affronter les Crêtes rouges, si un jour le Cran-tara traversait Albu et appelait les tribus à la guerre, l'aigle divin serait comme une lance dans les mains de toutes les tribus d'Albu, et pas seulement dans celles des Epidaii.

Les yeux du vieillard s'attardèrent sur le visage de Marcus, qu'ils scrutèrent avec curiosité.

—Il te ressemblait, le chef des Crêtes rouges — oh, oui! s'exclama-t-il. Et pourtant tu affirmes que tu es grec. Bizarre, non ?

—Pas tant que ça, répondit Marcus. Il y a beaucoup de sang grec dans les veines des Crêtes rouges.

—Hmm, si tu le dis… Ça doit être ça.

Le vieil homme se mit à fouiller dans le manteau à carreaux qu'il portait.

—Ils étaient coriaces, ces Crêtes rouges, dit-il. De fameux soldats. Nous avons laissé leurs armes près de leurs cadavres, comme il sied aux guerriers. Mais, j'ai pris ceci à leur chef, à cause de son courage — comme on coupe une défense au sanglier qui s'est plus vaillamment défendu que ses semblables. Et, depuis, ça ne m'a plus quitté…

Le vieillard avait trouvé ce qu'il cherchait. Il tendait la lanière de cuir qu'il portait autour du cou.

—Je ne peux pas le porter au doigt, ajouta-t-il d'un ton presque irrité. Il faut croire que les Crêtes rouges ont des doigts plus fins que nous. Tiens, prends ça et regarde…

Une bague pendait au bout de la lanière, laissant échapper de fines étincelles verdâtres sous le faisceau de la lampe.

Marcus s'en saisit et pencha la tête pour l'examiner. C'était un lourd anneau, serti d'une émeraude imparfaite. Sur le côté était gravé le dauphin, emblème de sa famille. Il le tint dans ses doigts un long moment. Il le tint avec douceur, comme s'il s'agissait d'un être vivant. Il regarda la lumière de la lampe battre dans le cœur vert de la pierre. Puis il le reposa dans la main tendue du vieillard, en le remerciant comme si de rien n'était. Pourtant, d'un coup, sa vue s'était brouillée, et les mouvements saccadés des danseurs s'étaient effacés. Marcus avait été projeté plus de douze ans en arrière. Un homme sombre et rieur qu'il avait connu semblait être là, près de lui. Des pigeons tournoyaient autour de sa tête penchée. Lorsque l'homme leva la main pour s'essuyer le front, la lumière du soleil, qui embrasait les ailes des pigeons, se prit au cœur de l'émeraude imparfaite qu'il portait au doigt.

Soudain, comme s'il en avait trop appris en une journée, Marcus se sentit épuisé.

Le lendemain matin, le jeune Romain entraîna Esca au sommet d'une colline, là où ils ne risquaient pas d'être entendus, et lui révéla son plan.

Il avait déjà annoncé au chef qu'il repartirait vers le sud dès le lendemain. Le chef – et tout le village – avait essayé de le faire changer d'avis. Pourquoi le guérisseur ne resterait-il pas jusqu'au printemps prochain ? Peut-être y aurait-il d'autres yeux à soigner…

Marcus ne s'était pas laissé fléchir. Il avait expliqué qu'il voulait regagner le Sud avant que l'hiver fût trop avancé. Puisque la grande réunion de la fête des Nouvelles Lances était finie et que chacun rentrait chez soi, l'heure était venue pour lui aussi de s'en aller.

Malgré ce qu'il envisageait de faire, l'amitié que lui témoignaient les villageois ne le culpabilisait pas le moins du monde. Ils avaient été accueillis et hébergés : en échange, Esca avait chassé et gardé les troupeaux pour eux ; quant à Marcus, il avait soigné tous les yeux douloureux. De sorte que les voyageurs n'avaient plus de dette à l'égard de leurs hôtes. Marcus les appréciait et les respectait ; à eux de s'arranger pour conserver l'aigle… s'ils en étaient capables.

Le dernier jour passa très lentement. Les plans tirés, les quelques préparatifs nécessaires expédiés, Marcus et Esca s'assirent au soleil. Ils ne faisaient rien – du moins aux yeux des autres –, sinon regarder le vol délicat des chevaliers par-delà les eaux calmes du lac. Lorsque le soir tomba, ils se baignèrent. Pour une fois, ils n'allèrent pas plonger et s'ébattre dans l'eau pour le plaisir. Ils se nettoyèrent consciencieusement, comme l'exigeait le rite. Marcus pria Mithra ; Esca invoqua Lugh de la Lance Brillante. Tous deux étaient des dieux de la Lumière et du Soleil, et leurs disciples connaissaient aussi les armes utiles dans l'obscurité. Ils se préparèrent donc pour le combat et mangèrent peu, comme il convenait pour un dernier repas avant la bataille : un estomac plein risquait de retenir à terre l'esprit des défunts.

Lorsque vint l'heure du repos, Marcus et Esca se couchèrent comme d'habitude avec Tradui, les chiens et Liathan, dans la grande hutte. Ils s'allongèrent près de la porte. C'étaient leurs places habituelles, et cela leur serait utile : ils avaient l'intention de partir discrètement dans la nuit.

Bien après que les autres se furent endormis, Marcus garda les yeux fixés sur les bûches rougeoyantes du feu, les nerfs à vif, tendus à l'extrême comme la corde d'un arc bandé. À ses côtés, il entendait la respiration calme et régulière d'Esca, qui semblait dormir. Pourtant, c'est Esca qui, guidé par son instinct de chasseur, sut qu'il était minuit passé. Les prêtres devaient avoir terminé leurs offrandes nocturnes. Le Lieu de Vie était probablement désert. Le chasseur effleura Marcus pour le lui faire comprendre.

Les deux amis se levèrent sans un bruit et se glissèrent hors de la hutte. Les chiens ne bronchèrent pas. Ils étaient habitués aux allées et venues, même la nuit. Marcus repoussa délicatement le tablier en peau de daim derrière lui.

Sortir du village ne leur posa aucune difficulté. Le village était encore plein d'invités, et de nombreux habitants campaient au-delà de la clôture. Aussi les portes n'étaient-elles pas bloquées cette nuit-là, comme Marcus et Esca l'avaient escompté.

Les voyageurs laissèrent derrière eux les feux de camp, les hommes endormis, les objets familiers. Ils escaladèrent la colline et s'enfoncèrent dans l'obscurité.

La nuit était très calme. Un léger voile recouvrait la voûte céleste où luisait la lune. Au loin roula un grondement de tonnerre. Les ténèbres et la tension faisaient paraître les montagnes plus proches. Lorsque les deux amis atteignirent la vallée où se trouvait le Lieu de Vie, l'obscurité les avala comme les eaux noires d'un fleuve.

Ils contournèrent le Lieu de Vie. Là, le sentier de terre que le soleil avait asséché étoufferait les bruits et ne conserverait aucune trace de leur passage. Esca se pencha et arracha une grosse poignée de bruyère, qu'il passa à sa ceinture.

Arrivés au pied du temple, ils attendirent un long moment, tous leurs sens en alerte. Le silence s'insinuait dans leurs oreilles comme de la ouate. Pas un cri d'oiseau. Pas même le lointain murmure des flots. Pas un son dans le monde entier, hormis leurs propres battements de cœur.

Ils avancèrent entre les hautes pierres et pénétrèrent sur l'esplanade pavée. La masse noire du tumulus les surplombait. Sa couronne d'épineux se détachait sous les étoiles voilées. La tache pâle des montants en granit et du linteau bas se découpait dans le mur de tourbe.

— Au nom de la Lumière! prononça Marcus, très bas mais très distinctement quand ils atteignirent le seuil.

Puis il sentit le rideau en peau de phoque sous ses doigts et le repoussa. Les disques de bronze vibrèrent légèrement. Marcus se pencha pour passer sous le linteau. Esca le suivit. Le rideau se remit en place. Marcus sentit l'obscurité se presser contre ses paupières, contre son corps — et, avec l'obscurité, c'était toute l'atmosphère du lieu qui l'oppressait.

Dans le Lieu de Vie, l'atmosphère n'était pas démoniaque mais… elle semblait palpiter. Comme si ce sanctuaire était un être vivant. Pendant des années, l'endroit avait été le temple de cultes obscurs, qui avaient fini par lui donner une vie propre. Marcus avait l'impression qu'à tout moment, il allait entendre respirer le monument. Il s'attendait à percevoir un souffle rauque et lent, celui d'un animal guettant sa proie. Il eut un moment de pure panique. La gorge serrée, il ferma les yeux et s'employa à la combattre. Lorsqu'il rouvrit les yeux, une faible lueur brillait dans l'édifice. Esca avait sorti de sous son manteau le matériel à feu qu'ils avaient emporté. Une petite flamme s'éleva, vacilla, s'éleva de nouveau lorsque la mèche prit, sur son morceau de cire d'abeille. Quand la flamme se stabilisa, Marcus vit qu'ils se trouvaient dans un couloir. Aux murs, sur le sol et au plafond, de grands blocs de pierre. Impossible de déterminer la longueur du passage. La faible lueur ne permettait pas d'en voir le bout.

Le jeune homme tendit le bras et Esca lui donna la bougie. Marcus la tint haut au-dessus de sa tête et ouvrit la marche : le boyau était trop étroit pour que deux hommes s'y engagent de front.

Ils firent une centaine de pas. Les ténèbres se dissipaient comme à regret et s'empressaient de reprendre leur place derrière les jeunes gens. Enfin, ils arrivèrent à l'entrée de ce qui avait dû être jadis une chambre funéraire. Ils repérèrent, posée près de l'entrée, sur une dalle légèrement surélevée, une superbe coupe d'ambre, peu profonde mais ciselée avec minutie. Elle brillait à la lumière de la bougie, qui lui arrachait des reflets pourpres. Du sang de daim, sans doute, ou de coq, qu'un prêtre avait versé en l'honneur d'un dieu.

Autour, tout n'était que ténèbres. Marcus avança, la bougie à la main, dépassant l'offrande de minuit, et l'obscurité recula. Il constata qu'ils étaient dans une grande pièce circulaire. Les murs de pierre, que la lumière laissait en partie dans l'ombre, semblaient se rejoindre quelque part dans les hauteurs, formant une sorte de dôme. De chaque côté de la chambre, deux renfoncements étaient vides. Un troisième était occupé. Posé de guingois contre le mur qui faisait face à l'entrée, trop loin pour que la moindre étincelle de lumière pût arriver jusqu'à ses plumes dorées, quelque chose était là, dans l'obscurité. Sûrement l'aigle de la 9e légion.

Hormis l'étendard, la salle était vide. Ce vide semblait accroître le sentiment de menace qui pesait sur l'endroit. Marcus ne savait pas ce qu'il s'était attendu à trouver là. Mais il s'était attendu à trouver quelque chose. Or, il n'y avait rien, rien du tout, excepté, au centre exact de la pièce, un grand anneau d'une trentaine de centimètres de diamètre. Il semblait être fait de jadéite blanche. À ses côtés, une lame de hache, fabriquée avec la même pierre, posée de manière que sa pointe surélève très légèrement l'anneau.

Et c'était tout.

La main d'Esca se posa sur l'épaule de Marcus.

—C'est de la magie très puissante, souffla-t-il. N'y touche pas!

Marcus secoua la tête. Il n'en avait pas l'intention.

Ils contournèrent la hache et l'anneau et se dirigèrent vers le renfoncement. L'aigle était bien là.

—Prends la bougie, murmura-t-il.

Il s'empara de l'étendard et le souleva, en pensant que la dernière main romaine à avoir touché la hampe de métal cabossée avait été celle de son père. Un lien étrange mais fort unit les deux hommes à travers les années. Marcus serra l'étendard comme s'il s'agissait d'un talisman. Il entreprit ensuite de dégager l'aigle de la hampe.

—Lève la lumière plus haut…, exigea-t-il. Encore plus haut… Oui, parfait, ne bouge plus…

Esca obéit, tenant la bougie d'une main, la hampe de l'autre, afin que Marcus pût avoir les deux mains libres pour travailler. Il aurait été plus simple de poser l'objet sur le sol, mais les jeunes gens sentaient qu'il valait mieux pour eux rester debout. À genoux, ils auraient donné un avantage à une présence inconnue. Quatre chevilles passaient sous les serres de l'aigle, les fixant aux éclairs. Elles auraient dû se détacher assez facilement, mais le temps avait rouillé les orifices. Après plusieurs essais infructueux, Marcus dégaina sa dague et entreprit de décrisper les serres de l'oiseau avec la pointe de sa lame. Il sentit enfin que les chevilles cédaient. Lentement. Très lentement. Il allait falloir du temps avant de les dégager et de pouvoir quitter cet horrible endroit, qui leur semblait plus que jamais pareil à un animal attendant le bon moment pour bondir sur sa proie.

La première fiche céda. Marcus la glissa à sa ceinture et attaqua la seconde. Il sentit la panique monter. De nouveau, il lutta contre elle. Veiller à ne pas confondre vitesse et précipitation : cela ne servirait de rien. S'il se pressait, il n'obtiendrait pas le résultat souhaité. Il pensa un instant emporter l'étendard au-dehors, le cacher dans la bruyère et finir le travail en plein air. Mais, de toute manière, ici ou ailleurs, il faudrait s'atteler à la tâche. En l'état, l'étendard était trop gros pour la cachette qu'ils lui destinaient. Mais leur temps était compté. Marcus ne pouvait pas travailler vite sans lumière ; et, à l'extérieur, la lumière risquerait de les trahir, quelque soin qu'ils prissent à se dissimuler. Ici, c'était le seul endroit où ils étaient tranquilles ; le seul endroit où ils ne seraient pas dérangés – à moins d'une catastrophe, les prêtres ne rentreraient pas ici avant le lendemain, minuit. Non, ils ne risquaient aucune interruption. Du moins aucune interruption humaine.

Marcus s'aperçut qu'il n'arrivait plus à respirer normalement.

« Du calme, pensa-t-il. Respire à fond. Ne te bouscule pas. »

La deuxième cheville céda. Il la glissa à sa ceinture avec l'autre. Esca tourna la hampe. Marcus attaqua la troisième cheville. Elle vint plus facilement que les précédentes.

Marcus avait à peine entrepris de dégager la dernière quand il se rendit compte qu'il ne voyait plus aussi bien. Il regarda autour de lui. À la lueur de la bougie, il avisa le visage d'Esca, couvert de sueur. Pas de doute : la luminosité était moins forte qu'auparavant. Au moment où il porta les yeux sur elle, la petite flamme vacilla.

C'était un courant d'air. Sûrement. Ou un défaut de fabrication de la mèche. Ou autre chose.

— La Lumière, Esca ! dit-il d'une voix pressante. Pense à la Lumière !

À cet instant, la flamme lâcha une dernière lueur bleutée, puis s'éteignit. À côté de lui, Marcus entendit la respiration sifflante d'Esca. Son cœur battit plus vite ; il sentit les mille et un doigts de la nuit se poser sur lui ; il sentit les murs et le plafond qui se rapprochaient, et une main glaciale et douce sembla se plaquer contre son nez et sa bouche. Il eut soudain la conviction qu'il était séparé du monde exté-

rieur par bien plus qu'un étroit couloir et un simple rideau de cuir :
il était prisonnier de la haute montagne sous laquelle il se trouvait.
Il ne trouverait jamais la sortie. Il n'y avait plus de sortie. Plus-de-
sor-tie !

Les doigts de l'obscurité se resserraient sans violence sur Marcus.
Le jeune homme s'arc-bouta contre le mur de pierres froides et concentra toute sa volonté : il devait faire reculer les murs, les repousser,
pour combattre l'impression de suffocation. Il essayait d'appliquer la
règle qu'il avait donnée à Esca : penser à la Lumière de toute son âme,
afin que, grâce à son œil intérieur, il vît la pièce baignée d'une lumière
forte et éclatante.

Soudain, il se souvint de la lumière du soleil couchant qui avait
inondé sa chambre à Calleva, la nuit où Esca, Loupiot et Cottia étaient
venus alors qu'il avait tant besoin de leur présence. Il l'invoquait à
présent, cette lumière, et, avec elle, l'eau dorée où se mirait le soleil,
l'éclatante sonnerie des trompettes, et la Lumière de Mithra. Il invoquait tout cela contre l'obscurité. Il repoussait la nuit, encore…
encore… et encore…

Combien de temps lutta-t-il ? Il n'aurait su le dire. Mais il finit par
voir la flamme bleue réapparaître, vaciller, se raffermir, jusqu'à rede-
venir une petite flamme brillante. La mèche devait avoir un défaut…

Il s'aperçut qu'il respirait à grands coups. Ses épaules se soulevaient.
La sueur dégoulinait sur son visage et son torse. Il fixa Esca, qui soutint son regard. Ni l'un ni l'autre ne parlèrent de ce qui s'était passé.

Marcus reprit son travail où il l'avait laissé. La quatrième cheville
était la plus récalcitrante, mais elle finit par céder, elle aussi. L'aigle
aux éclairs fut enfin libérée de sa hampe. Marcus la tint dans ses
mains et poussa un long soupir tremblant. Il rengaina son couteau. À
présent qu'il avait terminé sa tâche, il avait envie de jeter la hampe

par terre et de foncer tête baissée vers l'air libre. Il se contint et la remit à sa place, dans le renfoncement. Il posa les éclairs et les quatre chevilles de bronze sur le sol, devant la hampe, et se dirigea enfin vers la sortie de la pièce, l'aigle coincée au creux de son coude.

Esca avait sorti de sa ceinture la poignée de bruyère qu'il avait ramassée quelques instants plus tôt. Tenant toujours la bougie à la main, il se plaça derrière Marcus et effaça les traces qu'ils avaient pu laisser dans la poussière. Marcus savait que ses empreintes étaient faciles à reconnaître : quelque effort qu'il fît, sa jambe droite traînait toujours un peu. Le chemin pour sortir de la chambre funéraire leur sembla infini : Esca tournait la tête à tout instant vers l'anneau et la lame de hache, comme s'il s'agissait d'un serpent prêt à mordre.

Les jeunes gens regagnèrent le couloir. Cette fois, Esca ouvrait la marche. Marcus, le dos au mur, assurait les arrières. La silhouette penchée du jeune Breton absorbait l'essentiel de la lumière que diffusait la bougie. Marcus suivait l'ombre de son ami, avançant à chaque pas à la lisière de l'obscurité.

Le couloir qu'ils suivaient paraissait beaucoup plus long au retour qu'à l'aller ! Il paraissait même si long que Marcus craignit qu'il n'y eût en réalité deux couloirs. Avaient-ils choisi le mauvais ? Ou bien le couloir qu'ils avaient emprunté à l'aller n'avait-il plus de fin ?

C'était le bon couloir, et il avait une fin : l'ombre géante d'Esca se détacha bientôt sur le rideau en peau de phoque. Ils allaient retourner à l'air libre.

— Tiens-toi prêt à moucher la bougie ! lança Marcus.

Sans un mot, Esca jeta un coup d'œil circulaire autour de lui. La main de Marcus se posa sur le rideau, et ils se retrouvèrent plongés dans les ténèbres.

16

UNE BROCHE
EN FORME D'ANNEAU

L'orage avait fini par éclater à l'aube. Peu après, Marcus et Esca quittèrent le village et s'éloignèrent. Ils chevauchèrent dans un paysage détrempé, aux couleurs aussi vives que celles d'une grappe de raisins. Au début, ils se dirigèrent vers le sud, suivant les rives du lac jusqu'à sa source. Puis ils bifurquèrent vers le nord-est et empruntèrent un chemin de transhumance qui sinuait dans les montagnes. C'est ainsi qu'ils aboutirent sur les rives d'un grand lac salé, où des oiseaux marins piaillaient à qui mieux mieux.

La nuit tombait. Ils s'abritèrent dans un village. « Village » était un bien grand mot. Il s'agissait plutôt d'un groupe de cabanes cramponnées à l'étroite berge et posées entre les montagnes et l'eau grise. Le lendemain matin, ils prirent la direction de la source du lac. Là-bas, ils savaient qu'ils trouveraient un village connu : ils y étaient passés à l'aller. Ce jour-là, ils accordèrent à leurs juments de fréquents repos. Marcus était pressé de sortir de ce pays de lacs salés. On n'y avançait qu'en zigzags, comme volent les bécassines ; on pouvait s'y retrouver piégé et embourbé à tout instant. Mais il ne servait à rien de s'éloigner trop vite du Lieu de Vie. À minuit, les prêtres venus renouveler leur offrande avaient dû constater la disparition de l'aigle. Marcus et Esca seraient immédiatement accusés, même si les soupçons pèseraient également sur les autres invités de la fête des Nouvelles Lances. Nul doute que la tribu fût déjà sur leurs traces, à cette heure. Les chemins qu'ils avaient empruntés n'avaient rien de mystérieux. Marcus pensait qu'Esca et lui seraient rejoints aux environs de midi, si, comme c'était plus que probable, leurs poursuivants traversaient le lac en coracle[1] et réquisitionnaient des chevaux une fois sur l'autre rive.

En réalité, Marcus avait sous-estimé les difficultés des passages montagneux et les hommes lancés à leurs trousses apparurent plus tard que prévu. Il entendit, au loin, le martèlement de sabots sans fer ; regardant en arrière, il aperçut six ou sept cavaliers descendant à bride abattue le versant d'une colline, prêts à se rompre le cou pour rattraper au plus vite ceux qu'ils pourchassaient.

—Enfin, les voilà ! s'exclama le jeune homme. Ils en ont mis, du temps !

Un cri furieux résonna dans la montagne.

—Tiens, ils ont même amené les chiens, plaisanta Marcus.

Esca rit doucement. La proximité du danger faisait briller son regard.

—Allez, allez ! murmura-t-il pour s'encourager. Que fait-on ? On continue ou on s'arrête pour les attendre ?

—On s'arrête et on les attend, décida Marcus. Ils doivent se douter qu'on les a vus.

Ils immobilisèrent leurs montures, tandis que les cavaliers fondaient sur eux. Les chevaux dévalaient les chemins caillouteux d'un pas aussi assuré que celui des chèvres.

—Par Mithra ! s'exclama Marcus. Quelle cavalerie ils feraient !

Vipsania renâclait, soufflant par les naseaux, les oreilles couchées. Son maître lui flatta l'encolure pour la rassurer. Les villageois avaient

1. Canot d'osier.

atteint la plaine, à présent, et suivaient la longue rive courbe du lac. Ils ne tardèrent plus à rejoindre les deux hommes qui les attendaient. Tirant sur les rênes de leurs chevaux encore en plein galop, ils sautèrent à terre.

Marcus observa les sept guerriers qui s'approchaient de lui, parmi lesquels Dergdian et Liathan. Il croisa leurs regards furieux et avisa leurs lances de guerre. Affichant un air surpris et interrogateur, il demanda :

—Dergdian? Liathan? Que me voulez-vous donc, pour être si pressés de me revoir?

—Tu sais parfaitement ce que nous te voulons, rétorqua Dergdian, le visage dur comme de la pierre, la main crispée sur le manche de sa lance.

—J'ai bien peur que non, lâcha Marcus, d'un ton plus impatient, feignant de ne pas remarquer que deux guerriers s'étaient avancés pour saisir les rênes de Vipsania et de Minna. Il va falloir que tu éclaires ma lanterne.

—Oh, ne t'inquiète pas, nous allons t'éclairer! promit un vieux chasseur. Nous sommes venus rechercher le dieu ailé, ainsi que votre sang pour laver l'affront que vous nous avez fait, à nous et aux dieux de notre tribu.

Les villageois poussèrent un cri de menace et formèrent un cercle autour des deux hommes, qui étaient descendus de cheval à leur tour. Marcus fronça les sourcils, apparemment stupéfait :

—Le dieu ailé? répéta-t-il. L'aigle divin que vous avez sorti pour la fête des Nouvelles Lances? Qu'est-ce que vous...

Une idée sembla le frapper :

—Non! Vous l'avez perdu?

—Il a été volé, corrigea Dergdian, et nous sommes partis pour ramener ceux qui nous l'ont dérobé.

Il avait parlé avec une grande douceur — et sa douceur fit à Marcus l'effet d'un doigt glacé courant dans son dos.

Le jeune homme fixa le frère du chef, les yeux écarquillés.

—Et c'est donc moi qui suis censé l'avoir volé? demanda-t-il en bombant le torse. Mais pourquoi, au nom du Tonnerre, pourquoi une aigle romaine qui a perdu ses ailes m'intéresserait-elle?

—Tu pourrais avoir tes raisons, répondit le chef de sa voix égale.

—Ah bon? Je ne vois pas lesquelles.

Les villageois s'impatientaient. Certains criaient :

—Tuons-le! Tuons-le!

De nouveau, ils resserrèrent leur cercle, hors d'eux, les visages tordus par la colère, brandissant leurs lances sous les yeux de Marcus.

—Assez parlé! grognaient-ils. Tuons les voleurs!

Le tumulte et l'agressivité ambiants inquiétaient les chevaux. Vipsania reculait en montrant le blanc de ses yeux. Minna hennissait et secouait la tête pour se libérer. L'homme qui la maintenait la calma d'un coup entre les oreilles. Marcus éleva la voix :

—Est-ce une coutume du peuple des Phoques, de chasser et de menacer de mort ceux qu'ils ont hébergés? Les Romains ont bien raison de traiter les hommes du Nord de barbares!

Les imprécations s'apaisèrent, devenant un murmure menaçant mais moins puissant.

—Si vous êtes si sûrs de vous, si vous croyez vraiment que nous avons volé le dieu des Crêtes rouges, allez-y! Fouillez-nous!

Le murmure enfla de nouveau. Liathan fouillait déjà dans les affaires que transportait Esca. Marcus s'écarta et observa la suite des événements d'un air écœuré. La main du jeune Breton se serra sur sa lance, comme s'il mourait d'envie de s'en servir; mais il renonça, haussa les épaules et rejoignit son ami.

Les jeunes gens regardèrent leurs maigres possessions jetées sur l'herbe. Quelques manteaux, une petite marmite, des tranches de viande de daim furent extirpés à la va-vite de leur paquetage. Le contenu de la malle aux baumes fut vidé, et l'un des chasseurs farfouilla dans son contenu, comme un chiot jouant avec un rat.

—Aurais-tu la gentillesse de demander à ta meute d'être moins brutale avec mon gagne-pain ? demanda Marcus au chef. Il reste encore peut-être des yeux à soigner dans Albu, même si ceux de ton fils vont mieux.

Dergdian rougit en lui jetant un coup d'œil mi-rageur, mi-honteux. Puis il s'adressa sèchement à l'homme qui fouillait dans la boîte de l'oculiste :

—Doucement, imbécile ! Inutile de casser ses pots !

L'homme grogna mais manipula les objets avec plus de précaution. Pendant ce temps, les autres avaient défait et secoué les selles en peau de mouton. Leur brutalité aidant, ils avaient réussi à tordre une broche en forme d'anneau, accrochée à un manteau violet.

—Vous êtes satisfaits, maintenant ? demanda Marcus lorsque toutes leurs affaires eurent été retournées, secouées et vérifiées en vain.

Les chasseurs scrutaient, désemparés, le désordre qu'ils avaient causé.

—Vous voulez peut-être nous fouiller, tant que vous y êtes ? insista Marcus.

Il écarta les bras, et tous les yeux se portèrent sur lui. Il était évident que ni l'un ni l'autre des voyageurs n'aurait pu dissimuler sur lui un objet de la taille de l'aigle.

Le chef secoua la tête :

—Je crois que nous allons devoir jeter notre filet un peu plus loin.

Marcus connaissait, au moins de vue, tous les chasseurs qui lui faisaient face. Aucun n'osait lever les yeux vers lui. Sur un geste du chef, ils entreprirent de ramasser les objets éparpillés — dont le manteau déchiré orné de la broche en forme d'anneau – et de remettre tout en ordre.

Ces hommes avaient enfreint leurs propres lois d'hospitalité ; ils avaient pourchassé et molesté deux de leurs invités ; tout cela pour rien.

– Revenez chez nous, supplia le chef. Revenez avec nous au village, que nous puissions alléger nos cœurs lourds de remords.

Marcus eut un geste de dénégation :

– Non, nous devons descendre vers le sud avant que l'année ne soit trop avancée. Allez, et jetez vos filets plus loin pour retrouver votre dieu ailé sans ailes... Nous nous souviendrons que vous nous avez bien accueillis, Esca et moi.

Il sourit avant d'ajouter :

– Le reste, nous l'avons déjà oublié. Bonne chasse pour cet hiver.

Les villageois sifflèrent leurs chevaux, qui étaient restés un peu à l'écart, leurs rênes sur l'encolure. Ils remontèrent en selle et firent demi-tour.

Marcus resta un moment immobile, regardant rapetisser les lances des guerriers avec, au cœur, un étrange regret.

Mécaniquement, sa main se posa sur sa jument pour calmer son énervement.

– Tu aimerais que l'aigle soit restée où elle était ? demanda Esca.

Marcus gardait les yeux fixés sur les lances – elles avaient presque disparu, à présent.

– Non, répondit-il. Si elle était encore là où nous l'avons prise, elle continuerait de représenter un danger pour la frontière et pour les autres légions. De plus, l'aigle appartenait à mon père, pas à eux. Qu'ils la retrouvent s'ils y parviennent. Au fond de moi, j'aurais seulement préféré éviter d'humilier Dergdian et ses frères d'armes.

Les voyageurs s'occupèrent de leur équipement, resserrèrent d'un cran la sangle qui passait sous le ventre des juments pour arrimer leur paquetage et reprirent la route.

À mesure que les jeunes gens avançaient, le lac devenait plus étroit et les montagnes semblaient jaillir à pic de la surface des eaux. Les voyageurs finirent par apercevoir un village, non loin de la source. Ici comme ailleurs, le bétail broutait sur les flancs d'une colline escarpée, et de minces colonnes de fumée montaient des foyers, pour se perdre dans les montagnes couleur de bure et de pourpre.

—Il est temps que j'aie une bonne attaque de fièvre, signala Esca.

Et, sans plus de discussion, il se mit à se balancer, les yeux mi-clos.

—Ma tête! gémissait-il. Ma tête est en feu!

Marcus se baissa pour attraper les rênes de Minna.

—Penche-toi un peu plus et balance-toi un petit peu moins, ordonna-t-il. N'oublie pas que c'est la fièvre qui te fait agir ainsi, pas l'alcool!

La foule habituelle des hommes, femmes, enfants et bambins se rassembla pour les accueillir à l'entrée du village. Certains leur souhaitaient la bienvenue, ravis de l'animation que leur retour créait dans leur village perdu au milieu de nulle part. Esca était effondré sur l'encolure de Minna. Marcus s'adressa au vieux chef. Il le salua avec la courtoisie requise et lui expliqua que son serviteur, malade, devait se reposer quelques jours – deux au moins, trois plus probablement. C'était une maladie chronique. Dès que le jeune homme aurait reçu le traitement approprié, il se rétablirait.

—Vous êtes ici chez vous, répondit le chef. Venez vous installer autour de mon feu, comme la dernière fois.

Marcus secoua la tête :

—Montre-nous un endroit où nous serons seuls. Peu importe le manque de confort, du moment que nous sommes à l'abri des intempéries. Ce qu'il faut, c'est qu'il soit le plus loin possible des huttes habitées. La maladie de mon serviteur est due à des démons qui ont envahi son ventre et, pour les expulser, j'ai besoin de recourir à une magie puissante.

Il se tourna vers les visages interrogateurs et affirma avec assurance :

—La magie que je vais pratiquer est sans danger pour le village, je vous le promets, mais elle ne peut être pratiquée sans les signes de protection appropriés. Voilà pourquoi nous devons être logés à l'écart.

Les villageois se consultèrent.

—Il vaut mieux ne pas assister à des mystères interdits, estima une femme, acceptant l'histoire de Marcus sans trop s'étonner. C'est dangereux.

Marcus n'était pas inquiet. Il connaissait les lois des tribus. On ne lui refuserait pas le gîte.

Les villageois décidèrent finalement que l'étable désaffectée de Conn serait sans doute le meilleur endroit.

L'étable de Conn était une hutte en tourbe en tout point semblable aux autres habitations du village, hormis le fait qu'elle était plus haute et qu'il n'y avait pas d'emplacement pour l'âtre, au centre de la pièce, sur le sol en terre piétiné. Elle était située à l'écart du chemin principal, ce qui permettrait de se glisser dehors discrètement. L'idéal, en somme !

Les villageois estimaient sans doute qu'il valait mieux traiter avec chaleur un homme capable d'expulser les démons. Ils firent de leur mieux pour marquer le retour des étrangers. Dès que ceux-ci posèrent le pied à terre, ils se chargèrent de leurs montures ; ils entassèrent des fougères fraîches dans l'étable de Conn pour préparer un lit aux voyageurs et accrochèrent une vieille couverture en peau à l'entrée de l'habitation. Puis les femmes apportèrent du sanglier bouilli pour Marcus et du lait de brebis tiède pour Esca qui geignait et délirait de manière très convaincante, couché sur le matelas de fougère.

Enfin, les villageois refluèrent vers leurs foyers, la tête pleine de questions au sujet de l'étable de Conn et de la magie puissante qui allait y être pratiquée. Une fois seuls, Marcus et Esca se restaurèrent, puis s'observèrent à la lueur tremblotante d'une mèche de roseau qui flottait dans une coquille pleine d'huile de phoque rance. Esca avait mangé la part du lion, car c'était lui qui avait le plus besoin de prendre des forces.

À présent, muni de quelques tranches de viande fumée roulées dans un manteau, il était prêt à partir.

Au dernier moment, Marcus lâcha, rageur :

— Oh, maudite soit ma patte folle ! C'est moi qui devrais retourner là-bas.

— Non, protesta son ami. Même si ta jambe était aussi robuste que les miennes, il serait préférable, plus rapide et plus sûr que j'y aille. Tu ne saurais pas te frayer un chemin dans l'obscurité, ni quitter cet endroit sans réveiller les chiens ; moi, je le peux. Tu ne saurais pas retrouver la route que nous avons empruntée une seule et unique fois ; moi, oui. C'est le travail d'un chasseur, d'un homme né et élevé pour devenir chasseur, et qui connaît bien la forêt ; pas celui d'un soldat.

Marcus releva un pan du rideau qui masquait l'entrée. Il scruta l'obscurité. Plus loin, sur la droite, une lueur dorée filtrait par la fente du rideau en peau de daim qui protégeait l'entrée d'une hutte. Hormis cela, rien. Pas une lumière. Tout était tranquille. La lune brillait derrière les montagnes, si bien que les eaux sombres du lac ne miroitaient pas.

—La voie est libre, conclut Marcus. Tu es sûr que tu parviendras à retrouver l'endroit ?

—Oui.

—Alors, bonne chance, Esca.

Une ombre noire fila à côté de lui et s'évanouit dans la nuit. Marcus resta seul, un moment, sur le seuil de l'étable, l'oreille tendue. Il n'entendit pas un bruit, excepté le chant de l'eau, à l'endroit où le torrent se jetait dans le lac et, un peu plus tard, le brame d'un cerf.

Lorsque Marcus fut certain qu'Esca avait pu s'éloigner sans encombre, il laissa retomber le rideau. Il ne ralluma pas la lampe. Assis sur le matelas de fougère, il réfléchit. Son unique réconfort était la certitude que, si Esca avait des ennuis, il ne tarderait pas à les partager.

Pendant trois nuits et deux jours, Marcus monta la garde devant la hutte vide. Deux fois par jour, une femme aux yeux baissés lui apportait de la viande bouillie et du lait de brebis qui venait d'être tiré. Parfois, le menu variait : le hareng remplaçait le sanglier. Une fois, il y eut même un peu de miel sauvage. Les villageoises déposaient le repas sur une pierre plate, située un peu à l'écart. Marcus y déposait les récipients vides.

Le lendemain de l'arrivée des voyageurs, il n'y avait plus que des femmes et des enfants au village. À l'évidence, les hommes avaient été mobilisés ailleurs. Marcus se demanda s'il devait faire un peu de bruit pour que les habitants fussent persuadés qu'il s'adonnait réel-lement à la magie. Il décida finalement que le silence serait probable-ment aussi efficace, et se contenta de quelques murmures et grom-mellements quand quelqu'un approchait — juste ce qu'il fallait pour donner l'illusion qu'il y avait bel et bien deux personnes dans l'étable. Il dormit peu, car il n'osait pas se laisser aller au sommeil. Il consa-crait l'essentiel de son temps, de nuit comme de jour, à épier les alentours par l'interstice du rideau qu'il avait légèrement relevé. Devant ses yeux s'étalaient les eaux grises du lac ; les pentes abruptes des montagnes se dressaient si haut que Marcus devait rejeter la tête très en arrière pour apercevoir les crêtes dentelées où se perdaient les chemins effacés par le brouillard.

L'automne était tombé sur la montagne en une nuit, constata Marcus. Quelques jours auparavant, l'été était encore là, bien que la bruyère eût commencé de se faner et que les sorbes écarlates eussent disparu depuis longtemps. Cependant, l'époque de la chute des feuilles était arrivée. Le vent avait un parfum d'arrière-saison, les arbres de la colline se dépouillaient de leurs parures jaune orangé, et le torrent charriait par tombereaux l'or des feuilles de bouleaux.

La troisième nuit, peu après que la lune se fut levée, une main releva légèrement le rideau en peau de daim. Dans l'obscurité, Marcus se raidit. Puis il entendit un faible sifflement — ce sifflement fêlé, sur deux notes, qu'il utilisait toujours pour appeler Loupiot. Soulagé, il répondit de la même manière. Le rideau s'écarta et une forme sombre se glissa dans la pièce.

— Tout va bien ? murmura Esca.

— Tout va bien, répondit Marcus, battant la pierre à briquet pour allumer la lampe. Et toi, comment s'est passée ta chasse ?

— Elle a été bonne.

Une petite flamme s'éleva et se stabilisa. Esca sortit quelque chose de son manteau. Marcus y jeta un coup d'œil :

— Tu as eu un problème ?

— Non, aucun, mais j'ai un peu abîmé l'aigle en regagnant la rive. Elle est peut-être cassée, mais je n'y voyais goutte, et j'ai glissé.

Esca s'assit, épuisé :

— Il reste quelque chose à manger ?

Marcus avait pris l'habitude de garder une part de chacun de ses repas, de manière à pouvoir toujours rassasier son ami quand il reviendrait. Il lui offrit aussitôt le contenu d'une petite marmite, puis il posa la main sur l'étendard qui signifiait tant pour lui, tandis que le jeune Breton mangeait et lui racontait ses aventures entre deux bouchées.

Esca avait coupé à travers les montagnes sans encombre, mais il n'avait atteint le lac aux Mille Flots qu'à la pointe de l'aube. Il avait été obligé de se dissimuler dans un bosquet de noisetiers pendant la journée. Deux fois, ce jour-là, des chasseurs étaient passés à quelques pas de sa cachette. Ils portaient des coracles et se dirigeaient très probablement vers le village, comme Esca, par le raccourci du lac. Le jeune homme avait remarqué qu'ils portaient des lances de guerre.

À la tombée de la nuit, il s'était remis en route et avait traversé le lac à la nage. Il y avait à peine plus d'un mille[1] à parcourir, et il n'avait pas rencontré plus de difficultés que dans la montagne. Il avait longé la rive jusqu'à l'endroit où ils avaient caché l'aigle. Il l'avait retrouvée, reprise, enroulée dans le linge mouillé qu'il avait noué à son épaule pour ne pas le perdre, mais malencontreusement heurtée en regagnant le rivage. Puis il était revenu aussi vite qu'il l'avait pu. Le village de Dergdian bourdonnait comme un essaim d'abeilles en colère. Bref, son expédition s'était déroulée très simplement. « Trop simplement, même », songea Marcus.

À mesure que son récit se déroulait, la voix d'Esca se brisait tant il était épuisé. Dès qu'il eut fini de manger, il s'étendit sur le matelas de fougère. Le sommeil le prit comme un chien fatigué après une journée de chasse.

Pourtant, le lendemain, avant que le soleil eût dépassé la crête des

---

1. Un mille équivaut à un kilomètre et demi.

montagnes, les deux jeunes gens avaient de nouveau repris la route. Ils avaient certes été lavés de tout soupçon, mais il valait mieux pour eux ne pas s'attarder.

Les villageois ne manifestèrent aucune surprise en constatant le prompt rétablissement d'Esca. Ils devaient supposer que, dès lors que les démons avaient été expulsés de sa personne, il n'avait plus aucune raison d'être souffrant. Ils fournirent aux voyageurs de nouvelles rations de la sempiternelle viande fumée ; et un garçon au visage sombre et sauvage, vexé d'être trop jeune pour être admis parmi les guerriers, fut chargé de les guider vers leur prochaine étape. Puis les hommes souhaitèrent bonne route aux voyageurs et les laissèrent aller.

Ce jour-là, le voyage fut pénible. Ils quittèrent les rives plates du lac pour un sentier escarpé qui grimpait vers le nord, au cœur des montagnes, avant de bifurquer vers l'est, autant qu'ils pussent en juger. Aux roches noires, couvertes de bruyère, succédaient des cols interminables et des torrents qu'il fallait traverser à gué. Il leur semblait se trouver sur le toit du monde. Enfin, ils prirent la direction du sud et empruntèrent la longue descente qui conduisait aux portes de Cluta. Là, le garçon les quitta. Refusant de partager leur camp pour la nuit, il repartit par où il était venu, aussi infatigable qu'un animal des montagnes. Les voyageurs le regardèrent s'éloigner. Il progressait avec aisance, sans se presser, sur le difficile sentier escarpé. Il marcherait ainsi toute la nuit. Il arriverait chez lui avant l'aube. Marcus et Esca étaient tous les deux des hommes des collines, mais ils auraient été incapables d'en faire autant, en tout cas parmi ces à-pics et ces défilés.

Les jeunes gens jetèrent un dernier regard à Cruachan. Puis ils firent demi-tour et se dirigèrent vers le sud. Ils avaient hâte de retrouver une terre plus hospitalière. De nouveau, il y avait de l'orage dans l'air – aucun roulement de tonnerre, mais du vent, des bourrasques et des rafales de pluie. Un bon orage d'automne préserverait les voyageurs des brouillards de saison. Jamais le temps n'avait eu autant d'importance pour Marcus, sinon le matin de l'attaque d'Isca Dumnoniorum, lorsque la pluie avait empêché le signal de fumée de s'élever.

Il faisait nuit close lorsqu'ils tombèrent sur les ruines d'une sorte de tour construite jadis par un peuple oublié. Elle ressemblait à un nid de faucon. Ils décidèrent d'y bivouaquer, en compagnie d'un squelette de loup que les corbeaux avaient dévoré. Ils pensèrent qu'il valait mieux ne pas allumer de feu et se contentèrent d'entraver les chevaux et de ramasser de la fougère pour se coucher. Puis ils se débarrassèrent de leur marmite dans le torrent qui descendait de la montagne; ils l'entendirent rebondir dans la petite gorge et s'assirent dos à l'entrée pour manger des lambeaux de viande fumée, si durs qu'on aurait dit du cuir.

Marcus s'étira, soulagé. Le trajet avait été éprouvant. Toute la journée, ils avaient marché, trébuchant à chaque pas, conduisant leurs juments par la bride. Sa jambe malade le faisait horriblement souffrir. C'était bon de se reposer enfin!

À leurs pieds, la terre s'étendait vers le sud dans une infinité bleutée. Mille pieds[1] plus bas, à environ deux jours de marche, la vieille frontière coupait Valentia du monde sauvage. Très loin, dans l'obscurité des épineux, le bras ouest d'un grand lac reflétait la flamme du soleil couchant. Marcus était heureux de revoir l'immense étendue d'eau, comme s'il s'agissait d'un vieil ami : Esca et lui avaient marché si longtemps le long de ses rives, deux lunes plus tôt, lorsqu'ils se dirigeaient vers le nord, au commencement de leur périple! Pourtant, le

1. Un pied équivaut environ à trente centimètres.

jeune homme avait un mauvais pressentiment, comme la certitude superstitieuse que les ennuis n'allaient pas tarder.

Le magnifique soleil couchant semblait refléter son humeur. À l'ouest, tout le ciel était en feu. Au-dessus de leurs têtes, des nuages que le vent réduisait en lambeaux captaient la lumière ; ils ressemblaient à de grandes ailes dorées, qui virèrent bientôt à l'écarlate. La luminosité changea : elle devint de plus en plus forte, jusqu'à ce que l'ouest ne fût plus qu'une immense fournaise. Le versant le plus élevé de la montagne, bien au-delà du lac, prit la couleur sombre du vin. Décidément, cette scène évoquait la menace d'une tempête : du vent, de la pluie, et peut-être quelque chose de plus. Et la montagne, au loin, n'était peut-être pas couleur de vin, mais couleur de sang.

Marcus se secoua. Ses propres craintes l'agaçaient. Il se traita d'imbécile : il était fatigué, voilà tout. Esca aussi. Et les juments aussi. Un gros orage allait éclater. Ils avaient eu de la chance de trouver un abri pour la nuit ; et, si la chance restait avec eux, l'orage, le lendemain matin, se serait éloigné.

Marcus se rendit compte qu'il n'avait guère contemplé l'aigle retrouvée. Dans le village qu'ils avaient quitté ce matin, cela n'aurait pas été prudent. Mais à présent… l'étendard était là, près de lui. D'un coup, il se décida et entreprit de dérouler le manteau qui protégeait l'objet. Les plis sombres du tissu s'éclairèrent à la lumière du soleil couchant. Leur teinte violette s'échauffa pour devenir proche de la pourpre impériale. Enfin, Marcus tint l'aigle dans ses mains. L'oiseau était froid, lourd, abîmé, mais il brillait d'un rouge doré dans le soleil couchant.

—Bravo, murmura le jeune Romain à son compagnon. Tu as fait bonne chasse !

Mais les yeux de son ami s'écarquillèrent, fixés sur l'un des pans du manteau. Il ne répondit pas. Marcus, suivant son regard, vit que l'un des coins du vêtement était déchiré et effiloché.

—La broche en forme d'anneau! s'exclama Esca. La broche en forme d'anneau!

L'aigle au creux du bras, Marcus secoua fébrilement les plis, bien qu'il sût que c'était inutile. La broche aurait dû être accrochée à l'endroit déchiré. À présent qu'il était trop tard, il se souvenait parfaitement de la scène sur les bords du lac, quand leurs poursuivants les avaient rattrapés. Il revoyait les visages menaçants des villageois qui les entouraient, le paquetage renversé sur l'herbe rase; il revoyait chaque détail : la broche, et le manteau que les mains furieuses de leurs poursuivants malmenaient. Quel étourdi il avait été! L'incident lui était complètement sorti de l'esprit; et Esca, apparemment, l'avait oublié aussi.

—La broche a pu tomber n'importe quand, peut-être même quand tu étais dans l'eau, suggéra Marcus.

—Non, non, dit Esca lentement. Elle est tombée sur les galets, au bord du lac, là où j'ai posé le manteau avant de plonger pour aller chercher l'aigle.

Il passa une main sur son front.

—Quand j'ai repris le manteau, il s'est accroché dans une racine d'aulne. Tu sais comme les aulnes poussent volontiers au bord de l'eau. Là, je m'en souviens, mais, sur le moment, je l'ai à peine remarqué.

Il laissa retomber sa main et resta assis, rigide, comme Marcus. Les deux jeunes gens se regardèrent, consternés. La broche était une simple attache en bronze, bon marché; cependant, son motif était assez original, et les villageois avaient eu maintes occasions de la voir sur Demetrius d'Alexandrie. Et, à en juger par l'état du vêtement, un lambeau de tissu violet avait dû rester avec, pour rafraîchir leurs mémoires — au cas où ils en auraient besoin.

Le premier, Marcus rompit le silence :

—S'ils la trouvent, ils sauront que l'un d'entre nous est revenu depuis qu'ils ont fouillé notre paquetage. Il n'y a pas d'autre explication plausible.

Tout en parlant, il s'était mis à emballer à nouveau l'aigle dans le manteau déchiré.

—Quand ils parleront avec les guerriers du village que nous avons quitté ce matin, ils comprendront que c'est moi qui suis revenu, dit Esca d'une voix précipitée. Oh, ça ne servira à rien, car ils devineront forcément que nous étions de mèche. Écoute, Marcus, tu dois continuer seul. Si tu pars maintenant, tu as encore une chance de rapporter l'aigle. Je me mettrai sur leur chemin. Je leur dirai que nous nous sommes disputés pour décider qui de nous aurait l'aigle. Je leur affirmerai que nous avons combattu là-bas, près du lac, et que tu t'es noyé, emportant l'aigle avec toi dans la mort.

—Et Vipsania ? demanda Marcus, qui n'avait pas fini de replier le manteau. Et toi ? Que feront-ils de toi quand tu leur auras raconté ton histoire ?

—Ils me tueront, affirma Esca avec simplicité.

—Je suis désolé, mais ce plan ne me convient pas du tout.

—C'est l'aigle qui est en jeu.

Marcus eut un brusque geste d'impatience :

—L'aigle ne servira à rien lorsque nous serons de retour. Je ne me berce pas d'illusions à ce sujet. Du moment qu'elle ne tombe pas entre les mains des barbares, du moment qu'elle ne devient pas une arme contre Rome, elle sera aussi bien dans un bois de Calédonie que dans un débarras de l'Empire. Si le pire doit arriver, il nous faut décider ce que nous ferons de l'aigle avant qu'ils ne nous attrapent.

—C'est bizarre, quand même, ironisa Esca. Pourquoi t'être encombré d'un objet d'aussi peu de valeur? Pourquoi l'avoir transporté jusqu'ici? Pourquoi t'être soucié de le rapporter, en fin de compte?

Marcus avait déjà replié ses jambes pour se mettre debout. Il se figea et plongea son regard dans celui d'Esca:

—Par idéal, expliqua-t-il.

Il se leva et continua:

—C'est ensemble que nous vivons cette aventure; c'est donc ensemble que nous nous en sortirons – ou non. Il faudra peut-être des jours et des jours à nos ennemis pour retrouver la broche. Cependant, plus vite nous repartirons pour Valentia, mieux cela vaudra.

Esca se leva à son tour. Il n'y avait rien à ajouter, il en était conscient.

Marcus regarda les lourds nuages qui filaient dans le ciel comme des oiseaux poussés par le vent.

—De combien de temps disposons-nous avant que l'orage éclate? s'enquit-il.

Esca parut flairer l'atmosphère.

—Assez pour atteindre le lac, quoi qu'il arrive. Nous trouverons là-bas un abri suffisant pour nous protéger du vent, dans la pinède. Nous devrions pouvoir franchir quelques milles de plus, ce soir.

17
CHASSE À L'HOMME

Deux jours plus tard, au petit matin, Marcus, étendu au sommet d'une petite colline, scrutait l'horizon. Des marécages gris et fauve s'étendaient à ses pieds. Vers le sud, les hauteurs bleutées de Valentia semblaient émerger de cette étendue plate. Au milieu des marais se dressait Cluta, vers l'estuaire, à l'ouest. Are-Cluta avait été une ville frontalière et restait un lieu de rendez-vous et de commerce très prisé des tribus de la région. La ville, construite sur la rive septentrionale, était protégée par des remparts de terre. Des coracles couraient sur la rivière. De loin, on aurait dit de minuscules gyrins. On apercevait aussi un ou deux bateaux plus imposants, ancrés près du village, leurs voiles bleues ferlées. La fumée des feux montait dans le ciel gris qui semblait comme apaisé après les déchaînements de l'orage. Du moins était-ce l'impression de Marcus quand il repensait à ces deux derniers jours, qui avaient filé comme un rêve.

La tempête avait éclaté vers minuit. Elle avait surpris les voyageurs sur un versant de la montagne et les avait assaillis comme un animal sauvage décidé à les détruire. Elle avait soulevé les eaux du lac, mêlé son écume à la pluie amère et sifflante, et en avait arrosé les voyageurs encore et encore. Marcus et Esca avaient passé la plus grande partie de la nuit blottis avec leurs juments terrorisées sous un auvent de pierre, environnés par un tourbillon hurlant de vent, de pluie et d'obscurité.

Lorsque l'aube pointa, la tempête faiblit. Les voyageurs en profitèrent pour continuer leur route. Un peu après midi, ils trouvèrent un abri derrière le tronc d'un pin déraciné.

Ils attachèrent les juments, se glissèrent au milieu des racines et s'endormirent. Quand ils se réveillèrent, la nuit était noire, et la pluie tombait doucement. Le vent sanglotait et grondait dans les pins, mais il ne s'accrochait plus aux fugitifs comme un être vivant.

Après avoir fini la viande fumée qu'il leur restait, les deux jeunes gens s'étaient décidés à affronter de nouveau la tempête. Le calme était revenu avec le lever du jour. Le chant des pinsons, rouges-gorges et roitelets réveilla les voyageurs qui ne firent halte que lorsqu'ils furent arrivés dans les collines peu élevées de la province de Cluta. Une nouvelle étape de leur voyage allait commencer.

Dès le lever du jour, Esca était descendu à Are-Cluta pour vendre les juments. La séparation avait été pénible. Marcus et Vipsania, Esca et Minna s'étaient habitués les uns aux autres et s'estimaient réciproquement. Ils avaient voyagé des mois et des mois ensemble. Et les juments avaient parfaitement conscience qu'elles ne reverraient plus leurs maîtres. Les deux jeunes gens regrettaient de ne pas pouvoir garder leurs montures ; mais la vieille marque de la cavalerie sur leurs épaules était par trop facile à reconnaître. Il n'y avait pas d'autre solution.

Du moins étaient-elles sûres de retrouver de bons maîtres. Ici, on aimait les chevaux et les chiens. Les animaux travaillaient dur mais, en contrepartie, on les traitait comme des membres de la famille. Oui, tout allait bien se passer pour Vipsania et Minna, se répéta Marcus avec fermeté. Il s'étira. C'était bon d'être couché là, sur la douce terre, à l'orée de la forêt ; c'était bon de sentir sa tunique sécher, de reposer sa jambe douloureuse. Désormais, quelle que soit la rapidité de leurs

poursuivants, ils ne pourraient plus surgir de n'importe quelle vallée ; ils ne pourraient plus émerger des nappes de brouillard derrière
lesquelles se dissimulait le paysage. Mais comment Esca se sortait-il
de la négociation, là-bas ? C'était toujours lui qui en faisait le plus ;
c'était toujours lui qui prenait le plus de risques. Bien sûr, il n'y avait
rien d'étonnant à cela : Esca était britannique, il pouvait donc passer
inaperçu là où Marcus, avec son teint olivâtre, aurait été immédiatement considéré avec suspicion. Il en avait conscience, ce qui ne l'empêchait pas de trouver cette situation exaspérante.

Le soulagement qu'il avait éprouvé s'effilocha à mesure que la
matinée s'avançait. Il était incapable de rester calme et détendu. Que
se passait-il, au village ? Pourquoi Esca mettait-il autant de temps ?
L'histoire de l'aigle avait-elle déjà atteint Are-Cluta, devançant les
voyageurs ?

Il était près de midi quand Esca apparut soudain devant lui, che-
vauchant un petit cheval au long pelage gris souris, et en menant un
autre par la bride. Marcus sentit une nouvelle vague de soulagement
le submerger. Il écarta les crosses de bruyère qui le masquaient et leva
une main. Esca répondit à son signal. Peu après, il sauta à terre et
rejoignit le jeune Romain. Il arborait l'air satisfait que procure le travail bien fait.

— Est-ce que, par hasard, tu appellerais « chevaux » ces étranges spé-
cimens ? demanda Marcus avec intérêt.

Esca s'affairait autour d'un paquet qu'il avait pris sur l'une des montures. Un sourire grave étira lentement ses lèvres.

— En douterais-tu ? L'homme qui me les a vendus m'a juré qu'ils
étaient nés dans l'écurie du grand roi d'Eriu.

— Et tu as été assez fou pour le croire ?

— Bien sûr que non, rétorqua Esca en attachant l'un des chevaux à
une branche basse.

Il s'assit à côté de Marcus avant de poursuivre :

—Mais, de mon côté, j'ai bien dit à l'homme à qui j'ai vendu nos juments qu'elles sortaient des écuries de la reine Cartimandua ! D'ailleurs, il ne m'a pas cru non plus.

—C'étaient de braves bêtes, quelles que soient leurs origines, dit Marcus. Tu leur as trouvé un bon maître ?

—Oui, et le même pour les deux. Il ressemblait un peu à un renard, mais il avait les mains qui convenaient. Je lui ai dit que mon frère et moi prenions le bateau pour Eriu. C'était une bonne raison pour vendre les juments. De plus, si jamais quelqu'un le questionne, il pourra le lancer sur une fausse piste. Nous avons marchandé un long moment : les juments étaient épuisées. J'ai dû lui raconter une histoire interminable de loups pour expliquer leur état. Il en a bien sûr profité pour affirmer qu'elles étaient au bout du rouleau, ce qui était un mensonge gros comme une hutte. Mais j'ai fini par les lui vendre pour le prix d'une belle couverture en peau de phoque, deux lances de guerre émaillées, une marmite en bronze et un cochonnet. Oh, et j'oubliais, trois superbes bracelets d'ambre.

Marcus rejeta la tête en arrière et éclata de rire.

—Qu'as-tu fait du cochonnet ? s'enquit-il.

—C'était un tout petit cochonnet noir. Il poussait des cris perçants. Je l'ai troqué contre ceci.

Esca sortit de son paquet un manteau à capuche bordée de fourrure, taillé dans un tissu usé et couvert de taches de graisse, qui avait dû être un jour à damiers bleus et rouges mais dont la teinte était désormais indéfinissable.

—Ce genre de petit détail peut nous éviter d'attirer l'attention — du moins à une certaine distance, expliqua le jeune Breton. La femme avec laquelle j'ai fait du troc m'a aussi donné de la viande séchée. La voici. Puis je suis retourné au marché aux chevaux, et j'ai acheté ces deux-là avec leur harnachement, moyennant les lances de guerre et le reste. Le vendeur a fait une bonne affaire ; que le mauvais œil soit sur lui ! Mais je ne pouvais pas marchander.

—Nous ne sommes pas en position de négocier à notre avantage, reconnut Marcus en attaquant les provisions. N'empêche, j'aurais bien aimé te voir avec le cochonnet !

Ni l'un ni l'autre ne perdirent plus de temps en palabres. Ils mangèrent rapidement et frugalement : ils ignoraient combien de temps il leur faudrait attendre avant de retrouver de la nourriture. À midi, ils avaient bouclé leur mince paquetage, remis leurs selles en peau de mouton sur leurs petites montures hirsutes, resserré les sangles et repris la route, une fois de plus.

Marcus portait le manteau qu'Esca avait échangé contre le cochonnet noir. Il avait rabattu la capuche sur son front pour cacher sa cicatrice : en effet, il avait abandonné son talisman en forme de main. Désormais, il était trop reconnaissable pour lui être d'une quelconque utilité. L'aigle perdue était dissimulée sous les plis crasseux et malodorants de son manteau. Pour garder les deux mains libres, il l'avait fixée à sa taille avec les lambeaux du tissu qui la protégeait naguère. Mais, en chemin, il la prit dans le creux de son bras.

Ils contournèrent Are-Cluta en décrivant un large arc de cercle et ne tardèrent pas à retrouver le fleuve qui coulait vers le sud-est, vers le cœur de la province de Valentia.

Ce retour ne ressemblait en rien à leur premier voyage. Quelques mois plus tôt, les deux amis avaient erré au vu et au su de tous, de village en village ; le soir venu, ils avaient toujours trouvé quelqu'un pour leur offrir un repas et une place au coin du feu. À présent, ils étaient en fuite. Le jour, ils se terraient dans un vallon écarté ; la nuit, ils filaient vers le sud ; derrière eux, la chasse était lancée. Trois jours durant, ils n'en perçurent aucun signe.

Cependant, ils sentaient dans leur cœur que leurs poursuivants se rapprochaient, et ils avançaient aussi vite que possible, l'oreille aux aguets. Ils progressaient à un bon rythme. Certes, leurs montures ne payaient pas de mine, mais elles montraient une résistance étonnante. Élevées dans les montagnes, elles étaient robustes, infatigables et avaient le pied aussi sûr que des chèvres.

Néanmoins, Marcus et Esca avaient conscience qu'ils ne garderaient pas leurs chevaux éternellement. Viendrait un jour où ils devraient s'en séparer et continuer le chemin à pied. Mais pour l'heure, ils tâchaient d'en profiter pour gagner du terrain.

Le quatrième soir, ils émergèrent d'un hallier d'épineux et rejoignirent la route. La nuit était sombre, le ciel gris et bas. Dans le vallon, tout était déjà noir ; mais là-haut, au sommet des hautes collines, la lumière du jour n'avait pas encore renoncé. Elle se reflétait encore en longs filaments argentés sur la bruyère brune.

—Encore trois jours, murmura Marcus. D'après mes calculs, dans trois jours, nous aurons atteint le Mur !

Esca se tourna vers lui pour lui répondre et sursauta comme s'il avait entendu un bruit suspect. Un instant plus tard, Marcus perçut à son tour un son bref, répété : le halètement d'un chien.

En jetant un œil derrière eux, les voyageurs aperçurent des formes noires qui montaient dans leur direction. Elles étaient encore loin, mais assez proches, malgré tout, pour qu'ils puissent les reconnaître : c'étaient des hommes à cheval, accompagnés par une meute de chiens courants. L'un d'eux aboya.

—J'ai parlé trop vite, murmura Marcus.

Sa voix lui sembla bizarrement aiguë.

—Ils nous ont vus, constata Esca en éclatant d'un rire rauque. Les chasseurs s'apprêtent à assouvir leur vengeance. Allez, hue, ami gibier !

Il piqua des deux, et sa monture bondit en hennissant. À son tour, Marcus poussa son cheval au triple galop. Les chevaux étaient assez frais, mais les deux fugitifs savaient que, en terrain découvert, leur mort n'était plus qu'une question de temps : les chiens les traqueraient comme une meute de loups, et les chasseurs avaient de meilleures montures.

D'un commun accord, ils infléchirent donc légèrement leur course et se dirigèrent vers un versant escarpé ; c'était leur seule chance d'échapper à leurs poursuivants.

— Si nous parvenons à garder un peu d'avance avant la tombée de la nuit, cria Esca pour se faire entendre malgré le tonnerre des sabots et le sifflement du vent, nous avons une chance d'atteindre les gorges !

Marcus ne répondit pas, mais poussa encore sa monture. La bruyère sombre se couchait sous les sabots de son cheval ; ses longs crins s'enroulaient autour de ses poignets et le vent chantait à ses oreilles. Pendant quelques secondes, il exulta : il retrouvait l'extraordinaire sensation qu'il connaissait bien — la sensation splendide que procurait un galop effréné. Il avait cru qu'il ne l'éprouverait plus jamais.

Puis son ivresse disparut comme elle était venue, aussi fugace que le vol d'un martin-pêcheur. Marcus fuyait pour sauver sa vie. Derrière lui, la masse sombre et hurlante de ses poursuivants. Il s'efforçait de mobiliser toutes ses forces, toutes ses connaissances, tous ses dons pour éviter les pièges cachés de la route, pour déceler les monticules de terre invisibles, pour contourner les enchevêtrements de racines que le tapis de bruyère recouvrait. Il avait douloureusement conscience de la faiblesse de son genou droit ; si son cheval trébuchait, il passerait aussitôt par-dessus l'encolure.

Fendre l'air, encore et encore. Galoper à bride abattue. Fuir. Longer un étang bordé de roseaux. Puis traverser à la vitesse de la foudre un petit bois que les derniers feux du jour nimbaient d'un vert lumineux. Monter, redescendre, fouler des océans de bruyère couleur de bronze, effrayer ici une colonie de pluviers, là un courlis perdu dans la lande. Et entendre en permanence la meute qui ne cessait de se rapprocher. Entendre le halètement des chiens. Entendre le grondement sourd des sabots. Les entendre de plus en plus distinctement. Et ne pas se retourner, pour ne pas perdre de temps.

Continuer. Continuer sans faiblir. Sentir cependant les chevaux fatiguer. Sentir leurs flancs se soulever, les voir se couvrir d'écume.

Marcus se coucha presque sur l'encolure de son cheval, pour soulager son dos. Il lui parla, l'encouragea en chantant et en criant. Il caressa son poil mouillé de sueur. Il pressa ses talons contre ses flancs. Il le motiva du mieux qu'il put, bien que la pauvre bête fût déjà à son maximum.

La terreur lui donnait des ailes. Comme son cavalier, elle savait ce que signifiaient les bruits qu'elle percevait derrière elle.

Devant eux, le sol s'élevait. La lumière déclinait peu à peu. Les gorges où ils avaient espéré se réfugier n'étaient plus très loin ; plus très loin non plus, les noisetiers ; et plus très loin non plus, les poursuivants. Marcus se résolut à risquer un œil derrière lui. Il aperçut la forme imprécise des cavaliers qui volaient à leur suite, et, plus basse, celle des chiens qui couraient. Dans le crépuscule, chasseurs et chiens se fondaient en une masse indistincte qui filait le long de la plaine, précédés par le chien de tête.

Les chevaux des fuyards étaient épuisés. Avec l'énergie du désespoir, ils se lancèrent dans l'ascension d'une dernière crête et aperçurent bientôt en contrebas le scintillement pâle d'une eau courante. Très discrète d'abord, une odeur inattendue monta jusqu'à eux. C'était une fragrance douce et enivrante, qui évoquait le musc. Esca émit un son qui tenait du rire et du sanglot.

—Si nous atteignons le torrent avant qu'ils aient monté cette côte, nous avons encore une chance de nous en sortir, affirma-t-il.

Marcus ne comprit pas pourquoi, mais il était soulagé de faire confiance à quelqu'un qui connaissait mieux le terrain que lui. De nouveau, il talonna les flancs de son cheval. De nouveau, il lui demanda un dernier effort. Et, de nouveau, il devina les frissons de l'animal, sa sueur, l'écume à présent mêlée de sang qui sortait de sa bouche, alors que, poussé par la panique, il tentait une fois de plus d'accélérer. C'est de front que les deux fuyards fendirent les bruyères hautes. L'odeur de musc devenait plus forte à chaque instant. Ils descendirent dans la vallée et arrivèrent près du torrent, faisant fuir deux formes, reconnaissables à leur ramure imposante. Esca avait déjà sauté à terre à l'endroit même où, l'instant d'avant, les deux grands cerfs luttaient pour se rendre maître de la horde. À son tour, Marcus glissa à bas de sa monture. Le bras de son ami le soutint avant même qu'il eût touché le sol.

—Dans l'eau, vite! intima-t-il, tandis que les chevaux, libérés et hennissant de terreur, s'enfonçaient dans les ténèbres au triple galop.

Les jeunes gens plongèrent et se maintinrent tant bien que mal près de la rive. Seul le haut de leur visage dépassait du courant vif et glacé. Esca soutenait toujours Marcus. C'est alors que la première vague de chasseurs passa à leur hauteur. Cramponnés à une racine affleurante, Marcus et Esca entendirent la débandade des chevaux qui s'enfuyaient, paniqués, le long du torrent, la meute des poursuivants à leurs trousses; ils entendirent les trépidations, les aboiements, les piétinements et les éclats de voix.

Ils attendirent une éternité dans le torrent, attentifs à ce qui se passait juste au-dessus de leur tête. Ils espéraient que l'obscurité dissimulerait suffisamment les traces qu'ils avaient laissées dans les bosquets d'aulnes, et ils priaient pour que les chiens, incités à suivre les chevaux, ne se mettent pas à flairer la piste des hommes. En réalité, cette éternité ne dura peut-être que quelques minutes ; après quoi, des hurlements indiquèrent que les chevaux avaient été repérés. Les chiens étaient déjà loin, aboyant frénétiquement. Puis une nouvelle explosion de voix, des piétinements, un hennissement aigu et furieux retentirent ; et, comme un cauchemar qui se dissipe, les hommes, les chiens et les chevaux des chasseurs s'éloignèrent dans les ténèbres.

Un peu plus loin, le vallon s'incurvait, ce qui permit aux jeunes gens, toujours blottis contre la rive, de suivre leurs ennemis des yeux. C'était une meute d'ombres qui filait le long du torrent. La clameur sauvage de leur passage s'éloignait comme elle était venue. L'obscurité les avala. Un dernier aboiement résonna longuement, porté par le vent nocturne, et ce fut tout. Plus un bruit, sinon le chant d'un courlis, quelque part, et les battements désordonnés de leur cœur.

Esca fut le premier à parler.

— Nos chevaux fileront comme le vent pendant un moment, affirma-t-il. Allégés de notre poids, effrayés comme ils le sont, ils peuvent tenir un certain temps ; mais ils finiront par être rattrapés, et les chasseurs reviendront nous chercher. Donc, plus vite nous repartirons, mieux cela vaudra.

Marcus vérifia que l'aigle était toujours accrochée à lui.

— Je suis malheureux pour nos chevaux, avoua-t-il.

— Il ne leur arrivera rien — sauf si leur cœur lâche. Ce sont des chiens de chasse qui leur courent après. On les a entraînés à traquer et à ramener. Ils ne tueront pas tant qu'on ne leur en donnera pas l'ordre. Si les chevaux nous portaient encore, je ne donnerais pas cher de leur peau ; cependant, aucun autochtone ne tuerait un cheval pour le plaisir — à moins que ces chasseurs aient des coutumes très différentes des autres tribus de Bretagne.

Tout en parlant, Esca tâtonnait sur la rive. Il poussa un grognement de satisfaction en empoignant sa lance.

— Nous ferions bien de rester dans le torrent un moment, pour couper la piste, suggéra-t-il en posant une main ferme sur l'épaule de Marcus.

Une fois de plus, ils eurent l'impression qu'une éternité s'écoulait tandis qu'ils pataugeaient sur les fonds irréguliers du torrent, de l'eau jusqu'aux genoux ou jusqu'à la taille, selon les endroits. Quand les berges se rapprochaient, la force du courant diminuait ; progresser n'en demeurait pas moins une bataille de tous les instants, une lutte à mener contre le sol glissant et contre le temps. Les nerfs des fuyards étaient à vif. À tout instant, ils redoutaient d'entendre un aboiement s'élever au-dessus du grondement de l'eau.

La nuit était presque totale. Un nuage bas cachait la lune. Les collines entouraient les jeunes gens de tous côtés. Le cours d'eau obliquait nettement vers l'est. Qu'importe : les fugitifs préféraient maintenant s'en éloigner.

Lorsque, enfin, ils aperçurent une étroite vallée qui s'enfonçait vers le sud, ils sortirent du lit du torrent, glacés jusqu'aux os, et s'ébrouèrent comme font les chiens. Ils essorèrent leurs vêtements autant qu'ils le purent et reprirent leur marche.

Ils gravirent une colline escarpée, puis descendirent dans un autre vallon, où poussaient noisetiers et bouleaux ; ils croisèrent un autre cours d'eau qui tombait en chutes abruptes et en cascades. Dans ces collines, on semblait n'être jamais hors de portée du bruit de l'eau ! Ils finirent par déboucher sur une sorte de cavité — un glissement de terrain que la pluie avait creusé. Épuisés, ils se laissèrent tomber à terre et se blottirent l'un contre l'autre pour trouver un peu de chaleur, essayant de reprendre leur souffle et de faire le point sur leur situation.

Elle n'était pas brillante. Leurs maigres provisions avaient disparu avec les chevaux. Désormais, ils devraient avancer le ventre vide, étant donné qu'ils n'avaient pas le temps de tendre des pièges en chemin. Ils étaient à deux bons jours de marche de la plus proche porte du Mur. De plus, ils devraient parcourir cette distance à pied, dans un environnement hostile, leurs poursuivants sur les talons. Non, décidément, les perspectives n'étaient pas très réjouissantes.

Marcus massa sa jambe blessée. La douleur était intolérable. Il regarda l'éclat opalin de l'eau à travers les sombres buissons de noisetiers. La sensation d'être traqué l'oppressait, et il savait qu'elle pesait aussi sur Esca. Le paysage semblait menaçant, comme si hommes et chiens n'étaient plus seuls à leurs trousses : la nature entière semblait s'être jointe à la poursuite, et les collines noires avaient l'air de se resserrer autour des fuyards pour préparer leur mise à mort. Pourtant, pensa Marcus, cette même nature hostile les avait traités en amis, ce soir. Les cerfs avaient détourné l'attention des chiens au moment le plus opportun.

Les deux jeunes gens restèrent encore couchés en silence un petit moment. Ils avaient bien besoin de ce répit, mais n'osaient pas se reposer trop longtemps. Avant que l'aube ne fût levée, ils devraient être beaucoup plus loin ; et il leur faudrait trouver une cachette autrement plus sûre que celle-ci.

Marcus soupira. Il s'apprêtait à se lever lorsqu'il se rendit compte qu'Esca s'était soudain tendu, à ses côtés. Il prêta l'oreille. Il ne perçut d'abord que le murmure de l'eau, mais bientôt acquit la certitude que quelque chose ou quelqu'un marchait dans le vallon. Il se tapit dans sa cachette, pétrifié, la tête tournée dans la direction des noisetiers : le bruit venait de là.

C'était un homme, ou peut-être plusieurs. Il remontait le vallon dans la direction des fugitifs, immobiles dans leur abri. Il se rapprocha encore et encore, jusqu'à ce qu'il fût juste au-dessus d'eux. Marcus aperçut une forme pâle et une autre plus sombre. Il s'attendait à tout, sauf à voir un homme qui menait une vache. Plus surprenant encore, l'homme fredonnait entre ses dents, si bas que le jeune Romain ne reconnut la chanson que lorsque l'homme fut tout près de lui.

Quand j'ai rejoint les aigles,
J'ai embrassé une belle, oh gué!
Une belle de Clusium, oh gué!
Puis je m'en suis allé.

Marcus se leva et écarta les branches de bouleaux.
—Salut, Guern le Chasseur! lança-t-il en latin.

18
LES EAUX DU LÉTHÉ

Guern sursauta. La vache blanche, effrayée, renâcla et souffla bruyamment, les cornes baissées. L'homme fouillait les branchages du regard. Le chien gronda sourdement, puis aboya. Un coup de talon du chasseur le fit taire.

—Salut, Demetrius d'Alexandrie ! s'exclama Guern.

—Guern, nous avons besoin de ton aide, avoua Marcus.

—Oui, oui, je suis au courant. Vous avez emporté l'aigle, et les Epidaii sont à vos trousses, dit Guern. Le bruit en a couru au coucher du soleil. Les Dumonii et ma tribu, pour ne citer qu'eux, joindront leurs lances à celles de vos poursuivants.

Il avança d'un pas et demanda :

—Qu'attendez-vous de moi ?

—De la nourriture. Et si tu peux les entraîner sur une fausse piste, ce serait bien…

—La nourriture ne pose aucun problème. Mais la fausse piste… Vous allez avoir besoin de beaucoup plus de temps pour atteindre le Mur. Tous les chemins vers le sud sont gardés, désormais ; et, à ma connaissance, il n'y a qu'un passage susceptible de n'être pas surveillé.

—Indique-le-nous.

—Ça ne serait pas suffisant. Ce passage-là vous mènera à une mort certaine si personne ne vous guide. Voilà pourquoi les autochtones n'ont pas pris la peine d'y poster un vigile.

—Et toi, tu connais ce passage? s'enquit Esca, parlant pour la première fois.

—Oui, je connais ce passage. Et je... oui, je vous y emmènerai.

—Qu'arrivera-t-il si on te surprend avec nous? lança Marcus. Ne va-t-on pas remarquer ton absence, dans ton village? Ne va-t-on pas en déduire où tu es allé?

—Personne ne s'apercevra de mon absence, car presque tous les hommes seront en chasse, ces prochains jours, répondit Guern.

—Et si on te surprend avec nous? insista Marcus.

—Je n'aurai qu'à poignarder l'un d'entre vous et réclamer en récompense l'honneur d'être première lance parmi les chasseurs.

—Voilà une pensée fort plaisante! ironisa Marcus. Veux-tu que nous te suivions maintenant?

—Oui. Il n'y a pas de temps à perdre. La vache viendra avec nous. Elle n'a pas de chance : elle est toujours par monts et par vaux.

—Hé! J'ai l'impression que nous devons une fière chandelle à cette vache errante, ce soir!

Marcus se mit à rire et essaya de se relever, mais la jambe sur laquelle il prenait appui céda sous lui.

—Laisse-moi m'appuyer sur ton épaule, Esca, exigea Marcus. Notre voyage m'a épuisé!

Des vallées encaissées et de vastes étendues de lande les séparaient de l'endroit où les cerfs avaient combattu. Et il fallait encore marcher...

L'aube pointait lorsque Guern les guida dans une carrière de sable, restée intacte depuis que les aigles avaient quitté la province de Valentia.

Le chasseur amena ses compagnons de voyage dans une grotte – ou était-ce une galerie? – qui avait dû servir de tanière occasionnelle à un sanglier. Il leur conseilla de ne pas faire de bruit avant son retour, et il s'éloigna avec sa vache, qui semblait épuisée.

–Ça t'apprendra à t'enfuir, fille d'Ahriman! cria-t-il en menant sa bête par les cornes à travers le sentier pentu.

Laissés à eux-mêmes, Marcus et Esca dissimulèrent l'entrée de la cavité derrière un rempart de mûriers et de rosiers sauvages. Puis ils s'allongèrent aussi confortablement que possible.

–Si le plafond ne s'écroule pas et si les sangliers ne viennent pas nous rendre visite, nous devrions être au calme…, estima Marcus en posant sa tête sur ses bras.

Le toit ne s'écroula pas; les sangliers ne pointèrent pas le bout de leurs défenses. Le jour passa lentement. Marcus et Esca, malgré leurs estomacs vides, dormirent à poings fermés. Derrière les buissons d'épineux de l'entrée, la lumière vira au doré, puis s'éteignit. Le crépuscule était tombé lorsque Guern le Chasseur revint. Il apportait avec lui, outre les inévitables tranches de viande fumée, un morceau de gibier fraîchement bouilli.

–Mangez le gibier maintenant, ordonna-t-il, et vite.

Marcus et Esca s'exécutèrent tandis que leur ami se tenait debout, appuyé sur sa lance, devant la cavité, son gros chien à ses pieds. Il ne faisait pas encore nuit noire lorsqu'ils se remirent en marche.

Au début, ils avancèrent lentement : la jambe de Marcus était engourdie après cette journée de repos. Cependant, le chemin était moins escarpé que celui de la veille au soir. Petit à petit, l'engourdissement que ressentait le jeune Romain se dissipa. Il se déplaçait plus facilement. Les deux jeunes gens suivaient Guern, aussi silencieux que des chasseurs pistant un daim. Ils n'échangeaient pas un mot.

À mesure que les heures passaient, l'étonnement de Marcus croissait. Jusqu'à présent, il n'avait repéré aucune différence notoire entre cette étape et celles des jours précédents. Rien n'indiquait, rien ne laissait soupçonner que ce chemin conduisait à la mort les voyageurs qui n'avaient pas de guide.

C'est alors qu'ils aperçurent un petit cours d'eau. L'atmosphère changea et, avec elle, la sensation que leur procurait le sol sous leurs pas. Soudain, Marcus comprit. Ils approchaient des marécages où l'on pouvait s'embourber si on ne connaissait pas le passage !

Une odeur étrange les enveloppait. Guern scrutait les environs comme un chien flairant une piste. Soudain, il s'immobilisa et prononça ses premiers mots depuis que les trois hommes avaient quitté la grotte :

—Ici. C'est ici. À partir d'ici, nous devons marcher les uns derrière les autres. Suivez-moi bien, et ne vous arrêtez pas plus longtemps que ne dure un battement de cœur. Même le passage que nous emprunterons n'est pas sans danger. Faites ce que je vous dis, et vous vous en tirerez indemnes ; désobéissez-moi, et vous mourrez noyés. C'est aussi simple que ça.

—Compris, murmura Marcus.

Pour le bavardage, on verrait plus tard : qui pouvait savoir où se trouvaient les poursuivants ?

Le chien suivit Guern. Marcus se plaça derrière leur éclaireur. Esca fermait la marche. Le sol était spongieux sous leurs pieds et produisait d'inquiétants bruits de succion. Si rapide que fût leur progression, Guern et ses compagnons semblaient, à chaque pas, échapper de peu à l'étreinte mortelle des marais.

Ils n'avaient pas fait beaucoup de chemin quand Marcus remarqua qu'un léger brouillard tombait. À première vue, on aurait dit la vapeur dégagée par le marigot. Toutefois, Marcus ne tarda pas à comprendre que la réalité était pire ! Le brouillard s'élevait de plus en plus haut, formant une enveloppe vaporeuse au-dessus de leur tête. En levant les yeux, le jeune homme pouvait encore voir briller la lune, mais faiblement. Un voile cotonneux s'étendait sur le ciel. Impossible de revenir en arrière, désormais ; il était même stupéfiant de pouvoir encore avancer dans cette soudaine obscurité.

Le brouillard devint plus dense. Bientôt, les voyageurs avancèrent à l'aveuglette. Le monde, pour eux, se limitait à quelques pieds de terre détrempée, bordée d'un brouillard ouaté. Çà et là, l'eau affleurait puis se fondait dans le néant vaporeux. Aucun chemin n'était visible nulle part. Et pourtant, Guern n'hésitait pas. Il marchait d'un pas léger et toujours égal. Il bifurquait de temps en temps. Les deux autres le suivaient.

Les lourds remugles devenaient de plus en plus forts. Le froid était de plus en plus mordant, et la lune brillait à travers le brouillard, bas dans le ciel. Guern le Chasseur avançait, encore et encore. Le silence était total. Seuls le troublèrent le mugissement d'un butor qui s'envola sur la droite des voyageurs, et les petits bruits de succion que laissaient échapper les marais.

Marcus ne se méfiait plus de Guern. Il n'y avait aucun doute à avoir : l'homme savait trouver son chemin, même dans ce brouillard compact. Cependant, il s'inquiétait de sa propre capacité à suivre le rythme qu'imposait son guide. Heureusement, le sol devint soudain plus ferme sous ses pas. Ce fut d'abord une impression ; quelques pas plus loin, cela devint une certitude. Ils avaient dépassé la tourbière mortelle. L'air avait une odeur différente, toujours entêtante mais plus légère et plus douce. Le passage était derrière eux, comme un cauchemar ou un mauvais souvenir.

L'aube n'allait pas tarder à apparaître. De nouveau, le brouillard prenait le dessus sur l'obscurité. Il ne scintillait plus ; il avait pris une teinte gris sombre, comme celle des cendres d'un feu éteint depuis longtemps. Dans la clarté naissante, les voyageurs s'arrêtèrent, soulagés d'être enfin protégés du vent par un massif d'épineux. Le chien se coucha à leurs pieds.

—Je vous ai emmenés aussi loin que possible, dit Guern. Chaque homme a ses terrains de chasse. J'ai atteint les limites du mien. Au-delà, pour moi, le territoire m'est inconnu ; j'y suis étranger.

—Tu nous as fait passer à travers les mailles du filet, reconnut Esca. Désormais, nous pouvons nous passer de toi.

Guern prit une mine dubitative :

—Ne vous croyez pas sortis d'affaire ! Il n'est pas impossible que vos poursuivants surveillent aussi ces collines. En conséquence, je vous conseille de voyager la nuit, et de vous cacher pendant la journée. Si vous ne tombez pas entre les mains des autochtones et si vous ne vous égarez pas dans le brouillard, vous devriez atteindre le Mur dans deux nuits.

Il hésita, sembla se décider... puis se ravisa. Enfin, il se résolut à parler d'une voix où l'humilité se mêlait à une sorte de colère contenue :

—Avant que nos chemins ne se séparent, j'ai en mon cœur le désir de revoir l'aigle une dernière fois. Jadis, c'était la mienne...

Pour toute réponse, Marcus dénoua le linge qui protégeait l'étendard et en sortit l'objet sacré. L'aigle perdue et retrouvée était sombre et nue ; elle semblait avoir perdu son lustre dans la pénombre grise de l'aube. On aurait dit un simple morceau de métal abîmé en forme d'oiseau.

—Elle a perdu ses ailes, commenta le jeune homme.

Guern s'empara de l'oiseau avec empressement, comme s'il avait l'intention de l'emporter. Puis il l'observa attentivement, et ses mains le caressèrent. Ce geste, qui trahissait une émotion intense, impressionna Marcus. Son cœur se serra. Il aurait pu hurler, comme un chien.

Pendant un long moment, il maintint l'aigle pendant que l'autre la contemplait, muet et tête basse, les yeux rivés sur l'oiseau. Lorsque Guern recula, Marcus enveloppa le symbole dans son linge et le remit à sa place, sous son manteau.

—Ainsi, j'aurai revu l'aigle une dernière fois…, murmura Guern. Peut-être qu'à partir d'aujourd'hui, je ne verrai plus jamais un visage romain, je n'entendrai plus jamais parler ma propre langue…

Il se tut, puis conclut :

—Allons, il est temps que vous repreniez la route.

—Viens avec nous, proposa Marcus sans réfléchir.

Guern leva son visage fatigué vers le jeune homme et le fixa, sourcils froncés. Pendant un court laps de temps, il sembla peser sérieusement cette éventualité avant de secouer la tête :

—Je ne crois pas que je serais accueilli avec chaleur ! Et je n'ai pas le désir ardent de me faire lapider jusqu'à ce que mort s'ensuive…

—Après ce qui s'est passé ce soir, la situation n'est plus la même. Si nous parvenons à rapporter l'aigle, tu seras sauvé.

Une fois de plus, Guern secoua la tête :

—Je suis un membre des Selgovae, maintenant. J'ai pris femme parmi eux, et je n'ai pas à me plaindre d'elle. J'ai des enfants, nés dans la tribu. Ma vie est là-bas, avec eux. Si j'ai été… comment dire ? différent, si j'ai eu une vie ailleurs, c'était dans un autre monde. Les hommes que j'y connaissais m'ont oublié. On ne revient pas des eaux du Léthé.

Il y eut un silence. Puis Marcus dit :

—Alors… Bonne chasse sur ton territoire. Souhaite-nous bonne chance.

—Je vous souhaite bonne chance, répondit Guern. J'aurais souhaité

de tout cœur vous accompagner. Si vous réussissez, j'en entendrai
sûrement parler, et je m'en réjouirai.

—Nous te devrons une fière chandelle, si nous parvenons à accomplir notre mission. Nous ne t'oublierons pas, ni l'un ni l'autre. Que la Lumière du Soleil soit avec toi, centurion.

Marcus et Esca s'éloignèrent de quelques pas. Lorsqu'ils regardèrent en arrière, ils virent que Guern n'avait pas bougé. Déjà, pourtant, des nappes cotonneuses s'étaient glissées entre eux et lui. Bientôt, le brouillard l'avalerait tout entier. Il ne resterait plus rien de l'autochtone torse nu, à la chevelure hirsute, un chien sauvage près de lui, qui saluait les voyageurs d'un geste large, impeccable, le bras tendu, à la manière romaine, comme à la parade, quand sonnaient les trompettes et que défilaient des soldats parfaitement disciplinés et rayonnants de fierté. En un éclair, Marcus eut l'impression que le chasseur barbare avait disparu pour laisser place au jeune centurion, honoré par son premier commandement, juste avant que l'ombre de la légion maudite ne le marquât à jamais. C'est à ce centurion-là qu'il rendit son salut.

Puis le brouillard les sépara définitivement.

En reprenant la route, Marcus espérait que Guern retournerait sans encombre vers la nouvelle vie qu'il s'était créée, et qu'il n'aurait pas à se repentir de les avoir aidés. Du moins le brouillard le protégerait-il sur le chemin du retour...

Comme s'il avait lu dans les pensées de son ami, Esca dit :

—Il entendra parler de nous, si nous nous en sortons indemnes...
Mais nous ne le saurons jamais.

—J'aurais aimé qu'il choisisse de nous accompagner, répondit
Marcus.

Mais il savait, en prononçant ces mots, que Guern le Chasseur avait pris la bonne décision. L'homme avait eu raison quand il avait affirmé qu'on ne revenait pas des eaux du Léthé.

Deux aubes plus tard, Marcus et Esca étaient encore loin du Mur. Le brouillard les retardait. C'était un brouillard irrégulier et traître. Tantôt, on aurait dit un voile translucide posé sur les collines les plus lointaines ; tantôt, un rideau de gaze qui noyait de gris le paysage — même le sol semblait alors se dissoudre sous les pas des fuyards.

Ceux-ci auraient pu se perdre sans fin sans le flair de chasseur d'Esca. Ils se dirigeaient toujours vers le sud, mais ce n'était pas suffisant. Il leur fallait lutter encore et encore, attendre que la brume se dissipe. Au plus fort du brouillard, leur progression était d'une lenteur à rendre fou le plus patient des êtres humains. Paradoxalement, lorsque le brouillard devenait vraiment trop épais, ils étaient contraints de se cacher afin d'éviter les mauvaises surprises.

Une fois ou deux, ils frôlèrent la catastrophe ; et, à maintes occasions, ils durent faire marche arrière en repérant au dernier moment un piège que le brouillard leur avait masqué. Marcus, qui laissait Esca tracer la route, était gêné par sa jambe blessée. Jusqu'à présent, elle avait bien résisté aux marches forcées et aux chemins pénibles, mais voilà qu'elle donnait des signes de faiblesse — et des signes majeurs de faiblesse. Le jeune homme tâchait de ne pas en tenir compte, mais il devenait maladroit et, quand il trébuchait, la douleur l'obligeait à serrer les dents pour ne pas laisser échapper un cri.

Ce matin-là, aux premières lueurs de l'aube, ils surent que l'ennemi rôdait bel et bien sur les collines environnantes, ainsi que Guern l'avait prédit. Le brouillard dissipé, ils aperçurent en effet la silhouette d'un homme à cheval, qui, à l'évidence, était en train de scruter les alentours, depuis les hauteurs d'une colline, à un jet de flèches à peine des fugitifs. Par bonheur, il ne regardait pas dans leur direction. Ils eurent le temps de se jeter à plat ventre dans la bruyère. Là, ils passèrent quelques moments très, très désagréables à l'observer alors qu'il chevauchait lentement le long du promontoire. Seule la tombée du brouillard les libéra…

Ils passèrent une grande partie de la journée cachés derrière un gros rocher. Pour compenser cette attente, ils prirent néanmoins le risque de repartir quelques heures avant la tombée du jour. Puisque le brouillard les suivait, ils avaient dû renoncer à leur plan initial, qui consistait à ne voyager que de nuit. Ils étaient contraints d'avancer quand et comme ils le pouvaient.

—Encore combien de jours, d'après toi? demanda Marcus en massant sa jambe douloureuse.

Esca resserra sa ceinture en cuir brut, devenue trop large pour lui, ramassa sa lance et tenta de dissimuler comme il pouvait les traces d'herbe écrasée qu'ils avaient laissées.

—Difficile à dire, lâcha-t-il. Nous n'avançons pas vite, dans cette obs - curité, mais je ne crois pas que nous ayons beaucoup dévié de notre route. Je dirais qu'on est à douze ou quatorze milles romains du Mur.

Il contempla le fruit de ses derniers efforts et s'exclama :

—Ah, c'est mieux! Si un chasseur vient jusque-là, il saura que nous avons dormi à cet endroit; mais, à quelques pas de distance, on ne verra presque rien.

Et ils reprirent leur longue marche vers le sud.

Vers le soir, un léger vent se mit à souffler. Poussé par la brise, le brouillard commença de s'effilocher, tel l'habit d'un mendiant.

—Si le vent se lève, nous allons enfin être débarrassés de ce brouil - lard de malheur! s'exclama Marcus alors qu'ils faisaient halte sur une petite colline.

Esca leva la tête et renifla, comme un animal devenu soudain méfiant.

—Dans ce cas, j'aimerais de tout mon cœur trouver très vite une tanière où nous pourrions nous reposer jusqu'à l'arrivée de la nuit…

Trop tard.

Les mots étaient à peine sortis de sa bouche que le brouillard sembla disparaître instantanément. Le cocon de brume s'écarta comme de la fumée quand on souffle dessus. La fougère parut soudain brune et la bruyère dorée sous le soleil couchant. Les herbes frémirent et un cri retentit. Un cri aigu, perçant, triomphal. Une silhouette couleur safran jaillit et se mit à courir, pliée en deux, depuis la crête de la colline. Esca pointa sa lance vers elle, mais elle n'était pas à sa portée. En six battements de cœur précipités, le guetteur avait atteint l'horizon et disparu en hurlant.

—Dans les bois, lança Esca d'une voix rauque.

Les fugitifs détalèrent en direction de la lisière du bosquet de bouleaux. Tandis qu'ils couraient, le cri d'alerte retentit de nouveau, en provenance des arbres dorés. Les fuyards ne s'échapperaient pas par là. Ils voulurent faire demi-tour, mais le cri s'éleva de nouveau de la colline où ils se tenaient quelques instants auparavant, aussi pur qu'un chant d'oiseau. Il ne leur restait plus qu'une solution : gravir la colline sur leur droite. Ce qu'il y avait de l'autre côté de cette crête, seul le dieu de la légion le savait. De toute manière, Marcus et Esca n'avaient pas le choix.

Comment parvinrent-ils en haut de la colline ? Marcus ne le sut jamais. Alors qu'ils hésitaient sur le chemin à prendre, un autre cri — ce n'était plus un cri de surprise ni d'alerte, à présent : c'était un cri de chasse, qui signalait que la traque avait commencé — s'éleva derrière eux. Un autre appel lui répondit, perdu dans le brouillard, mais plus proche. Voilà bien leur chance : ils n'étaient pas tombés sur un guetteur, mais sur toute une meute de chasseurs !

Plus loin, sur le sentier, en direction du sud, la masse sombre des buissons d'ajoncs semblait promettre un relatif abri. Ils plongèrent dans les fourrés, comme des animaux traqués tentent de se rendre invisibles en se terrant, et tentèrent de se frayer un chemin à l'intérieur.

Aussitôt, tout devint confus : les jeunes gens ne voyaient plus que les nappes de brouillard prises aux branches irrégulières des ajoncs, un amas d'îlots sombres tourbillonnant autour des marées fauves des fougères et des arbustes à baies, les racines en forme de dagues acérées, une puanteur suffocante de renard qui les prenait à la gorge… L'horreur de la chasse faisait battre le cœur des fuyards à toute vitesse, et la mort rôdait autour d'eux dans le dédale du sous-bois, sous la forme de lances de guerre ornées de colliers en plumes de héron. Des hommes à cheval et à pied les cherchaient sans répit, prêts à laisser des lambeaux de leur chair sur les ronces, haletant et bondissant sur leurs jambes puissantes ainsi que font les chiens quand ils traquent leur proie dans les hautes herbes. Une lance projetée au hasard manqua d'un cheveu l'épaule de Marcus.

Mais les jeunes gens finirent par s'apercevoir que, contre toute attente, la battue les avait manqués. Les chasseurs les avaient dépassés. À présent, les fugitifs étaient seuls ; leurs poursuivants étaient désormais loin devant eux !

Ils se remirent à ramper lentement, avec d'infinies précautions. Ils n'auraient pas su dire quelle direction ils avaient prise. Leur seul objectif était de s'éloigner le plus possible de leurs ennemis. Lorsqu'ils aperçurent, au milieu des ajoncs, un boyau sombre et à l'évidence fréquemment utilisé par des animaux, ils n'hésitèrent pas une seconde et s'y engagèrent. Esca passa le premier.

À l'intérieur du terrier, les relents de renard étaient plus puissants que jamais. Le tunnel faisait un angle et semblait descendre la colline. Les fuyards n'avaient pas d'autre choix que de le suivre. Le boyau sinuait à l'intérieur des ajoncs, qui en constituaient les murs et le plafond. Il se terminait abruptement, à l'orée du bois, dévoilant une étendue de terre rocailleuse et parsemée de buissons, toute proche du chemin. Des lambeaux de brouillard, montant de la vallée encaissée, s'accrochaient encore à la colline, poussés par le vent. Cependant, au sommet, à une volée de flèches de là, une sorte de haute cabane se dressait dans l'obscurité. Rien de très attirant, mais Marcus et Esca avaient intérêt à quitter le bois au plus vite : les cris des chasseurs se rapprochaient de nouveau, et il n'était évidemment pas question de revenir en arrière.

Aussi se risquèrent-ils à découvert, s'abritant autant que possible derrière les rochers et les broussailles. Ils cherchaient un passage jusqu'à la cabane... et ils n'en trouvaient pas. Le sentier semblait dégagé ; mais, au moment où ils allaient s'y engager, ils entendirent un cliquetis de harnais et le piétinement d'hommes qui attendaient. La voie n'était pas libre. Vers le sud-est, le chemin était escarpé : il formait un à-pic au-dessus d'une nappe de brouillard d'où montaient l'indéfinissable odeur et le formidable sentiment de vide que dégagent les grandes profondeurs des lacs. L'aigle se trouverait peut-être très bien, niché sur ces hauteurs ; mais Marcus n'y parviendrait jamais.

Poussés par les chasseurs qui fouillaient les broussailles derrière eux, les deux fuyards avancèrent encore de quelques pas et scrutèrent le paysage, pantelants. Ils ne voyaient pas comment s'échapper. Marcus était épuisé. Esca passa un bras autour de ses épaules.

La cabane qu'ils avaient aperçue émergeait du brouillard, à présent. Ce n'était pas une cabane, d'ailleurs, mais une ancienne tour de garde romaine. Ensemble, ils se dirigèrent vers elle. Difficile de trouver pire, comme cachette. Elle était trop en vue ! Mais sa situation exposée les sauverait peut-être : elle avait déjà dû être fouillée. Au pire, ils pourraient y disputer un semblant de combat.

Et la nuit finirait bien par tomber...

L'entrée étroite – la porte avait disparu – formait un trou noir dans le mur. Marcus et Esca se glissèrent dans la petite cour où l'herbe avait depuis longtemps recouvert les pavés. Une autre ouverture leur faisait face. Elle donnait sur la salle de garde. Des feuilles mortes jonchaient le sol, et la lumière laiteuse qui tombait de l'embrasure d'une haute fenêtre éclairait le bas d'un escalier.

– On monte, décida Marcus.

Les marches étaient encore en bon état, bien que l'humidité les rendît glissantes. Le bruit de leurs pas résonna fortement dans le silence. Il se réverbéra dans la coque de pierre où une petite garnison romaine avait vécu et travaillé, un œil rivé sur les collines de la frontière, durant les quelques années où la province de Valentia s'était trouvée sous l'aile de l'aigle.

Marcus et Esca se baissèrent pour passer une porte basse située sous le poste de garde, et débouchèrent sur le toit plat de la tour. Après l'obscurité de la bâtisse, la lumière du jour faisait paraître cet endroit aussi translucide qu'une pierre de lune[1]. Marcus fut d'abord aveuglé par les grandes ailes noires d'un corbeau noir surpris par son arrivée. L'oiseau s'envola en poussant un cri d'alarme indigné, et il s'enfuit vers le nord en battant lentement ses ailes.

« Maudit soit-il ! pensa le jeune homme. Maintenant, ils savent où nous trouver ! »

Mais il se sentait trop fatigué, à présent, pour s'en inquiéter. Épuisé, il se traîna jusqu'à l'autre côté du toit et scruta les alentours par une des meurtrières. Le sol semblait très lointain. Les derniers lambeaux de brouillard plongeaient dans l'obscurité des eaux profondes. Au loin, Marcus aperçut l'ombre d'un autre lac paisible, qui gardait ses

---

1. Très beaux minéraux incolores, translucides ou laiteux, avec un léger reflet bleuâtre. Les amateurs de magie les apprécient pour la confiance qu'elles apporteraient à celui qui en porte une sur lui.

propres secrets. L'étendue était située entre la route principale et un chemin de traverse. Oui, l'aigle pourrait passer par là.

Esca s'était tapi derrière les grandes pierres descellées du parapet.

—Ils continuent de battre les fourrés, signala-t-il à Marcus quand celui-ci le rejoignit. Nous avons de la chance qu'ils n'aient pas de chiens avec eux. S'ils ne nous retrouvent pas avant la nuit, nous devrions réussir à leur échapper.

—Ils nous retrouveront, murmura Marcus. Le corbeau nous a trahis. Écoute…

Un bruit montait du côté nord de la tour. Un bruit confus, comme un frémissement d'excitation, que la distance rendait indistinct. Néanmoins, l'espoir n'était plus permis. Les hommes avaient compris le message du corbeau. Marcus chercha une position plus confortable. Il s'allongea, appuyé sur un bras, la tête basse.

Au bout d'un moment, il releva la tête.

—J'imagine que je devrais me sentir coupable de t'avoir entraîné avec moi, Esca. Moi, il me fallait retrouver l'aigle coûte que coûte. Mais toi, qu'avais-tu à y gagner ?

Esca lui adressa un sourire lent et grave.

Sur son front, une branche d'épineux avait laissé une égratignure ; cependant, son regard était serein.

—J'ai été une nouvelle fois un homme libre au milieu des hommes libres, répondit-il. J'ai chassé avec mon frère, et la chasse a été bonne.

Marcus lui rendit son sourire.

—La chasse a été bonne, reconnut-il.

Le grondement sourd de sabots non ferrés résonna quelque part dans le brouillard. Plus loin, les chasseurs se regroupaient sur le chemin, fouillant chaque fourré pour s'assurer que leurs proies ne leur glisseraient pas une fois de plus entre les doigts. Ils seraient bientôt là.

—La chasse a été bonne, répéta-t-il, mais l'hallali approche.

Il se demanda si la nouvelle de cette fin passerait un jour plus au sud, derrière le mur… Parviendrait-elle au légat Claudius – et, par lui, à l'oncle Aquila ? Parviendrait-elle jusqu'à Cottia, qui devait attendre dans le jardin que protégeaient les remparts de Calleva ? Marcus aurait au moins aimé qu'ils apprissent que la chasse avait été bonne, et qu'ils l'avaient menée ensemble, Esca et lui, comme des frères. Et soudain, il n'eut plus l'ombre d'un doute : en dépit des apparences, cette quête avait valu le coup.

Une grande paix l'envahit. Le vent avait fraîchi, balayant les ultimes restes de brouillard. Un rai de lumière vint se perdre sur la vieille tour de guet. Marcus remarqua, pour la première fois, qu'un buisson de campanules avait pris racine dans une petite fissure du parapet, et que, sur une fine branche défraîchie, restait une clochette fragile. Le vent la balança, mais elle reprit sa place avec un mouvement ténu et têtu à la fois. Marcus eut l'impression qu'il n'avait jamais rien vu d'aussi bleu.

Puis il les vit : trois cavaliers, qui s'approchaient de l'entrée de la tour.

19

LE CADEAU DE TRADUI

Les cavaliers mirent pied à terre dans la cour. Marcus et Esca s'éloignèrent du parapet.

—Ils ne sont que trois, pour l'instant, confirma Marcus dans un murmure. Ne te sers pas de ton couteau, sauf en cas de nécessité absolue. Ils nous seront sûrement plus utiles vivants que morts.

Esca acquiesça et glissa son couteau de chasse dans sa ceinture. L'instinct de survie et un sentiment d'urgence s'étaient emparés d'eux. Plaqués contre le mur, de chaque côté de l'escalier, ils attendaient, aux aguets. Ils entendirent leurs poursuivants fouiller la remise et la salle des gardes.

—Imbéciles! marmonna Marcus quand un cri signala que l'escalier avait enfin été repéré.

Des bruits de pas leur indiquèrent la position de leurs ennemis. Ceux-ci s'arrêtèrent au premier étage avant de reprendre leur ascension.

Marcus était un bon lutteur et, cet hiver-là, Esca s'était bien entraîné, ce qui lui avait permis d'atteindre un niveau convenable.

Ensemble, ils formaient une paire redoutable en dépit de leur fatigue. Les deux premiers chasseurs s'effondrèrent sur le sol sans un bruit, comme des poupées de chiffon. Le troisième ne fut pas pris au dépourvu et opposa quelque résistance. Esca lui sauta dessus : bras et jambes mêlés, ils dévalèrent quelques marches. Une lutte acharnée mais brève s'ensuivit. Le jeune Breton se releva avant son adversaire et réapparut sur le toit de la tour, tirant derrière lui un homme inconscient.

—Jeunes sots! s'exclama Marcus. Un chiot se serait mieux débrouillé que vous!

Deux des chasseurs, très jeunes, avaient été proprement assommés dans leur chute. Le troisième semblait déjà récupérer. Marcus se pencha sur lui.

—C'est Liathan! constata-t-il. Je m'occupe de lui. Attache les deux autres, Esca.

Liathan grogna. Puis il ouvrit les yeux et vit Marcus agenouillé devant lui, qui le menaçait en appuyant sa propre dague contre sa gorge. À côté, Esca ligotait en hâte les deux plus jeunes avec les bandelettes qu'il avait découpées dans le manteau de l'un d'eux.

—Tu as commis une erreur, commenta Marcus. Tu n'aurais pas dû venir ici seul. Tu aurais dû attendre les renforts, au lieu de te jeter dans la gueule du loup.

Allongé, Liathan le fixait de ses yeux de jais, brillants de haine. Au coin de ses lèvres, un filet de sang coulait.

—Nous avons vu s'envoler le corbeau; allions-nous laisser un simple barbare des basses plaines réclamer l'aigle pour sa tribu, au lieu de tenter notre chance pour devenir première lance? grinça-t-il, les dents serrées.

—Je vois. C'était courageux de votre part, mais complètement stupide.

—Nous avons échoué, rétorqua Liathan, mais d'autres seront là bientôt.

Une lueur de triomphe passa dans son regard noir.

—Justement, dit Marcus. Quand d'autres viendront, tu leur affirmeras que nous ne sommes pas là.

—Quoi?

—Tu leur expliqueras que nous avons sans doute profité du brouillard pour filer. Et tu les renverras d'où ils viennent, loin, de l'autre côté de la grand-route, vers le levant.

Liathan prit le parti d'en sourire :

—Et pourquoi je ferais ça? à cause du poignard que tu tiens?

—Oh, non, bien sûr! Tu m'obéiras parce que si l'un de tes amis s'avise de mettre le pied sur la première marche de cette tour, j'enverrai l'aigle — que je tiens là — droit dans l'étang. Nous sommes encore loin du Mur, et tu auras d'autres occasions de nous retrouver — toi ou tes compagnons de chasse — avant que nous ne le franchissions. Mais si nous mourons ici, tu perdras ta dernière chance de ramener le dieu des Crêtes rouges avec toi.

Liathan fixa un long moment Marcus, les yeux dans les yeux. Dans ce silence, un bruit de sabots s'éleva, et, avec lui, la rumeur encore lointaine de gens qui criaient.

Esca se releva rapidement et s'approcha, courbé, du parapet brisé.

—Ils arrivent, signala-t-il. Ils ont dépassé les ajoncs. Hé! On dirait une meute de loups.

Marcus retira le poignard sans quitter le jeune homme des yeux.

—Choisis, ordonna-t-il avec beaucoup de calme.

Il se leva et alla s'adosser au parapet en commençant de dénouer le linge qui protégeait l'aigle. Liathan se mit sur ses pieds à son tour. Il vacilla, regarda Marcus, puis Esca. Le Romain le vit déglutir et lécher sa blessure à la lèvre. Les chasseurs étaient maintenant tout proches. Les hommes haletaient comme des chiens survoltés. Dans son dos, Marcus percevait le silence du vide et le cri plaintif d'une nonnette des marais. Il fit tomber le dernier pli violet qui protégeait l'aigle et leva l'étendard. La lumière du soir, qui augmentait à mesure que se dissipait le brouillard, joua sur la tête sauvage et fière du rapace. Liathan eut un geste furieux, puis il s'avança vers le parapet et se pencha par-dessus.

Les premiers poursuivants étaient déjà à la porte de la tour. Un cri accueillit l'apparition du frère du chef.

—Ils ne sont pas ici! cria Liathan. Ils ont dû prendre l'autre chemin, à cause de ce satané brouillard. Essayez par là, ils ont sûrement pris cette direction!

Il désignait l'autre côté des bois. Sa voix était cassée; elle avait quelque chose d'un cri d'oiseau.

Des voix féroces lui répondirent. Un cheval poussa un hennissement aigu. Liathan recula, comme s'il s'apprêtait à suivre ses propres indications. Les chasseurs firent demi-tour.

—J'ai bien travaillé, non? demanda-t-il à Marcus.

Celui-ci acquiesça sans un mot. Depuis une meurtrière, il voyait la chasse repartir par la grande route, au milieu des buissons. Les hommes, à cheval ou à pied, s'interpellaient et annonçaient la nouvelle à ceux qui arrivaient. Ils finirent par s'évanouir dans les derniers restes de brouillard.

—Oui, tu as bien travaillé. Mais garde la tête baissée, au cas où quelqu'un jetterait un œil en arrière : il risquerait de trouver étrange que tu ne sois pas encore parti.

Liathan baissa la tête sans protester. Puis il bondit comme un chat sauvage. Marcus l'avait vu venir. Un battement de paupières, l'instant d'avant, avait trahi son adversaire. À moitié dans le vide, il se pencha, tenant l'aigle derrière lui. Esca aussi réagit immédiatement : il sauta sur le guerrier et le fit tomber en arrière.

—Tu es bête, dit Marcus à Liathan, quand tout fut terminé. Tu n'es qu'un jeune idiot. Nous sommes deux, tu es seul : tu ne pouvais rien espérer !

Liathan gigotait sous les genoux d'Esca. Marcus rampa vers les deux hommes attachés. Il vérifia qu'ils ne risquaient pas de se libérer et découpa quelques bandelettes supplémentaires dans le manteau qui traînait à leurs pieds. Les deux fugitifs attachèrent les pieds et les mains du jeune guerrier. Liathan avait cessé de lutter. Il se tenait droit, raide, le visage tourné de manière à ne pas voir ses vainqueurs.

—Inutile de le bâillonner pour le moment, décida Marcus.

Il reprit l'aigle qu'il avait posée et l'enveloppa à nouveau dans ses linges.

—Esca, va t'occuper des chevaux. Nous pourrons nous en servir tout à l'heure.

Quand son compagnon fut parti, Marcus se leva avec prudence et s'approcha du parapet, côté sud. Ses yeux se posèrent sur l'étendue pure et sombre du lac. Le brouillard avait presque disparu sur les hauteurs, mais il drapait encore la vallée de blanc. Le soir descendait. Lentement. Très lentement. Et quelque part vers le sud, derrière ces collines, sans doute plus très éloigné à présent, se dressait le Mur.

—Pourquoi es-tu venu chez nous, en te prétendant guérisseur des yeux, Demetrius d'Alexandrie, pour voler le dieu ailé ?

Marcus fit demi-tour :

—D'abord, je ne crois pas que je sois si mauvais que ça, comme guérisseur des yeux, n'est-ce pas ? Grâce à moi, au moins, le fils de ton frère ne sera pas aveugle.

Il appuya une épaule contre le parapet et regarda les prisonniers à ses pieds.

—Ensuite, continua-t-il, je suis venu pour reprendre et non pour voler, car le dieu ailé ne vous a jamais appartenu. Pour reprendre, donc, le dieu ailé. C'était l'aigle de la légion à laquelle appartenait mon père.

Il sut d'instinct que, pour Liathan comme pour Cottia, c'était cet aspect-là de sa quête qui avait du sens. Il savait aussi que, pour assurer la paix à la frontière, mieux valait donner à penser qu'il ne s'agissait que d'un combat singulier entre les tribus et lui.

Liathan battit des paupières :

— Ainsi, mon grand-père avait raison, murmura-t-il.

— Ah ? Explique-moi pourquoi !

Une nuance de défi animait la voix du jeune homme :

— Quand les prêtres se sont rendu compte que le dieu ailé avait disparu, mon grand-père a juré que c'était toi qui l'avais pris. Il a dit que tu avais le visage de ce chef des Crêtes rouges qu'il avait vu mort sous les ailes du dieu, et qu'il avait été aveugle et gâteux de ne pas avoir compris que tu étais son fils. Quand nous sommes partis à ta poursuite, la première fois, quand nous avons fouillé ton paquetage, nous avons tous pensé que l'aïeul vieillissait et qu'il avait des lubies. Puis Gault le Pêcheur a trouvé ta broche ronde sur la rive du lac. Les eaux ont baissé et ont révélé une cavité. Peu après, nous avons entendu parler de ton frère d'armes, qui aurait été possédé par un esprit mauvais. Et nous avons compris. Et mon grand-père a rappelé que, depuis le début, il avait su que c'était toi, le coupable ; il était furieux qu'on ne l'ait pas écouté, alors qu'il ne se trompait jamais.

— Il avait aussi prédit que le fils de ton frère serait aveugle, objecta Marcus.

Mais l'autre ne l'écoutait pas.

— Il m'a envoyé chercher, poursuivit-il. Mon frère avait été blessé par un sanglier, et sa blessure était trop grave pour qu'il puisse participer à la traque. C'est donc à moi qu'il a dit : «Peut-être le retrouveras-tu, toi et pas un autre, car il semble que son destin et celui de notre famille soient liés. Dans ce cas, tue-le si tu le peux, car il a couvert de honte les dieux de notre tribu ; mais remets-lui l'anneau de son père, car il en est le digne fils. »

Un silence de plomb tomba. Puis Marcus demanda :

— Tu l'as sur toi ?

— Il est attaché à un collier autour de mon cou, reconnut Liathan. Tu devras le prendre toi-même, puisque mes mains sont attachées.

Marcus s'agenouilla et passa sa main sous le manteau du petit-fils de Tradui. Mais ce n'était pas un piège. L'anneau était bel et bien là. Marcus coupa le collier et glissa la bague à son doigt. La lumière commençait de décroître, et la belle pierre, qui étincelait de mille feux verts quand il l'avait vue pour la dernière fois, était à présent sombre et glacée comme des feuilles d'yeuse.

— Si les dieux de la guerre en avaient décidé autrement, si Esca et moi étions tombés sous vos lances, tu n'aurais pas pu me donner l'anneau de mon père, fit observer Marcus, curieux. Pourquoi donc avoir accepté la mission que t'a confiée ton aïeul ?

— Tu aurais emporté l'anneau avec toi, comme un guerrier emporte avec lui ses armes et son chien préféré.

— Je comprends, murmura le Romain.

Son regard quitta l'anneau pour s'attarder sur Liathan. Marcus souriait presque lorsqu'il lâcha :

— Quoi qu'il arrive par la suite, quand tu rentreras chez toi, dis à Tradui que je lui rends grâces pour le cadeau qu'il m'a fait.

Les pas d'Esca résonnèrent dans l'escalier. Un moment plus tard, le jeune homme apparut dans la lumière du soir.

— Tout va bien du côté des chevaux, annonça-t-il. J'ai aussi scruté les alentours ; nous devons suivre la vallée en direction de l'ouest. Nous trouverons très vite un bois de bouleaux, un peu plus loin, où nous pourrons avancer discrètement. Les chasseurs sont partis dans l'autre sens, vers le levant.

—Il fera nuit dans une demi-heure, mais tout peut arriver d'ici là, compléta Marcus après avoir jeté un œil sur le ciel. Je sens dans mon cœur qu'il vaut mieux partir sans attendre.

Esca opina et lui tendit une main ferme pour l'aider à se relever. Ce faisant, il vit scintiller l'émeraude et interrogea son ami du regard.

—Oui, confirma celui-ci, Liathan m'a apporté l'anneau de mon père ; c'est un cadeau de son grand-père.

Il fixa le frère du chef et lui expliqua :

—Nous allons prendre deux de vos chevaux, Liathan. Mais nous les renverrons sitôt que nous serons au Mur. Avec un peu de chance, tu les retrouveras peut-être, plus tard. J'espère vraiment que tu les retrouveras, puisque tu m'as apporté l'anneau de mon père. Et maintenant, occupe-toi de les bâillonner, Esca !

Le jeune homme s'exécuta.

—Je suis navré, dit Marcus en voyant Liathan rouler des yeux furieux. Tu comprendras que nous ne pouvons pas prendre le risque de te laisser appeler au secours dès que nous aurons tourné le dos — si quelqu'un t'entendait, nos chances seraient encore plus réduites ! Assurément, il ne faudra pas longtemps à tes compagnons d'armes pour revenir ici et vous trouver. Cependant, pour ne prendre aucun risque, quand nous aurons atteint le Mur, je veillerai à faire courir le bruit que vous êtes ici. C'est le mieux que je puisse faire.

Esca ramassa les lances de leurs poursuivants et les envoya — toutes sauf une — par-dessus le parapet, dans l'étang. Marcus vérifia à nouveau que les deux autres prisonniers, à présent réveillés et pleins de haine, n'avaient pas réussi à relâcher leurs liens. Puis les deux fugitifs s'engagèrent dans l'escalier et, ensemble, plongèrent dans l'obscurité.

Pour soutenir le rythme trépidant de leur fuite, Marcus avait dû puiser dans ses dernières ressources. Le répit qui leur avait été accordé dans la tour de guet, si court qu'il eût été, avait été suffisant pour que sa jambe blessée commençât de se raidir. Le jeune homme devait se forcer pas après pas pour descendre l'escalier — et les marches lui semblèrent bien plus nombreuses qu'à l'aller! Cependant, les deux amis finirent par arriver au pied des marches, où trois chevaux harnachés patientaient. Ils choisirent les deux montures qui paraissaient les plus fraîches et attachèrent les rênes de la dernière à un tronc d'arbre tombé, afin qu'elle ne pût les suivre.

—Dernière étape! annonça Marcus en caressant l'encolure de son cheval noir. Nous devrions atteindre l'un des postes du Mur bientôt, sans doute demain matin.

Esca l'aida à monter en selle avant de se hisser à son tour sur sa monture. Pendant quelques instants, Marcus dut lutter pour maîtriser son cheval, qui s'opposait avec force à ce cavalier qu'il ne connaissait pas. Il renâclait, arquait l'encolure comme un poulain indompté. Puis il sembla se lasser du combat. Il se résolut à obéir à son nouveau maître et partit au trot, secouant la tête et éclaboussant d'écume son poitrail et ses boulets.

Les fugitifs descendirent la colline en prenant le chemin escarpé qui menait aux bois de la vallée.

—Lugh soit loué, les chevaux sont à peu près frais! lança Esca. Nous avons un rude voyage en perspective.

—Oh, oui! dit Marcus avec détermination.

Puis il serra les dents. Le combat qu'il venait de mener contre sa monture l'avait mené aux limites de son endurance.

La lumière baissait rapidement; les voyageurs suivirent le long sentier qui sinuait dans la vallée, vers le sud. Le vent grondait dans les bouleaux et les noisetiers. Au-dessus des bois, entre les nuages qui filaient à toute vitesse, le ciel prenait la teinte jaunâtre d'une lanterne.

Bien plus tard, une sentinelle sur les remparts nord de Borcovicus crut entendre monter, au milieu des lamentations du vent, un grondement de sabots dans le lointain. Il cessa sa ronde pour scruter la vallée sauvage, à une centaine de pieds en deçà des murs de la forteresse ; mais un nuage argenté voilait la lune, de sorte que le paysage était plongé dans une obscurité totale. Le vent souffla et effaça les derniers échos du bruit suspect.

Maudit soit le vent ! Ici, sur les hauteurs du Mur, il y en avait toujours — sauf quand on en aurait eu besoin pour chasser le brouillard, évidemment. Du vent, toujours du vent, rien que du vent à entendre jour et nuit, quelquefois agrémenté par les cris des vanneaux. C'était suffisant pour qu'un homme pût s'imaginer entendre dans sa tête des sabots de chevaux, ou bien pire !

La sentinelle cracha de dégoût dans le vide, puis elle reprit son pas cadencé.

Peu après, le légionnaire de garde à la porte Nord fut surpris en entendant quelqu'un tambouriner et crier d'une voix impérieuse :

— Ouvrez, au nom de César !

Seul un porteur de dépêches officielles annonçait ainsi son arrivée ! À la porte Nord ne frappaient que des vendeurs de chevaux ou des chasseurs. Pour lancer un tel ordre, il fallait être le légat lui-même venant au nom de l'empereur, et encore ! Ce devait être un piège. L'*optio* de service alla risquer un œil dans l'ouverture située au-dessus de la porte.

À la lumière de la lune, que ne voilait plus aucun nuage, l'*optio* discernait deux silhouettes dans l'ombre de l'arche d'entrée. Le versant de la colline était plongé dans l'obscurité ; cependant, on y voyait assez pour constater qu'aucune troupe n'était massée là. Ce n'était donc pas un piège.

—Qui demande à entrer au nom de César ? demanda l'*optio*.

L'une des silhouettes leva les yeux. Son visage était une tache pâle dans la nuit. Il parla :

—Deux hommes qui ont une affaire urgente à régler avec le commandant du camp, et qui aimeraient la traiter sans avoir la peau trouée par des pointes de lances, si possible. Ouvre, l'ami !

L'*optio* hésita un instant, puis fit demi-tour, redescendit les quelques marches qu'il avait gravies, et donna l'ordre d'ouvrir. Des hommes surgirent, et le lourd pan de chêne pivota lentement sur ses gonds de pierre. Dans l'entrée, à présent bien éclairée par la lueur jaune qui émanait de la salle de garde, apparurent deux hommes barbus. L'un soutenait l'autre d'un bras passé autour de sa taille. Ils avancèrent en boitillant. En les voyant dans un aussi piètre état, l'*optio* ravala sa colère et lança :

—Vous avez eu des ennuis ?

L'un des arrivants, celui qui semblait avoir du mal à marcher, éclata de rire. La blancheur de ses dents contrastait avec sa barbe brune. Il s'éloigna de son ami et se retint au mur de la salle de la garde. Il respirait vite, avec difficulté. Vêtu de méchantes hardes, presque aussi famélique qu'il était sale, couvert d'égratignures, il était l'être le plus repoussant que l'*optio* eût vu depuis des lustres.

Tandis que la porte se refermait derrière lui, l'apparition dit de la voix froide et caractéristique des centurions de cohorte :

—*Optio*, je souhaite voir l'officier qui commande cette garnison — immédiatement.

—Très bien, soupira l'homme en clignant des yeux.

Marcus n'eut pas tout à fait conscience des quelques minutes qui suivirent. Dans une brume de fatigue, il vit des visages, entendit des bruits de pas, aperçut de longues allées longeant des bâtiments qui lui parurent étranges ; jusqu'au moment où il se retrouva sur le seuil d'une pièce éclairée. L'or de la lumière chassait l'obscurité venteuse. La salle était petite, les murs blancs, une table et un coffre à archives occupaient presque tout l'espace. Marcus observait tout cela comme dans un rêve, avec un fort sentiment d'irréalité.

Un homme puissamment bâti, à demi vêtu, s'était levé de son fauteuil, derrière la table, et se tournait vers ses visiteurs.

—Oui? De quoi s'agit-il?

La porte s'était refermée derrière les nouveaux arrivants. Marcus regardait cette silhouette familière, ce visage carré, ces poils noirs, et il n'était pas surpris. Il retrouvait un monde qu'il connaissait bien, et il lui paraissait presque naturel d'y revoir de vieux amis.

—Bonsoir, Drusillus! lança Marcus. Mes félicitations pour ta promotion.

Le visage du centurion marquait, lui, l'étonnement le plus total. Sa nuque se raidit.

—Tu ne me reconnais pas, Drusillus? reprit l'arrivant, presque suppliant. Je suis…

Mais le vieux centurion se souvenait enfin. Et, de l'étonnement, il passait à la stupéfaction, de la stupéfaction à l'ébahissement complet; enfin, ses traits s'éclairèrent d'un bonheur incrédule.

—Centurion Aquila. Bien sûr, que je te reconnais! Je te reconnaîtrais même dans le Tartare, maintenant que je te regarde! Mais, au nom du Tonnerre, qu'est-ce qui t'amène ici?

—Ceci, dit Marcus en déposant son fardeau avec précaution. Nous avons rapporté l'aigle de la 9e légion.

20
DES MOTS D'ADIEU

Octobre était bien avancé. Le soir tombait. Marcus et Esca gravissaient les dernières pentes qui menaient à Calleva. Quand ils avaient appris au camp frontalier que Claudius Hieronimianus n'était pas encore de retour, ils avaient décidé de pousser plus au sud. Ils avaient toutes les chances de croiser le légat sur la route; et, s'ils le manquaient, ils l'attendraient à Calleva.

Ils s'étaient rasé la barbe et étaient redevenus à peu près présentables. Marcus s'était fait couper les cheveux courts, à la mode romaine. Cependant, les deux voyageurs étaient encore vêtus des vieilles hardes qu'ils avaient revêtues au moment de leur départ; ils avaient encore les traits creusés par la faim, les yeux cernés par la fatigue, bref : l'air peu recommandables. Aussi avaient-ils eu souvent besoin du laissez-passer que leur avait fourni Drusillus et avaient-ils risqué plus d'une fois d'être arrêtés pour «vol de chevaux appartenant à la légion».

Ils étaient épuisés, éreintés, et nul sentiment de triomphe ne les distrayait de leur fatigue. Ils avançaient sans un mot, les rênes lâches, au rythme du martèlement des sabots sur la route dure et du couinement du cuir mouillé. Pourtant, après de nombreux mois passés dans les contrées sauvages et peu hospitalières du Nord, ce paysage moins escarpé et plus agréable donnait à Marcus l'impression d'être accueilli à bras ouverts. Caressé par une douce bruine grise, il avait la sensation de rentrer chez lui. Au loin, par-delà des milles et des milles de forêt tachetée de lumière, il apercevait l'horizon des plaines du Sud, et une émotion très douce naissait en lui.

Les voyageurs entrèrent dans Calleva par la porte Nord. Ils laissèrent leurs chevaux à l'écurie des Vignes-Dorées, s'assurant qu'ils seraient renvoyés au camp de transit dès le lendemain. Puis ils marchèrent jusqu'à la maison d'Aquila. Le long de la rue étroite, les peupliers étaient presque nus. La route était glissante sous les feuilles mortes que la bruine avait détrempées. La lumière faiblissait. Les fenêtres de la tour de garde qui servait de bureau à l'oncle de Marcus étaient éclairées par la pâle lueur jaune des torches. C'était comme un signal de bienvenue.

La porte n'était pas fermée. Les jeunes gens la poussèrent et entrèrent. Une atmosphère de remue-ménage inhabituel régnait dans la maison, comme si un hôte venait d'arriver ou était attendu d'un moment à l'autre. Marcus et Esca franchirent l'entrée au moment où le vieux Stephanos traversait l'atrium, une lampe à la main. Le vieil esclave effleura les nouveaux venus du regard, poussa un couinement de surprise et faillit laisser tomber la torche qu'il portait.

—Tout va bien, Stephanos, dit Marcus en ôtant son manteau mouillé, qu'il posa sur une banquette. Nous sortons des Vignes-Dorées, pas des royaumes de l'Hadès[1]! Mon oncle est dans sa salle de travail?

Le vieil esclave ouvrit la bouche pour répondre, mais sa voix fut couverte par des aboiements frénétiques. Un bruit de griffes courut dans la colonnade, et une énorme masse tavelée apparut sur le seuil,

1. Hadès est le dieu grec des morts.

fendit l'air, dérapa sur le sol, oreilles dressées et queue battante. Le jeune loup avait entendu la voix de son maître.

—Loupiot! s'écria Marcus.

Il se hâta de s'asseoir sur son manteau. Il était temps! Un instant de plus et il aurait roulé sur le sol comme un lièvre ébaubi; Loupiot bondissait sur sa poitrine, fou de joie. L'animal et son maître tombèrent tous les deux du banc avec un grand bruit. Marcus avait passé les bras autour du cou du loup qui, gémissant et criant à la fois, léchait le visage du jeune homme avec une frénésie joyeuse.

Pendant ce temps, la nouvelle de leur retour s'était répandue dans la maison. Marcipor, l'esclave chargé du ménage, très digne, apparut dans une embrasure; et Sassticca, la patronne des serviteurs, fit son entrée, une grande cuillère en fer à la main. Entre deux assauts enthousiastes de Loupiot, Marcus réussit à se tourner vers eux et à les saluer.

—Désolé, Marcipor! lança-t-il. Tu n'as pas réussi à te débarrasser de nous. Hé, Sassticca! Te voir, c'est comme admirer les premières fleurs du printemps! Quand je pense à toutes ces nuits où j'ai rêvé de tes gâteaux au miel!

—Ah! C'est bien ce qui me semblait! intervint l'oncle Aquila. Je n'ai pas rêvé: j'ai entendu quelques petits bruits…

Un brusque silence s'abattit sur la pièce. L'oncle Aquila se tenait au pied de l'escalier qui menait à la tour de garde. Le vieux Procyon au museau gris était à ses côtés. Derrière, dans la pénombre, se découpait la silhouette austère de Claudius Hieronimianus.

Marcus se releva lentement, une main sur la grosse tête sauvage pressée contre sa poitrine.

—Nous avons l'air de nous être donné le mot, dit-il au légat.

Il s'avança à la rencontre de son oncle; un instant plus tard, ils étaient tous les deux au centre de l'atrium. Marcus prit les deux mains du vieil homme dans les siennes:

—Oncle Aquila! Ça fait plaisir de te revoir! Comment vas-tu?

—Le mieux du monde, depuis que je te vois de retour en un seul morceau dans cette maison, même si tu t'es déguisé en rat du Tibre. Je veux dire même si vous vous êtes déguisés en deux rats du Tibre, corrigea-t-il en se tournant vers Esca.

Aquila sembla hésiter, puis il demanda :

—Quelles sont les nouvelles?

—Je l'ai rapportée, répondit Marcus sur le même ton calme.

Et tout fut dit au sujet de l'aigle — pour le moment.

Aquila, Claudius, Marcus et Esca étaient seuls dans la pièce. Les esclaves étaient repartis vaquer à leurs tâches dès que le maître de maison était apparu. D'un geste autoritaire, Aquila invita les deux jeunes gens à saluer le légat, qui se chauffait en silence devant le foyer.

Loupiot s'approcha d'Esca et lui fourra le museau dans la main, en guise de bonjour, avant de retourner près de Marcus. Procyon, lui, ne salua personne. C'était le chien d'un homme et d'un seul, au point qu'on pouvait se demander s'il avait conscience de l'existence d'autres humains!

—Il l'a fait! s'exclama Aquila, dans une espèce de grommellement triomphal. Il l'a fait, par Jupiter! Tu ne croyais pas un instant qu'il réussirait, n'est-ce pas, Claudius, mon ami?

—Euh, non, je n'en étais pas certain, murmura-t-il, ses étranges yeux noirs scrutant Marcus. Non, je n'en étais pas certain du tout.

Marcus le salua, puis fit signe à Esca de s'avancer.

—Puis-je rappeler à votre mémoire mon ami Esca Mac Cunoval? demanda-t-il au légat.

—Inutile, je me souviens parfaitement de lui, dit-il avec un sourire rapide en se tournant vers le jeune Breton.

—Vous avez été témoin de mon affranchissement, rappela Esca d'une voix morne.

Marcus le regarda, anxieux, et comprit d'un coup que son ami n'était pas vraiment revenu chez lui : il était revenu dans une maison où il avait été esclave, ce qui était très différent !

—Oui, c'est exact, répondit le légat. Mais j'ai coutume de me rappeler les gens autrement que par les signatures que j'appose sur leurs papiers.

Aquila, coupant court à la discussion, poussa une exclamation de stupéfaction. Marcus le vit qui fixait sa main gauche.

—Cet anneau… dit l'oncle. Montre-le-moi !

—Tu le reconnais, n'est-ce pas ? demanda Marcus en le lui tendant.

Son oncle observa le bijou un moment, le visage impassible. Puis il le lui rendit en soufflant :

—Oui. Oh, oui, je le reconnais, par Jupiter ! Comment as-tu récupéré l'anneau de ton père ?

L'un ou l'autre des esclaves pouvait entrer dans l'atrium à tout instant. Aussi Marcus repassa-t-il l'anneau à son doigt :

—Et si nous remettions cela — et tout le reste — à plus tard, dans un lieu plus approprié ? C'est une longue histoire, et les murs de cette maison ont beaucoup d'oreilles, fit-il remarquer.

Aquila hésita, puis se décida à abonder dans son sens :

—Eh bien, soit ! Tout cela a attendu assez longtemps pour qu'une heure de plus ou de moins ne fasse guère de différence. Claudius, es-tu d'accord avec moi ?

Le légat égyptien acquiesça :

—Et comment ! Je propose que nous nous retrouvions dans ta salle de travail après le repas. Nous devrions être à l'abri des interruptions intempestives, et Marcus pourra alors nous faire un rapport complet.

Son visage, brusquement, s'éclaira d'un sourire radieux. Ses manières changèrent du tout au tout, comme s'il venait de tirer un rideau de soie sur l'affaire de l'aigle perdue. On attendrait un peu que sonne l'heure d'y revenir et d'en discuter, entre initiés. D'ici là, la décence exigeait qu'il n'en soit plus question.

Le légat se tourna vers Marcus et constata :

—J'ai l'impression qu'à chaque fois que j'arrive dans cette maison, l'heure est aux réjouissances ! La dernière fois, tu retrouvais Loupiot ; aujourd'hui, c'est lui qui te retrouve, mais il s'agit encore de retrouvailles !

Marcus baissa les yeux sur Loupiot, couché près de lui, la tête levée, les yeux mi-clos, extatiques.

—Loupiot et moi sommes heureux d'être réunis, c'est vrai, reconnut-il.

—C'est l'impression que vous donnez, en tout cas ! D'ailleurs, voir un loup aussi bien apprivoisé dépasse mon entendement. As-tu eu beaucoup de difficulté à le dresser ? Plus qu'un chien ?

—Je pense qu'il était plus têtu, et plus réticent à obéir. Mais, en réalité, c'était Esca le dresseur en chef ! Il est expert dans ce domaine.

—Ah, bien sûr.

Le légat s'adressa alors à Esca :

—Tu as été élevé chez les Brigantes, n'est-ce pas ? J'ai très souvent vu les frères de Loupiot courir avec les meutes de chiens, chez les gens de ta tribu, et je me suis demandé comment…

Marcus n'en entendit pas davantage. Il s'était penché sur Loupiot. Sa main courait dans la fourrure du jeune loup. Elle lui révélait quelque chose dont il ne s'était pas encore rendu compte dans l'émotion et les bousculades du retour.

—Aquila ! Qu'est-ce que vous avez fait à Loupiot ? Il n'a que la peau sur les os !

—Nous n'avons rien fait à ton précieux Loupiot, répliqua Aquila avec une intonation écœurée. Il s'est plu tout seul — l'obstiné ! — à nourrir sa tristesse, pour son plaisir personnel. Depuis que tu es parti, il n'a accepté d'être alimenté que par cette gamine de Cottia. Depuis qu'elle est partie, il a préféré se laisser mourir de faim. Cet imbécile s'est laissé dépérir, alors que toute la maisonnée était aux petits soins pour lui : on lui tournait autour comme des mouches autour d'un poisson échoué sur le sable!

—Cottia… murmura Marcus. Où est-elle partie?

Il avait à peine pensé à elle à deux reprises au cours de ces mois passés loin de Calleva; cependant, il lui sembla que des siècles s'écoulaient avant que son oncle, enfin, ne lui répondît.

—Ne sois pas inquiet : elle n'est qu'à Aquae Sulis pour l'hiver! Sa tante Valaria a découvert d'un coup qu'il fallait ab-so-lu-ment qu'elle prenne les eaux. Elle a entraîné avec elle toute sa maisonnée, il y a quelques jours de cela.

Marcus respira et recommença à jouer avec les oreilles de Loupiot.

—Cottia a-t-elle laissé un mot à mon intention?

—Elle est venue ici, la veille de son départ, pour me rapporter ton bracelet.

—Tu ne lui as pas dit de… de le garder?

—Non. Je ne lui ai pas dit. Pas comme ça. Parfois, il vaut mieux ne pas dire certaines choses si on peut l'éviter. Je lui ai juste expliqué que, comme tu l'avais laissé à sa garde, il me semblait préférable qu'elle te le remette en mains propres.

Il leva une de ses mains massives, veinées de bleu, vers la chaleur du foyer. Il souriait :

—C'est une fine renarde, cette petite, mais une renarde digne de confiance.

—Oui, souffla Marcus. Oui. Aquila, avec ta permission, je vais me retirer pour nourrir Loupiot, maintenant.

Esca, qui avait continué de répondre aux questions du légat sur le dressage des louveteaux, dit aussitôt :

—Je m'en occupe.

—Nous allons nous en occuper ensemble, suggéra Marcus. Nous en profiterons pour nous débarrasser de la poussière du voyage. Avons-nous le temps?

Son oncle le rassura :

—Plus qu'il ne vous en faut. Le dîner sera prêt… eh bien, Jupiter sait quand. Il va falloir d'abord que Sassticca mette à sac toutes les étagères de la cuisine pour fêter ton retour!

Aquila ne se trompait pas. Pour fêter le retour de Marcus, Sassticca piocha dans les réserves avec une joyeuse insouciance.

Le côté triste de l'affaire, c'était qu'une bonne partie des plats délicieux qu'elle prépara repartirent intacts vers la cuisine, car la chère était par trop abondante.

Le dîner parut complètement irréel à Marcus. Il était si fatigué que la pâle lueur de l'huile de palme qui brûlait dans les lampes semblait à ses yeux un brouillard doré. Rien de ce qu'il mangeait n'avait le moindre goût. C'est à peine s'il aperçut les pétales de crocus gorgés de pluie que Sassticca, fière de sa connaissance des coutumes romaines, avait semés sur la table. Marcus, après tant de repas pris en plein air ou autour d'un feu de camp, avait perdu l'habitude de manger de manière civilisée; il avait perdu l'habitude de partager sa nourriture avec d'autres hommes au visage rasé de frais, vêtus de tuniques de laine blanche — Esca lui en avait emprunté une — et il avait perdu l'habitude d'entendre les voix sèches et posées d'Aquila et du légat qui devisaient de choses et d'autres. Tout cela lui paraissait extrêmement bizarre, comme participant d'un autre monde — un monde qui, jadis, lui avait été familier, et qui, à mesure qu'il resurgissait, lui semblait brusquement étranger.

Seule l'attitude d'Esca, qui trouvait à l'évidence curieux et inconfortable de manger appuyé sur son coude gauche, gardait à cette scène un aspect concret, au milieu de son irréalité dérangeante.

Le repas ne fut pas des plus détendus. On ne traîna pas à table ; on parla peu. Les quatre hommes avaient l'esprit occupé par un autre sujet, un sujet qu'ils avaient pris garde de ne pas évoquer, le dissimulant derrière son rideau de soie. Ce faisant, ils avaient rendu toute discussion vaine. Comment parler d'autre chose ?

Oui, ce fut vraiment un curieux dîner de retour. L'ombre de l'aigle perdue planait sur les convives. Marcus se sentit reconnaissant envers son oncle quand, ayant versé la dernière libation[1] et achevé son verre, celui-ci proposa :

—Et si nous allions dans mon bureau, à présent ?

Marcus, portant l'aigle, le suivit. Il avait à peine monté quatre ou cinq marches de l'escalier de la tour de garde quand il remarqua l'absence d'Esca. Le jeune homme se retourna et vit qu'il était resté debout au pied des marches.

—Je pense qu'il vaut mieux que je ne vienne pas, expliqua-t-il.

—Pardon ? Mais tu dois venir !

Esca secoua la tête :

—C'est une affaire qui ne concerne que ton oncle, le légat et toi. Je serais de trop.

Suivi par Loupiot, qui ne le lâchait pas d'une semelle, Marcus redescendit les marches.

—Cette affaire nous concerne tous les quatre, corrigea-t-il. Quel ver de terre t'est entré dans la tête, Esca ?

—Je pense qu'il n'est pas approprié que j'entre dans le sanctuaire

1. Offrande de boisson faite à un dieu.

privé de ton oncle, insista le jeune homme, têtu. J'ai été esclave dans cette maison.

—Tu n'es plus un esclave.

—Non. Je suis un affranchi.

Il se tut, comme frappé par ce qu'il venait de dire :

—Oui, je suis un affranchi. C'est bizarre : jusqu'à ce soir, je n'y avais jamais pensé.

Marcus non plus. Toutefois, il comprenait Esca. On pouvait rendre sa liberté à un esclave ; cependant, rien n'effacerait le fait qu'il ait connu la servitude. Entre un affranchi et un homme libre, il y aurait toujours une différence. Tant que Rome serait Rome, cette distinction perdurerait. Voilà pourquoi ni Marcus ni Esca n'y avaient pensé jusqu'à ce soir : pendant tous ces mois, ils avaient été loin de Rome et de ses coutumes.

Mais, maintenant, Marcus se sentait déconcerté et impuissant.

—Tu n'avais pas ressenti cela avant que nous partions vers le Nord, fit-il observer. Pourquoi cela a-t-il changé ?

—C'était au début. Je n'avais pas eu le temps de comprendre. J'avais seulement conscience d'être libre. J'étais comme un chien auquel on a ôté sa laisse. Puis, un matin, nous sommes partis, nous avons tout quitté. Et, ce soir, nous sommes de retour.

Oui, ils étaient de retour. Et ils devaient accepter d'affronter la situation en face. Sans détour. Presque mécaniquement, Marcus tendit la main et la posa sur l'épaule de son ami.

—Écoute-moi bien, dit-il. Vas-tu, toute ta vie, te comporter comme si tu avais subi une sévère correction et étais incapable d'effacer l'affront ? Parce que, si tel est le cas, je suis désolé pour toi. Sincèrement. Tu n'aimes pas être un affranchi ? Je n'aime pas être un estropié. On est tous les deux dans le même bateau ! Le mieux — et la seule chose — que nous puissions faire, toi et moi, c'est d'apprendre à vivre avec nos blessures sans trop en souffrir.

Il secoua amicalement son ami, puis laissa retomber sa main.

—Viens avec moi, maintenant, Esca, souffla-t-il.

Le jeune homme ne répondit pas immédiatement. Enfin, lentement, il releva la tête, et Marcus reconnut la lueur dans le regard de son ami : c'était celle qui dansait dans ses yeux quand ils étaient dans le Nord.

Lorsque Marcus et Esca entrèrent dans le bureau d'Aquila, le légat et son hôte se tenaient devant le brasero. Personne ne parla. Seule la pluie murmurait avec douceur et délicatesse derrière les petites fenêtres. La lampe, qui dégageait une faible lueur, paraissait coupée du monde, planant loin, très loin au-dessus de la pièce…

—Alors? finit par demander Aquila.

Le silence vola en éclats. On aurait dit un galet fendant la surface d'un lac.

Marcus traversa la pièce jusqu'à la table et y déposa son ballot. Comme il paraissait pathétique et informe! Il aurait pu contenir des chaussures ou du linge.

—Il a perdu ses ailes, avertit-il. C'est pourquoi il paraît si petit.

Le rideau de soie était ouvert, désormais. Avec lui s'était craquelée la carapace lisse qui, depuis le début de la soirée, avait protégé leur conversation.

—Ainsi, la rumeur était vraie, lâcha le légat.

Marcus acquiesça et entreprit de déballer l'aigle. L'aigle perdue, bosselée, indigne et cependant étrangement puissante. Les emplacements où auraient dû être fixées les ailes paraissaient nus et désolés dans la lumière, qui donnait aux plumes dorées la teinte jaunâtre des ajoncs en fleur. La tête dressée dégageait une fierté rageuse. Certes, elle n'avait plus d'ailes; elle était tombée de son vieux piédestal; mais aigle elle restait. Après douze ans de captivité, elle avait retrouvé son peuple.

Il se fit un grand silence. Personne ne parlait. Puis Aquila suggéra de s'asseoir. Marcus en fut soulagé : sa jambe blessée commençait de trembler sous lui. Il sentait la chaleur du corps de Loupiot couché, tout heureux, à ses pieds. Esca prit place à ses côtés, sur le banc.

Le jeune Romain se lança alors dans son récit. S'efforçant d'être clair et précis, il ne dissimula rien des épisodes que lui avaient narrés Guern le Chasseur et le vieux Tradui — et pourtant, certains d'entre eux n'étaient pas faciles à raconter. Lorsque l'histoire s'y prêtait, il laissa Esca relater ses propres aventures ; et à aucun moment, il ne quitta des yeux le visage attentif du légat.

Ni Aquila ni Claudius ne bougèrent ou n'ouvrirent la bouche pendant le récit de Marcus. Le conteur lui-même était assis très droit, et cherchait à deviner le verdict des grands yeux noirs. Il se mit à pleuvoir plus fort. La pluie martelait la vitre à petits coups impatients. Enfin, Claudius Hieronimianus remua.

— Vous avez bien agi, tous les deux, dit-il.

Son regard alla de Marcus à Esca, puis d'Esca à Marcus, les enveloppant ensemble dans un même compliment.

— Merci à vous. Vous avez arraché des mains de nos ennemis une arme qui aurait pu être utilisée contre l'Empire, un jour ou l'autre. Je m'incline devant deux fous très, très courageux.

— Et… et la légion ? risqua Marcus.

— Non, dit le légat. Je suis désolé. Elle ne sera pas reformée.

Voilà. Marcus avait son verdict. Le destin de la 9ᵉ légion était scellé : pouces baissés.

Le jeune Romain pensait qu'il avait commencé de se faire à cette idée la nuit où Guern lui avait raconté son histoire. Il s'apercevait à présent qu'il ne l'avait jamais acceptée. Au fond de son cœur, il s'était accroché, contre toute logique, à l'espoir que son jugement était erroné, malgré les apparences. Il plaida une dernière fois pour la légion de son père ; mais il avait conscience que ce combat était bel et bien perdu.

—Il restait trois cohortes qui n'étaient pas avec la légion, quand elle est partie vers le Nord, argua-t-il. De nombreuses légions ont été reformées avec moins de survivants que cela, lorsque l'aigle était entre des mains romaines.

—Ces cohortes ont été dispersées il y a douze ans et réparties dans d'autres légions de l'Empire, répondit le légat d'un ton mesuré. Au moment où je te parle, plus de la moitié des hommes qui en faisaient partie ont fini leur service militaire. Ceux qui sont encore en service ont juré allégeance à de nouvelles aigles depuis longtemps. D'après ton propre récit, il ne serait pas bon qu'une légion hérite du nom et du nombre de la 9e légion Hispanie. Mieux vaut le laisser tomber dans l'oubli.

« On ne revient pas des eaux du Léthé », avait dit Guern le Chasseur. Derrière les mots du légat, Marcus entendait parler l'ex-légionnaire : « On ne revient pas. On ne revient pas. »

Aquila se leva et interpella son ami :

—Et que fais-tu des légionnaires qui ont combattu jusqu'au bout ? N'est-ce pas là un héritage digne d'une légion, de chaque légion ?

—La conduite de quelques-uns ne peut pas contrebalancer l'inconduite de tous les autres, répliqua le légat en pivotant légèrement pour lever les yeux vers Aquila. Tu dois garder ceci en tête, même si l'un de ces justes était ton frère.

Aquila poussa un grognement. Le légat s'adressa alors à Marcus :

—Combien savent que tu as rapporté l'aigle ?

—Au sud du Mur, nous quatre, votre propre commandant de camp – qui, j'imagine, a été mis au courant de l'affaire par vos soins – et le commandant de la garnison de Borcovicus. Il était mon second à Isca

Dumnoniorum. Il a dirigé la cohorte pour assurer la défense du fort après que j'ai été blessé. Nous avons pris garde à ce que nul autre, à Borcovicus, n'ait vent de cette histoire. Mon vieil ami ne parlera pas, à moins que je l'y autorise. La rumeur descendra sûrement du Nord. C'est même très probable. Mais, dans ce cas, elle s'éteindra comme s'est éteinte la rumeur précédente.

—Parfait, déclara le légat. Naturellement, je rapporterai cette affaire en détail au Sénat ; cependant, je n'ai pas l'ombre d'un doute, en ce qui concerne son verdict.

Aquila fit un petit geste très expressif, comme s'il jetait quelque chose au milieu des flammes.

—Et qu'en fera-t-on, en fin de compte ? demanda-t-il en fixant l'aigle trapue qui semblait les défier.

—Nous l'enterrerons avec les honneurs.

—Où ça ? s'enquit Marcus d'une voix rauque.

—Pourquoi pas ici, à Calleva ? Nous sommes au carrefour de cinq routes. Les légions y passent sans cesse, et l'endroit n'est sur le territoire d'aucune en particulier.

Il se pencha en avant pour caresser légèrement, d'un doigt, les plumes dorées. Dans la lueur de la lampe, son visage paraissait songeur.

—Tant que Rome sera Rome, l'aigle passera et repassera sous les murs de Calleva, murmura-t-il. Oui, où pourrait-elle mieux reposer ?

—Quand j'ai fait construire cette maison, dit Aquila, il y avait encore des flambées de violence, dans les environs. J'ai donc creusé une petite cachette dans le sol du sanctuaire, pour y conserver des documents importants, au cas où les troubles s'aggraveraient. Enterrons-la là à cet endroit et oublions-la.

Beaucoup, beaucoup plus tard, cette nuit-là, Marcus, Esca, Aquila et Claudius se tenaient dans le sanctuaire, situé à l'extrémité de l'atrium.

Les esclaves avaient regagné leurs quartiers depuis longtemps. Les quatre hommes avaient la maison et son silence à leur pleine et entière disposition. Dans une lampe de bronze se dressait une grande langue de feu qui avait la forme d'une feuille de laurier sans défaut. La lumière se reflétait sur les murs chaulés. Son reflet donnait l'impression que les dieux lares, dans leur niche, regardaient vers le sol en mosaïque, à l'endroit où se trouvait un petit trou, juste au pied de l'autel.

Marcus avait descendu l'aigle de la tour de garde. Il la portait comme il l'avait portée pendant tant et tant de lieues, tant et tant de nuits, dans le creux de son bras. Et, tandis que les autres le regardaient en silence, il s'agenouilla et glissa le rapace de bronze à travers l'hypocauste, dans la terre noire. Désormais, l'oiseau n'était plus enveloppé dans le linge violet en loques qui lui avait servi si longtemps de protection, mais dans son vieux manteau militaire. Marcus rabattit les plis écarlates sur l'aigle avec tendresse. Il avait été si fier de porter ce manteau ; il était bon que l'aigle de son père l'emportât avec elle.

Les quatre hommes fixèrent l'oiseau, tête baissée ; ceux qui avaient servi parmi les aigles à différentes époques, et celui qui avait été réduit en esclavage pour avoir pris les armes contre Rome se trouvaient réunis dans un même hommage. Le légat fit un pas en avant, vers le bord de la petite excavation. Il regardait le manteau écarlate de Marcus, perdu dans les profondeurs que n'atteignait pas la lumière de la lampe. Il leva une main et, très simplement, prononça les mots d'adieu, l'hommage funéraire qu'il aurait prononcé pour un camarade mort au champ d'honneur.

Soudain, il parut à Marcus, au sein de son extrême fatigue, que d'autres les avaient rejoints et planaient au-dessus d'eux, dans le sanctuaire, et notamment deux d'entre eux : le commandant de la 1re cohorte d'Hispanie, avec sa haute crête rouge ; et un indigène vêtu d'un kilt safran. Pourtant, lorsqu'il leva la tête vers l'indigène, celui-ci avait disparu, laissant la place au jeune centurion qu'il avait été jadis.

—Ici gît l'aigle de la 9ᵉ légion Hispanie, déclara le légat. À maintes reprises, elle s'est couverte d'honneur en menant de durs combats contre des ennemis étrangers, et en matant des rebelles dans l'Empire même. La honte s'est abattue sur elle. Mais, jusqu'à la fin, elle a été placée entre les mains d'hommes qui sont morts sous ses ailes. Elle a été brandie par des braves. Qu'elle repose en paix et soit oubliée.

Claudius Hieronimianus recula d'un pas.

Esca jeta un regard interrogateur à Aquila. À un signe de celui-ci, il s'avança vers le morceau de mosaïque posé contre le mur et le replaça délicatement au-dessus du trou. La cachette où Aquila comptait cacher ses documents avait été bien faite. Une fois la mosaïque en place, le dessin du pavage était recomposé. Aucune trace ne permettait de soupçonner ce qu'il cachait, hormis une petite fissure quasiment invisible, juste assez large pour laisser passer une lame de couteau.

—Demain, nous le scellerons, dit Aquila à voix haute.

Lointaines, dans le silence, descendant avec la brise mouillée, retentirent les notes entêtantes que soufflaient longuement les joueurs de trompe du camp de transit, sonnant la troisième ronde de la nuit. Marcus regardait sans le voir l'emplacement carré où avait été pratiqué le trou dans la mosaïque. Il lui sembla que ces notes saluaient avec une tristesse insupportable l'aigle et la légion perdues, parties dans le brouillard pour ne jamais revenir. Puis, quand le chant des trompettes lointaines s'accéléra pour enfin se clore par le dernier trait brillant qui concluait l'appel, un sentiment d'échec s'abattit sur lui. Et pourtant, il savait, comme il l'avait su dans la tour romaine où il s'était réfugié avec Esca avant que leurs poursuivants ne les rejoignissent, que tout cela avait valu la peine. Il n'avait pas relevé le nom de la légion de son père, puisque rien ne pouvait la laver de ses fautes ; mais l'aigle perdue avait retrouvé son nid, et elle ne serait jamais utilisée comme une arme contre son propre peuple.

Marcus leva la tête en même temps que le jeune Breton. Leurs regards se croisèrent. « La chasse a été bonne, n'est-ce pas ? » semblait demander Esca.

—Oui, la chasse a été bonne, confirma Marcus.

21
L'OISEAU EN BOIS D'OLIVIER

Marcus vécut un hiver difficile. Pendant des mois, il avait surmené sa jambe ; à présent qu'il ne vivait plus dans l'urgence de sa quête, le membre blessé prenait sa revanche.

Le jeune homme supportait assez bien la douleur, sauf quand elle l'empêchait de dormir. En revanche, il souffrait de constater que son ancienne blessure n'avait pas dit son dernier mot, alors qu'il pensait être guéri. Il bouillait d'impatience. Cottia lui manquait. Jamais elle ne lui avait autant manqué que durant ces sombres et interminables journées d'hiver. En outre, une question le taraudait, toujours plus obsédante : de quoi serait fait son avenir ? Il n'avait encore pris aucune décision.

Esca, lui, n'avait pas éprouvé les mêmes difficultés :

— Je ne suis plus ton esclave, mais je suis toujours ton porte-lance, avait-il lancé un jour qu'ils abordaient ce sujet. Je te servirai, et tu me nourriras. Peut-être me remettrai-je un peu à la chasse, pour rapporter quelques sesterces de temps en temps.

Avant la fin de l'année, Marcus avait parlé à son oncle de l'idée qu'il avait eue naguère : devenir secrétaire particulier. Mais Aquila, impitoyable, avait, en quelques mots cinglants et bien choisis, mis en doute ses capacités et avait fini par lui arracher la promesse qu'il attendrait d'être à nouveau valide avant de prendre la moindre décision.

Le temps passa, et le printemps s'annonça ; lentement, la jambe de Marcus commença de reprendre des forces. Mars arriva. La sève montante réveilla la forêt sous les remparts, et les nombreux ajoncs qui lui donnaient son nom couvrirent les collines de blancheur. C'est alors que, sans crier gare, la maison de Kaeso revint à la vie.

Durant quelques jours, des esclaves s'agitèrent, allant et venant, secouant rideaux et tentures sur le pas des portes. Les fumées de l'hypocauste qu'on venait de rallumer se glissèrent jusque dans les quartiers des esclaves de la maison d'Aquila, ce qui ne manqua pas de créer des tensions entre les serviteurs des deux maisons voisines. Un soir que Marcus et Esca revenaient des bains, ils croisèrent une carriole, attelée d'une mule, qui s'arrêta devant la maison de Kaeso. Des bagages volumineux furent portés dans la maison. La famille de Cottia était de retour.

Le lendemain matin, Marcus alla jusqu'au fond du jardin et siffla sur deux tons, comme il en avait l'habitude avant de partir dans le Nord. C'était un jour de vent et de pluie – une pluie fine, brillante. Les petites jonquilles ployaient et se penchaient dans le sens des rafales, comme les étincelles d'une flamme soufflée par le vent, tandis que la lumière oblique du soleil passait à travers leurs pétales.

Cottia vint rejoindre son ami sous les arbres fruitiers dénudés. Elle arriva poussée par les bourrasques, tanguant sur le bord du rempart.

—Je t'ai entendu siffler, expliqua-t-elle, et je suis venue. Je t'ai rapporté ton bracelet.

—Cottia ! s'exclama Marcus en la dévisageant, sans faire le moindre geste pour s'emparer du bijou qu'elle lui tendait. Oh, Cottia !

Ils ne s'étaient pas revus depuis près d'un an ; pourtant, Marcus s'était attendu à la retrouver telle qu'il l'avait quittée. Or, Cottia avait changé. La tête haute, elle soutint, quelque peu désemparée, le regard scrutateur de Marcus. Au-dessus des plis droits de sa blanche tunique, son manteau vert et doré se drapait harmonieusement sur ses épaules. Sa capuche était tombée, et ses cheveux flamboyants et indisciplinés étaient à présent coiffés de manière à former une couronne brillante. Cette coiffure accentuait le port de reine de la jeune fille. D'autant que Cottia avait mis du rouge sur ses lèvres, un peu de noir sur ses cils et de minuscules perles d'or à ses oreilles.

—Cottia, répéta Marcus. Tu as grandi.

Le jeune homme venait de ressentir une pointe de douleur, comme s'il avait perdu quelque chose qu'il aimait.

—Oui, j'ai grandi, confirma Cottia. Je te plais ainsi?

—Oh, oui. Oui, bien sûr! Merci d'avoir gardé mon bracelet pour moi. Mon oncle m'a dit que tu étais venu le voir à ce sujet avant de partir.

Il prit le lourd bracelet doré et le passa à son poignet sans la quitter des yeux. Il se rendait compte qu'il ne savait pas comment lui parler. Le silence s'installa. De peur qu'il ne durât éternellement, Marcus risqua une simple question de politesse :

—Tu t'es plu à Aquae Sulis?

—NON! cracha Cottia derrière ses petites dents pointues.

Son visage s'anima d'un coup, éclairé par la fureur :

—J'ai détesté chaque moment que j'ai passé à Aquae Sulis! J'aurais voulu ne jamais aller là-bas. Je voulais rester ici à t'attendre, puisque tu m'avais dit que tu serais de retour avant l'hiver. Et tout l'hiver, je n'ai pas eu un mot de toi, je dis bien pas un mot! C'est vrai, j'ai reçu un petit – un tout petit – message à ton sujet dans une lettre idiote que ton oncle a envoyée à ma tante à propos du nouveau château d'eau de Calleva. Rien de plus! Alors, j'ai attendu, attendu, et toi, tu n'es même pas content de me revoir! Eh bien, moi non plus, je ne suis pas contente de te revoir!

—Ma petite renarde! s'écria Marcus en s'emparant des poignets de la jeune fille au moment où celle-ci s'apprêtait à s'enfuir.

Il l'obligea à faire demi-tour et, soudain, il se mit à rire doucement :

—Je suis content de te revoir, Cottia. Tu ne peux pas savoir à quel point je suis content.

Elle tentait de s'enfuir, tirant sur ses poignets pour se libérer. Mais en entendant ces mots, elle leva les yeux et fixa le visage du jeune homme.

—Oui, tu es content, à présent, concéda-t-elle. Mais pourquoi ne l'étais-tu pas tout à l'heure ?

—Parce que je ne t'avais pas reconnue.

—Ah, lâcha Cottia.

Elle resta silencieuse un moment, puis elle s'enquit, brusquement inquiète :

—Loupiot. Où est Loupiot ?

—En train de faire la cour à Sassticca pour avoir un os. Il devient intéressé.

Cottia poussa un profond soupir de soulagement :

—Il allait bien, alors, quand tu es revenu ?

—Il était squelettique : après ton départ, il a refusé de manger. Mais, depuis, il a rattrapé le temps perdu, crois-moi !

—C'est bien ce que je craignais — qu'il ne veuille plus manger. Voilà aussi pourquoi je ne voulais pas aller à Aquae Sulis. Malheureusement, je ne pouvais pas le prendre avec moi, je te le jure, Marcus. Ma tante Valaria ne m'y aurait jamais autorisée !

—J'en suis plus que convaincu, la rassura Marcus.

Il ne put s'empêcher de rire : Cottia demandant à Dame Valaria la permission d'amener un jeune loup avec elle dans une station balnéaire à la mode… il aurait aimé voir ça.

Cottia et Marcus étaient assis côte à côte sur le manteau que le jeune homme avait jeté sur le banc de marbre humide.

Cottia laissa passer quelques instants avant de risquer une question :

—As-tu trouvé l'aigle?

Marcus regarda autour de lui.

—Oui, finit-il par répondre.

—Oh, Marcus, je suis tellement heureuse! Tellement, tellement heureuse! Et maintenant, que va-t-il se passer?

—Rien.

—Mais… et la légion?

Elle chercha les yeux de Marcus, et ce qu'elle y lut fit disparaître l'étincelle qui dansait dans son regard.

—Il n'y aura pas de nouvelle 9e légion? demanda-t-elle.

—Non. Il n'y aura plus jamais de 9e légion.

—Mais, Marcus… commença-t-elle.

Elle s'interrompit d'elle-même.

—Non, je ne te poserai pas de questions, promit-elle.

Il sourit :

—Un jour, peut-être, je te raconterai toute l'histoire.

—J'attendrai, dit-elle sérieusement, avant d'ajouter en riant : j'ai pris l'habitude!

Les jeunes gens restèrent un long moment assis l'un près de l'autre. Ils ne parlèrent pas beaucoup, échangeant de temps à temps un coup d'œil et un sourire rapide, puis détournant le regard. À leur grande surprise, ils se sentaient intimidés l'un par l'autre. Au détour d'une phrase, Marcus annonça à Cottia qu'il avait affranchi Esca. Il s'était attendu à ce qu'elle marquât de l'étonnement; ce fut elle qui le désarçonna en déclarant :

—Nissa me l'a dit juste après ton départ. J'étais contente — et pour lui, et pour toi.

Puis, de nouveau, le silence retomba.

Derrière eux, dans les branches nues d'un poirier balancé par le vent, un merle au bec couleur de crocus se mit à siffler. La brise se saisit de son trille et le déversa en une pluie de notes sur Marcus et Cottia. Les jeunes gens, ensemble, levèrent les yeux vers l'oiseau dont la silhouette frissonnante se découpait dans le ciel bleu et glacé. Marcus plissa les yeux dans la lumière aveuglante du soleil et répondit au merle en sifflant. L'oiseau parut répondre à son tour au jeune Romain. Puis un nuage s'interposa, masquant le soleil ; et l'ombre recouvrit le jardin.

Au même moment retentit le pas d'un cheval qui descendait la rue, ses sabots piétinant la route détrempée. Il s'arrêta devant la demeure d'Aquila — ou devant la maison suivante, Marcus n'aurait su le dire avec certitude. Le merle chantait encore. Marcus regarda Cottia. Il lui sembla qu'une ombre, qui n'était pas due seulement au nuage, la recouvrait. Soudain, elle demanda :

—Marcus, que comptes-tu faire, désormais ?

—Comment ça, désormais ?

—Eh bien, maintenant que tu vas mieux. Car tu vas mieux, n'est-ce pas ? Non, évidemment ! Tu ne vas pas mieux. Je t'ai vu boiter encore plus bas qu'avant de partir.

Marcus rit.

—Je suis resté allongé comme un blaireau malade tout l'hiver, reconnut-il, mais je suis sur la voie de la guérison, et je progresse de plus en plus vite.

—C'est la vérité ?

—C'est la vérité.

—Alors, que vas-tu faire ? Rejoindre la légion ?

—Non. Oh, je ne serais pas mauvais dans une escarmouche ! Mais de là à conduire ma cohorte de Portus Itius à Rome à raison de vingt lieues par jour, non, non, impossible. Et je ne parle pas de la parade : j'y serais un bien piètre figurant !

—La parade ! répéta Cottia, indignée. J'ai vu les légionnaires parader à travers les portes du camp de transit. Ils avancent en rang, bougent leurs jambes en cadence et forment des figures étranges pendant qu'un homme leur hurle des ordres en mugissant comme un taureau. Tu peux m'expliquer ce que cette comédie a à voir avec le combat ?

Marcus chercha à rassembler ses arguments pour aider Cottia à comprendre cette curiosité romaine. Toutefois, il n'eut pas le temps de s'empêtrer dans son exposé : la jeune fille enchaîna sans attendre sa réponse.

—Bref, dit-elle, si tu ne peux pas rejoindre la légion, que vas-tu faire ?

—Je… je ne suis pas vraiment sûr…

—Tu vas rentrer chez toi, asséna-t-elle.

À peine eut-elle prononcé ces mots qu'elle comprit ce qu'ils signifiaient ; ses yeux s'agrandirent sous l'effet de la panique.

—Tu vas rentrer à Rome, et tu vas emmener Loupiot et Esca avec toi !

—Je ne sais pas ce que je vais faire, Cottia, répliqua Marcus. Honnêtement, rien n'est encore décidé.

Cottia ne semblait pas l'entendre.

Sa voix n'était plus qu'un gémissement lorsqu'elle supplia :

—Prends-moi aussi avec toi. Bientôt, ils auront fini de construire la muraille autour de la ville. Tu ne peux pas me laisser en cage. Non, tu ne peux pas ! Tu n'as pas le droit. Oh, Marcus, prends-moi avec toi !

—Même si je vais à Rome ? demanda Marcus.

Il se rappelait la haine viscérale de la jeune fille pour tout ce qui était romain.

Cottia se leva et lui fit face.

—Oui, affirma-t-elle. Oui. J'irais n'importe où, pourvu que ce soit avec toi.

Deux vagues d'émotion bien distinctes submergèrent Marcus : la surprise heureuse de la découverte et la désolation de la perte. Comment allait-il dire à Cottia qu'il ne possédait rien en ce monde, pas même un emploi ? Et comment lui dire que, s'il partait, il ne pouvait pas l'emmener ?

—Cottia… commença-t-il en cherchant ses mots. Cottia, mon cœur, ce n'est pas poss…

Mais la voix d'Esca l'interrompit :

—Marcus ! Marcus, où es-tu caché, encore ?

—Ici ! J'arrive !

Il prit la main de Cottia :

—Peu importe, viens avec moi.

La pluie s'était remise à tomber, mais le soleil brillait, si bien que le fin rideau liquide étincelait. Loupiot rejoignit son maître et son amie sur les marches du jardin. Il bondissait autour d'eux, poussant des aboiements ravis, sa longue queue épaisse voletant derrière lui. Derrière l'animal se tenait Esca. Le jeune homme tendit à Marcus un fin rouleau de parchemin scellé.

—On vient d'apporter ceci pour toi, expliqua-t-il.

Marcus prit le rouleau et examina le sceau. Il ouvrit de grands yeux en reconnaissant les armes de la 6e légion, tandis que Cottia, Esca et Loupiot se saluaient à leur manière. Au moment de briser le sceau, Marcus aperçut Aquila qui l'observait.

—La curiosité est l'un des privilèges du grand âge, décida l'oncle en tournant autour du groupe à l'entrée de la colonnade.

Marcus déroula la feuille de parchemin. Le soleil l'aveuglait à moitié. Les mots qu'il lut lui semblaient flotter au milieu de nuages rouges et verts. La lettre commençait ainsi :

Au centurion Marcus Flavius Aquila,
De la part de Claudius Hieronimianus, légat de la 6ᵉ légion, Victrix,
Salut !

Il parcourut la missive, puis leva les yeux et rencontra le regard doré de Cottia.

—Es-tu une sorcière de Thessalie, capable de prendre la lune dans le filet de ses cheveux ? lui demanda-t-il. Ou aurais-tu tout simplement le don de double vue ?

Il relut la lettre une deuxième fois, plus attentivement, assimilant son contenu — ce qu'il avait eu du mal à faire lors de la première lecture.

—Le légat a rapporté notre affaire au Sénat, dit-il lentement, et leur sentence correspond à celle que nous envisagions. Mais il ajoute que — je cite — « en juste reconnaissance des services rendus à l'Empire, lesquels services sont réels et authentiques bien qu'ils ne doivent pas être spécifiés ici »…

Marcus fixa son ami :

—Esca, tu es citoyen romain.

Le jeune homme était surpris, presque agressif.

—Je ne suis pas sûr de bien comprendre, répondit-il. Qu'est-ce que cela signifie ?

Cela signifiait beaucoup ; beaucoup de droits, beaucoup de devoirs. En un sens, cela effaçait même l'oreille découpée, car peu importait qu'il eût été esclave s'il était citoyen romain. Esca s'en rendrait compte plus tard. De plus, dans son cas, c'était une quittance d'honneur, comme la liberté gagnée par un gladiateur dans l'arène ; toutes ses dettes étaient annulées. Marcus le lui expliqua, et il vit que, en tant qu'ancien gladiateur, Esca saisissait la portée de la nouvelle.

—Le légat dit que, pour le même service qu'Esca, j'ai droit au bénéfice de la gratuité qui échoit à tout centurion de cohorte ayant achevé son service, continua-t-il. Mon dû me sera payé à la mode d'antan, moitié en sesterces, moitié en terres.

Il y eut un long silence, puis Marcus lut la fin de la missive :

Ainsi que l'exige la coutume, les terres qui te seront attribuées seront situées en Bretagne, puisque telle est la province de ta dernière affectation. Cependant, un bon ami à moi, camarade de banc au Sénat, me charge de te faire savoir que, si tel est ton désir, il ne devrait pas y avoir de difficulté pour échanger tes terres de Bretagne contre un lot en Étrurie, que je crois être ton pays. Les documents officiels vous parviendront bientôt. Néanmoins, comme les voies de l'administration sont, de notoriété publique, d'une rapidité très relative, j'espère être le premier à te communiquer ces nouvelles.

Marcus se tut et regarda les visages qui l'entouraient. Celui de son oncle affichait l'intérêt détaché de qui observe le résultat d'une expérience ; celui d'Esca, interrogateur, attendait le prochain épisode ; celui de Cottia était devenu d'un coup pâle et tiré. Quant au museau de Loupiot, il était levé, attentif. Tous ces visages ! Soudain, Marcus fut pris du désir de s'échapper, leur échapper à tous, même à Cottia, même à Esca. Ils faisaient partie de son histoire passée et à venir ; leurs destins dépendaient de lui et celui de Marcus dépendait des leurs ; mais, pour l'instant, il voulait être seul, prendre la mesure de ce qui venait de lui tomber dessus sans que personne ne s'en mêlât.

Le jeune homme se détourna et s'appuya contre un muret.

Il regarda plus loin, le jardin mouillé où les jonquilles encore en bouton éclataient dans le verger sauvage comme une myriade d'étincelles enflammées.

Il pouvait rentrer chez lui.

Il sentait les dernières gouttes du crachin sur son visage. Il pensait :

«Je peux rentrer chez moi.» Et il voyait, les yeux fermés, la longue route qui menait vers le Sud, la route de la légion, blanche dans le soleil étrusque. Il voyait les fermes derrière les oliviers en terrasses. Au-delà, les vignes sombres des Appenins. Il avait l'impression de respirer l'odeur des forêts de pins et les chaudes fragrances de thym, de romarin et de cyclamen sauvage — les arômes estivaux de ses collines natales. Et il pouvait les retrouver, à présent; il pouvait retrouver les collines et les gens au milieu desquels il avait été élevé, et qui lui avaient si cruellement manqué, ici, dans le Nord. Mais s'il retournait là-bas, n'aurait-il pas d'autres envies? N'aurait-il pas faim d'autres odeurs, d'autres paysages, d'autres sons, comme, par exemple, les ciels changeants du Nord et les cris du pluvier?

Brusquement, il comprit pourquoi son oncle n'était pas revenu dans son pays à la fin de ses années de service. Sa vie durant, il se souviendrait de ses collines natales. Parfois, il s'en souviendrait avec nostalgie, et elles lui manqueraient; mais son pays, c'était la Bretagne. Marcus le comprit à cet instant, et cette révélation lui sembla si naturelle qu'il se demanda pourquoi il n'y avait pas pensé auparavant.

Loupiot colla sa truffe froide dans sa main. Il soupira et fit de nouveau face aux autres. Aquila était toujours immobile, les bras croisés, son énorme tête légèrement penchée.

—Félicitations, Marcus! dit-il. Mon ami Claudius n'aurait pas sué sang et eau au Sénat pour n'importe qui, et il a dû se battre avant d'obtenir que justice te soit rendue!

—Je lui dois une fière chandelle, reconnut Marcus. C'est un nouveau départ — un nouveau départ, Esca!

—Bien sûr, il va falloir un peu de temps pour arranger l'échange de terres, intervint Aquila, songeur. Néanmoins, j'imagine que tu devrais être rentré en Étrurie à l'automne.

—Je ne rentrerai pas en Étrurie, répliqua Marcus. Je prendrai une terre ici, en Bretagne.

Il fixa Cottia. Elle n'avait pas bougé depuis qu'il avait commencé la lecture de la lettre du légat. Immobile, elle attendait. Marcus s'adressa à elle :

—Ce ne sera pas Rome, finalement, mais tu as dit «n'importe où», n'est-ce pas, Cottia, ma douce?

Elle le regarda un moment, incertaine. Puis elle lui sourit et fit le geste de fermer son manteau, comme si elle était prête à partir à l'instant même, et à partir n'importe où, absolument n'importe où. Et elle mit ses mains dans celles de Marcus.

—Pfff. J'imagine que je vais devoir arranger ça avec Kaeso, grommela Aquila. Par Jupiter! Je ne me rendais pas compte à quel point ma vie était paisible avant que tu ne débarques, Marcus!

Ce soir-là, après avoir écrit au légat en son nom et en celui d'Esca, Marcus rejoignit son oncle dans la tour de garde. Le jeune homme se pencha à la grande fenêtre, les coudes posés sur l'appui, la tête dans ses mains. Aquila était assis à son écritoire devant son manuscrit intitulé *L'Histoire de l'utilisation du siège à la guerre*. La pièce, haute de plafond, retenait la lumière du jour comme dans une coupe. Plus bas, dans la cour, la pénombre gagnait.

L'obscurité de l'immense forêt paraissait douce comme de la fumée aux yeux de Marcus, qui regardait plus loin, après les bois, vers la vie houleuse des basses plaines qu'il connaissait bien. Ces plaines étaient l'endroit idéal pour bâtir une ferme. On y trouvait du thym pour les abeilles et de bons pâturages; peut-être même une pente, au sud, où l'on pourrait cultiver une vigne en terrasses. Ils travailleraient ensemble, Esca, lui et le peu d'ouvriers qu'ils pourraient s'offrir — si peu que ce fût, ce serait suffisant pour commencer. Ils s'en sortiraient. Travailler la terre avec des hommes libres ou affranchis serait une expérience originale — pas nouvelle, non : d'autres l'avaient déjà tentée, quoique rarement. Esca avait dégoûté Marcus de la possession d'un être humain.

— Nous avons parlé, Esca et moi, dit-il à brûle-pourpoint, son menton encore dans les mains ; si j'ai la liberté de choisir ma terre, j'aimerais qu'elle soit située dans les basses plaines.

— Tu ne devrais pas avoir trop de problèmes à arranger cela avec les autorités, commenta Aquila en cherchant une tablette mal rangée sur sa table.

— Est-ce que tu étais au courant de ce que tramait Claudius ? s'enquit son neveu.

— Je savais que Claudius avait l'intention de citer vos noms devant le Sénat ; mais de là à ce que son initiative porte des fruits, c'était une autre paire de manches.

Il ricana :

— N'empêche, le Sénat n'est pas gêné : payer ses dettes comme autrefois ! Quelques sesterces et de la terre. Aussi peu de terre que de sesterces : ça revient moins cher.

— Ils ont ajouté à cela une citoyenneté romaine... se hâta d'ajouter Marcus.

— ... qui n'a pas de prix, c'est vrai, mais ne coûte rien non plus.

— Nous allons nous en sortir, Esca et moi, dit Marcus en riant.

— Je n'en doute pas à condition que vous commenciez par ne pas mourir de faim. Vous allez devoir construire et faire des réserves, rappelle-toi !

— En ce qui concerne la construction, nous pouvons nous en occuper nous-mêmes. Un clayonnage enduit de torchis, et le tour sera joué, en attendant la fortune !

— Et Cottia, que va-t-elle en penser ?

—Cottia s'en satisfera, répondit Marcus sans l'ombre d'une hésitation.

—En tout cas, tu sais où frapper si tu as besoin d'aide.

—Oui, je le sais, confirma le jeune homme en se détournant de la fenêtre. Si nous avons vraiment, vraiment besoin d'aide, après trois mauvaises récoltes, par exemple, je viendrai.

—Pas avant?

—Pas avant. Non, pas avant.

Aquila fixa son neveu :

—Tu es impossible! Plus tu avances en âge, plus tu ressembles à ton père!

—C'est vrai?

Marcus se remit à rire, puis hésita. Il tenait à dire certaines choses au vieil homme, mais elles n'étaient pas si aisées à formuler.

—Aquila, commença-t-il, tu as déjà tellement fait pour nous. Si tu n'avais pas été là, je n'aurais eu personne chez qui…

—Bah! grogna son oncle en continuant de chercher la tablette manquante. Si toi, tu n'avais pas été là, je n'aurais eu personne pour m'embêter. Ce ne sont pas mes enfants qui risquent de me tourmenter.

Enfin, il trouva l'objet qu'il cherchait. Avec une précision et une délicatesse infinies, il entreprit de gratter la tablette usagée avec une plume qu'à l'évidence il lui faudrait bientôt tailler.

—Si tu avais demandé à changer de lot pour retourner en Étrurie, je crois que j'aurais fini par me sentir assez seul, finit-il par avouer.

—Pensais-tu que je prendrais le premier bateau pour Clusium?

—Non, non, je ne le pensais pas, répliqua Aquila en posant la plume abîmée. Et voilà, à cause de toi, j'ai gâché une plume encore en état de fonctionnement et j'ai détruit des notes absolument es-sen-tielles. J'espère que tu es content. Non, je ne pensais pas que tu repartirais, mais tant que l'heure n'était pas venue et que tu n'avais pas le choix, je ne pouvais pas en être sûr.

—Moi non plus, avoua Marcus. Mais je le suis, à présent.

Tout à coup, sans raison particulière, il se souvenait de son oiseau en bois d'olivier. Il lui avait semblé que, dans les petites flammes qui s'élevaient du bûcher constitué d'écorce de bouleau et de bruyère morte sur lequel il l'avait couché, c'était son ancienne vie qui brûlait avec son trésor d'enfance. Mais une nouvelle vie, un nouveau départ, avaient jailli des cendres grises.

Pour lui, pour Esca, pour Cottia. Peut-être pour d'autres personnes, aussi. Et même pour une terre inconnue, dans la basse vallée, qui serait un jour une ferme.

Quelque part, une porte claqua, et le pas d'Esca résonna en bas, dans la colonnade, accompagné par un sifflement clair et joyeux que Marcus reconnut aussitôt :

Quand j'ai rejoint les aigles,
J'ai embrassé une belle, oh gué !
Une belle de Clusium, oh gué !
Puis je m'en suis allé.

Les esclaves sifflaient rarement. Ils chantaient, lorsque le cœur leur en disait ou que le rythme les aidait à travailler, mais siffler, non, c'était différent. Il fallait être libre pour siffler, et Marcus le savait.

Aquila leva alors les yeux de nouveau de la plume qu'il était en train de retailler :

—Oh, au fait, j'ai des nouvelles qui pourraient t'intéresser, si tu n'en as pas encore entendu parler. Il paraît qu'on est en train de reconstruire Isca Dumnoniorum.

TABLE DES MATIÈRES

La saga des *Trois Légions* continue.
Après *L'Aigle de la 9ᵉ légion*,
vivez à nouveau la conquête romaine en lisant :

L'Honneur du centurion

Violences et troubles agitent la Bretagne sous domination romaine. Lorsqu'ils découvrent un complot menaçant la vie de l'empereur, le centurion Flavius et le chirurgien Justin se retrouvent eux-mêmes au cœur de la tourmente.

Bravant les dangers, les deux jeunes gens vont tout faire pour défendre l'honneur de Rome. Mais parviendront-ils à sauver l'Empereur ?

Un roman captivant où s'opposent devoir et trahison.

Mise en pages : Maryline Gatepaille

Loi n° 49-956 du 16 juillet 1949
sur les publications destinées à la jeunesse
ISBN : 978-2-07-064026-3
Numéro d'édition : 182734
Dépôt légal : février 2011

Imprimé au Canada